D1191544

Bertha Zuckerkandl · *Österreich intim*

Bertha Zuckerkandl

Österreich intim

Erinnerungen 1892–1942

Ergänzte und neu illustrierte Ausgabe
mit 30 Abbildungen

Amalthea

Bildnachweis:

Privatbesitz: 1, 3, 8, 11, 25–30
Österreichische Nationalbibliothek: 2, 4–7, 9, 10, 12–24

Lizenzausgabe für Amalthea Verlag, Wien · München
mit freundlicher Genehmigung des Ullstein Verlages, Berlin
Schutzumschlag: Peter Steiner
Gesamtherstellung: Druckhaus R. Kiesel, Salzburg
Printed in Austria 1981
ISBN: 3-85002-134-3

INHALT

Il n'y a pas de souvenirs
superflus quand on a à peindre
la vie de certains hommes.

Baudelaire[1]

Raconter un peu de cette histoire
individuelle, qui, dans
l'histoire, n'a pas d'historien.

Edmond de Goncourt[2]

MEIN TELEFON-TAGEBUCH

Ich saß bei Arthur Schnitzler[1].

»Warum schreiben Sie eigentlich kein ausführliches Tagebuch?« fragte er mit einemmal. »Was Sie mir jetzt in einer halben Stunde erzählten und andeuteten, was Sie mich erraten ließen, wäre schon Stoff zu einem hochinteressanten Buch. Selbst wenn Sie nur registrieren, was Sie erlebt haben, bietet das eine solche Fülle von Abenteuern des Geistes, der Kunst, der Gefühle, die in Ihrer Nähe gewachsen sind und ihr Spiel getrieben haben, daß es einfach unerlaubt ist, diesen Spiegel einer Epoche allgemeiner Einsicht vorzuenthalten.«

Mein Blick fiel auf Schnitzlers Bibliothek: In dicken Manuskriptbänden ruhten dort wohlverschlossen seine kostbaren Tagebücher. Keinen Tag hatte er vorübergehen lassen, ohne ihn im Extrakt festzuhalten.

»Wie könnte ich es wagen«, erwiderte ich, »ärmliche Aufzeichnungen zu Tagebüchern zu stempeln? Ich hätte nie die Geduld zu so minuziöser Arbeit. Einiges habe ich wohl notiert, meist Politisches, aber nur anfallsweise.«

»Gerade Sie als Frau begreifen näher und intimer, aus welchen Elementen eine Epoche geworden ist, die im Rückblick gewiß als einheitliches und bedeutendes Ganzes zu erkennen sein wird.«

»Um Sie versöhnlicher zu stimmen, will ich ein Bekenntnis ablegen. Ich bin süchtig. Telefonsüchtig. Wenn Hofmannsthal das Telefon das ›indiskreteste Instrument‹ genannt hat, so nenne ich es das unmittelbarste und umfassendste. Viele Stunden meines Lebens verbringe und verbrachte ich am Telefon. Sie wissen, daß mir vieles anvertraut wird, und oft hat ein Anruf, ein Gespräch, eine Nachricht, eine Bitte den Anfang, den Höhepunkt oder das Ende schicksalhafter Wendung bedeutet. Diese Telefongespräche, soweit sie mir interessant erschienen, sind mir gegenwärtig. Einzelne Worte erwecken in mir Erinnerungen an Gespräche, Begegnungen, Briefe, die dem Anruf folgten.«

»Bravo! Ich erwarte also ein Telefontagebuch von Ihnen.«

Viele Jahre sind seitdem verflossen. Arthur Schnitzler ist tot. Dank der entschlossenen Obsorge seiner Frau sind seine Tagebücher gerettet worden. Freilich hatte ich in den Sorgen der letzten Jahre vor Österreichs Untergang jenes nachmittägliche Gespräch bei Schnitzler lange vergessen.

Wenn man die Flucht ergreift, vergißt man ja meist die notwendigen Dinge und nimmt die überflüssigsten mit; so erging es auch mir. Beim Abschied von Wien ließ ich Wertvolles zurück. Als ich aber in Paris die wenigen mitgeführten Manuskripte und Bücher auspackte, fiel mir als erstes mein Wiener Telefonbüchel in die Hand. Wer hatte die stupide Idee gehabt, dieses nun toteste aller Bücher einzupacken?

Zufall? Gibt es das? War es nicht vielmehr das Spiel geheimnisvoller Kräfte, deren Willkür wir unbewußt gehorchen? Wenn, dann war es eine mitleidige Kraft gewesen, die mir mein Telefonbüchel ins Flüchtlingsgepäck geschoben hatte.

Heimatlos irrt Erinnerung zur Heimat zurück. Hier, an diesen Namen und Zahlen, rankt sie sich empor. Und sanft führt sie mich zu jenem Einst, drückt mir die Feder in die Hand und flüstert mir zu . . .:

HERMANN BAHR – DER ERWECKER
Wien 1892

»Hallo ... Habe ich Sie aufgerüttelt?«

»Ja. Leider.«

»Bravo. Das war meine Absicht. Sie sind die erste, der einzige Mensch – den ich ...«

»Bahr ...[1] Endlich zurück! Wie konnten Sie sich von Paris losreißen? Drei Jahre waren Sie fort!«

»Herrlich ist es gewesen. Aber: Wenn man ein Gefäß lange unter den sprudelnden Quell hält, so läuft es über. Ich habe die großartigsten Dinge erlebt. Zola, die Impressionisten, Dostojewski, Stendhal ... Das alles erzähle ich Ihnen noch. Man kann nicht stundenlang telefonieren.«

»Warum nicht? Spricht man je ungestörter? Hat man dann genug, so hängt man auf, ohne das übliche Zeremoniell ... Also sprechen wir ruhig weiter. Wie finden Sie Wien?«

»Deshalb rufe ich Sie doch in aller Frühe an. Das ist ein Friedhof ... Nein, ein Friedhof ist etwas Ehrfurchtgebietendes; da war einmal etwas. Aber in Wien spürt man ja nicht einmal mehr das!«

»Ein Dornröschenschlaf ...«

»Was? Sie reden von Schlaf? Haben Sie je eine Stadt schnarchen gehört? Wien schnarcht.«

»Na, jetzt sind Sie ja da. Sie werden es schon wachrütteln.«

»Beuteln werd' ich's, das schwöre ich bei Gott! Obwohl Gott diesen Schwur wahrscheinlich nicht zur Kenntnis nimmt, denn er schnarcht ja auch ...«

»Ah, noch immer Ihre atheistischen Scherze? Ich sehe Sie noch als Heiligen enden.«

»Wenn Sie anfangen, mir den Hermann Bahr zu erklären, dann hänge ich auf ... Darf ich mir aber für einen Nachmittag meinen Kaffee ausbitten? Ich brauche nämlich, ehe ich mit dem Beuteln anfang, gewisse Auskünfte. Sie müssen mir da ein paar Marksteine zeigen ...«

»Gern. Ich erwarte Sie also morgen um fünf Uhr.«

Die Locke in der Stirn, mit den spähenden braunen Augen keck in die

Welt blickend, ein zynisches Lächeln um den wohlgeformten Mund, hochgewachsen, selbstbewußt und unbekümmert stand Hermann Bahr vor mir.

»Das beste ist, ich schildere Ihnen, was mir heute Kopfschmerzen macht«, begann ich. »Da werden Sie unsere Probleme sofort verstehen. Ich habe Besuch von Pariser Freunden, die ich mit Wiener Kunst und Kultur bekannt machen soll. Damit steht es aber so schlecht, daß ich mich frage: Wie fang' ich's an? Die einst berühmte Oper – heute ist sie vernachlässigt, rückständig, auf abgeleierte Belcanto-Opern eingestellt. Das Burgtheater? Wo ist die Zeit, da es für die deutsche Literatur führend war[2]? Jetzt besteht das Repertoire aus Epigonen-Dramen und aus Lustspielen für höhere Töchterschulen ... Kunstausstellungen? Die Vereinigung ›Künstlerhaus[3]‹ ist eine Versicherungsanstalt für Talentlosigkeit.«

»Da fahre ich lieber gleich wieder weg.«

»Warten Sie. Einen Markstein – nein, zwei Marksteine kann ich Ihnen zeigen. Die Wissenschaft, insbesondere die Naturwissenschaften, die Medizin und, es ist komisch, gleichzeitig davon zu sprechen – die Wiener Operette.«

»Warum finden Sie das komisch? Da kann ein geheimnisvoller Zusammenhang bestehen. Aber da Sie Ihre Pariser Freunde weder in die Anatomie noch ins Irrenhaus führen können ...«

»Ich führe sie heute abend ins Theater an der Wien[4]. Dort ereignet sich ein österreichisches Wunder. Es gibt Johann Strauß[5], und es gibt Alexander Girardi[6], der – in seiner Art – Österreich beinahe mystisch verkörpert. Der hinreißendste, volkshafteste Darsteller seit Nestroy.«

»Verzeihen Sie, das ist nicht die richtige Charakteristik. Ich bin lange fort gewesen, aber so wie Girardi in mir lebendig ist, sehe ich ihn als Dämon des österreichischen Wesens in seiner gewaltigen Vielfarbigkeit.«

»Ja, seine Heiterkeit reicht vom weisesten Humor bis zur beißenden Ironie. Eine Einsicht und ein Erkennen, und die verschämte Träne.«

»Sie sind mit ihm befreundet?«

»Seit seinen Anfängen. Ein armer Schlosserlehrling war er, der kaum die Schule besucht hat, keine Note konnte er vom Blatt lesen, und plötzlich singt dieser Autodidakt so süß, so rhythmisch, plötzlich tanzt er Straußwalzer mit einer undefinierbaren Mischung aus schieberischem Elan und aristokratischer Lässigkeit, plötzlich steht er auf der Bühne, ohne Schule und schon ein Meister. Johann Strauß schreibt seine Operetten für ihn. Ein Akkord zweier Genies, wie er alle Jahrhunderte nur einmal vorkommt. Wollen Sie meine Freunde und mich begleiten? Wir gehen in die Strauß-Premiere. Da sind Sie sofort im Herzen eines Wien, das eben nicht untergeht.«

In dieser Stunde begann eine geistige Verbindung, die vierzig Jahre, bis zu Bahrs Tod, von großer Bedeutung für mich gewesen ist. Er strahlte geistige Energie aus und saugte alles in sich ein. Romane, Theaterstücke, Essays, Philosophisches, Tagebücher, all das entsprang der leidenschaftlichen Gier, an der Welt teilzunehmen und diese Teilnahme in Produktivität zu verwandeln. Deshalb war Bahrs Erleben, Fühlen und Denken in stetem Fluß. Man warf ihm vor, wetterwendisch zu sein, sich in Gegensätzen und Widersprüchen zu gefallen. Als er einmal gebeten wurde, sich in ein Stammbuch einzutragen, setzte er unter den von jemand anderem geschriebenen Wahlspruch: »Immer derselbe« seinen eigenen: »Niemals derselbe«.

Er durfte das, dieser Immer-Gegenwärtige. Er hat seine Wandelbarkeit selbst geschildert:

»Die ganze Fläche dieser breiten Zeit möchte ich fassen, den vollen Taumel aller Wallungen auf den Nerven und Sinnen. Das ist mein Verhängnis. Doch darf ich mich trösten, weil es immerhin ein hübscher Gedanke und schmeichelhaft ist, daß zwischen Wolga und Guadalquivir heute nichts empfunden wird, das ich nicht verstehen, teilen, gestalten könnte. Und daß die europäische Seele kein Geheimnis vor mir hat.«

ALEXANDER GIRARDI

Wien 1892

Premiere des »Zigeunerbaron« von Johann Strauß. Er dirigiert selbst, ganz besessen. Schon als er das Pult betritt und den Taktstock hebt, braust Jubel auf. Strauß, die dichtgelockten Haare rabenschwarz gefärbt, den schwarz gewichsten Schnurrbart aufgezwirbelt, fabelhaft elegant in dem wie angegossen sitzenden Frack, verbeugt sich im Zweivierteltakt.

Endlich kann die Ouvertüre beginnen. Schmelzende ungarische Melodien unterbrochen von wiegenden Walzerrhythmen.

Girardi tritt auf, beinahe unkenntlich in der Maske eines ungarischen Schweinezüchters. Nur die herrlichen Augen kann er sich nicht verschminken. Im dritten Akt kehrt er, der sein Land tapfer verteidigt hat, aus der siegreichen Schlacht zurück. Und er beginnt seine Abenteuer zu besingen, bis ihm vor Rührung, weil er die geliebte Pußta wiedersieht, die Stimme bricht, so daß er mit einer Art Schluchzen schließt. Strauß ruft mit zitternder Stimme auf die Bühne: »Xandl, ich dank' dir!« – Man hört ihn kaum in dem tosenden Beifall.

Im Zwischenakt hatte eine reizende, pikante, eigenartige junge Frau in einer Parterreloge Platz genommen. »Die Odilon[1]!« flüsterte man sich zu. »Die Odilon« – selten gelang es einer nach Wien verpflanzten Berliner Schauspielerin, populär zu werden, gar wenn ein leiser preußischer Dialektanklang die unbezwingbare Abneigung des Wieners gegen alles Preußische noch steigerte. Aber einem so vehementen Sex-Appeal, wie ihn die Odilon besaß, konnte die Wiener Sinnlichkeit nicht widerstehen. Sie war ein Sexualwunder. Doch war die hochtalentierte Frau ihrer Kunst leidenschaftlich ergeben. Bald waren die Odilon-Premieren große Mode, wozu nicht wenig beitrug, daß die rasch wechselnden Abenteuer des neuen Stars dem Wiener Tratschbedürfnis willkommene Nahrung boten.

»Hallo! Bitt', is die Gnädige zu sprechen?... Ah, Bertha, du leihst mir dein süßes Ohr? – du, mir is was passiert... Seit der G'schicht mit der Schratt[2] hab' ich so schön Ruh' g'habt...«

»Radi, mach dich nicht lächerlich – jede Woche bist du in eine andere verliebt.«

»Verliebt – das ist etwas ganz anderes. Das waren so schlichte Sachen ... Aber jetzt, seitdem ich diese Frau geküßt hab', weiß ich erst, was die von mir so oft besungene Liebe ist ... Ich kann einfach ohne die Odilon nicht leben.«

»Die Odilon? O Radi ...«

»Was, was? Kommst du mir am End' mit einer Moralpredigt? Hast du denn kein gutes Wort für mich?«

»Du hast recht. Ich war nur so überrascht – weil du der Inbegriff des Wieners bist – und sie – doch etwas preußisch angehaucht.«

»Eine Frau hat keine Nationalität. Die hat nur ein liebes Gesicht und einen herzigen Mund und Augen, in denen man sich ertränken möcht', und noch andere Sacherln, die auch nicht ohne sind. Und wenn die Odilon aus der Hölle käm', mir ist sie das Paradies ... Bertha, ich heirat' sie. Sie ist auch ganz verrückt nach mir.«

»Du hast mir immer gesagt, daß du nur die Schratt hättest heiraten können. Weil ihr so wunderbar zueinander gepaßt habt.«

»Ja, die Kathi ... Da waren wir noch wie die Kinder. Aber für einen Herrn Baron hat sie mich stehen lassen. Und das war ihr dann noch nicht nobel genug. A Majestät hat's sein müssen ... Aber auf einmal spür' ich nix mehr, wenn ich von ihr red' – ich denk' nur an die Odilon.«

»Ich werde sie morgen besuchen.«

»Bertha – ich hab's immer gewußt. Auf dich kann ich mich verlassen.«

Wie lange war sie ihm treu? Einen Monat? Eine Woche? Einen Tag? Eine Stunde? Wer könnte es sagen? Dieses nixenartige Geschöpf lockte einen Geliebten, umfing ihn, betörte ihn. Er gefiel ihr wohl eine Zeitlang, und gefiel er ihr, so geschah das in einem Taumel von Sinnlichkeit. Girardi verfiel ihr. Aber schon in den Flitterwochen machte sie den ahnungslosen Verliebten zum Hahnrei. Bald kamen anonyme Briefe, die Girardi argwöhnisch machten. Es begann ein Auf und Ab von Eifersuchtsqualen und von Versöhnungen. Sie, Meisterin der Verlogenheit, war nie zu überführen. Sie hatte stets ein Alibi bereit. Er hatte keine Ruhe mehr. Auf der Probe stürzt er plötzlich davon, rast nach Hause. Er durchwühlt ihre Schreibtischlade, und sein Blick fällt auf die offene Mappe. Auf dem Bogen Löschpapier Schriftzüge: ihre Schriftzüge, deutlich zu erkennen. Aber er vermag sie nicht zu entziffern. Da blitzt es in ihm auf: Die Buchstaben stehen verkehrt, wenn man sie auf dem Löschpapier trocknet. ... ein Spiegel! Einen Spiegel her! Ja, jetzt vermag er die Worte zu lesen: »Erwarte Dich heute abend um acht Uhr. Der Idiot spielt. Er kann mir nicht nachspüren.«

»Hallo ... Verzeihen gnädige Frau, wenn ich Sie behellige. Aber ich weiß, Sie sind mit Girardi befreundet. So wie ich. Er geht zugrund.«

»Ich erkenne Ihre Stimme, Sie sind ein Kollege von ihm. Ich weiß, was Sie sagen wollen. Er ist seelisch und körperlich gebrochen.«

»Diese Frau – Gott verzeih ihr, was sie an diesem herrlichen Menschen verbrochen hat. Umgebracht hat sie den Menschen und den Künstler. Gestern war Premiere. Er hat die Rolle kaum beherrscht. Was aber ärger ist: Er hat nicht mehr gewirkt. Sonst, wenn er nur die Bühne betreten hat, war das Publikum elektrisiert. Und gestern ist es das erstemal geschehen, daß seine komische Szene totenstill abgelaufen ist.«

»Hat Girardi es bemerkt?«

»Er ist dann in seiner Garderobe gesessen, hat vor sich hingestarrt und hat das verdammte weiße Pulver geschnupft ... ›Da vergeß' ich alles‹, hat er gesagt.«

»Um Himmels willen, er nimmt doch nicht ...«

»Jawohl, Kokain schnupft er. Man hat es ihm einmal gegeben, als er Halsweh hatte und spielen mußte. Jetzt schnupft er es, um seinen Jammer zu vergessen.«

»Da muß etwas geschehen.«

»Deshalb rufe ich Sie an.«

»Ein paar Wochen Sanatorium, und alles wird gut.«

»Hallo, hallo ... Na, endlich, Girardi! Warum meldest du dich nicht?«

»Weil ich dich gleich erkannt hab'. Gerade mit dir will ich jetzt nicht sprechen.«

»Nicht mit mir? Warum?«

»Weil du recht behalten hast. Ich will überhaupt niemanden sehen.«

»Sag, was ist geschehen?«

»Du wirst leicht erraten, was geschehen ist ... Das Spieglein an der Wand, das hat mir gezeigt, wer die größte Hur' ist im Land ...«

»Du bist krank. Hör auf mich – drei Wochen Sanatorium – dort wirst du dir das Kokain abgewöhnen ...«

»In ein Sanatorium, ich? Also auch du bist im Komplott. Ins Irrenhaus will mich die Odilon stecken. Und du, du – auch.«

»Also, jetzt werd' ich bös. Ich komme gleich zu dir.«

»Ausgeschlossen. Niemand kann in meine Wohnung. Ich hab' die Klingel ausgeschaltet. Und mich noch extra in meinem Zimmer eingesperrt. Jetzt kann sie mit ihren Amanten im Bett liegen – wo es ihr paßt. Aber nicht bei mir! Ich hab' einen geladenen Revolver – ich schieß' sie nieder mitsamt ihren Amanten!«

»Hallo :.. Professor Wagner-Jauregg[3]?«

»Sind Sie's, liebe Freundin?«

»Ich hole mir bei Ihnen Rat. Was tut man, wenn ein Nervenkranker, ein Kokainist, sich in seinem Zimmer einsperrt und einen geladenen Revolver bei sich hat?«

»Da muß größte Vorsicht angewendet werden. List – niemals Gewalt. Um wen handelt es sich?«

»Um Girardi.«

»Oh, das tut mir leid. Ich stehe ganz zur Verfügung. Aber wie gesagt: Abwarten. Halten Sie mich bitte auf dem laufenden.«

»Hallo – hier Hotel Sacher. Ich verbinde mit Frau Odilon.«

»Frau Bertha, ich wohne im Hotel Sacher. Bin zu Hause meines Lebens nicht sicher. Der Wahnsinnige hat einen geladenen Revolver.«

»Girardi ist doch der gutherzigste Mensch. Er würde niemals ...«

»Möglich. Aber diese Angst ist bei mir auf einen Schock zurückzuführen.«

»Das alles hätten Sie vermeiden können.«

»Nur keine Moralpredigten!«

»Moral? Sie haben Girardi preisgegeben!«

»Hätte ich nur nie geheiratet! Ich war frei ... Er maßt sich Rechte an, macht Szenen. Schleppt mich ans Grab seiner Mutter, daß ich dort schwören soll, treu zu bleiben ... Oh, sein sentimentales Gewäsch! Ich hasse es!«

»Jetzt geht es nur um eins: um seine Wiederherstellung. Er hat sogar gestern auf der Bühne versagt.«

»Durchgefallen ist er. Seine Wut, weil ich als Madame Sans-Gêne Triumphe gefeiert habe ... Er hat immer auf mein Talent herabgesehen.«

»Lassen wir das, Frau Odilon. Ich möchte nur noch sagen, daß Girardi einige Wochen in ein Sanatorium muß.«

»Ein Sanatorium? Damit er den nächsten Tag zurückkommt und mich erschießt? Ins Irrenhaus muß er – denn da gehört er hin.«

»Um Himmels willen, das ist doch nicht Ihr Ernst?«

»Eben habe ich bei dem Polizeipräsidenten vorgesprochen und ihm erklärt, daß mein Leben bedroht ist. Er wird Girardi festnehmen lassen. Nur verlangt er ein ärztliches Parere.«

»Kein Arzt wird sich finden, der diese niederträchtige Lüge ...«

»Sie irren. Beweis, daß es keine Lüge ist: mein Theaterarzt, der einigen Szenen zwischen mir und Girardi beigewohnt hat. Er bestätigt seine Unzurechnungsfähigkeit. Jetzt wartet schon ein Ambulanzwagen, um ihn abzuholen – den Irrsinnigen ...«

»Ich kenne Sie nicht mehr, Frau Odilon.«

»Hallo ... Kann ich Frau Schratt sprechen? Roserl ... Du bist am Telefon? Es ist etwas sehr Wichtiges ...«

»Ich weiß nicht, Tante, ob Frau Schratt momentan zu sprechen ist ...«

»Es geht um ein Menschenleben. Sag ihr: um Girardi.«

»Hier Kathi Schratt ... Die Roserl, ganz verrückt, schreit: Der Girardi stirbt ... Was ist los?«

»Eine Tragödie. Girardi wird von der Odilon zum Selbstmord getrieben. Sie will ihn ins Irrenhaus bringen. Der Polizeipräsident selbst steht ihr zu Diensten. Wenn Sie nicht intervenieren ...«

»Ich? Intervenieren? Recht geschieht ihm. Er hat sich an eine Dirne weggeworfen.«

»So soll man der Odilon den Triumph lassen, daß sie sogar der Polizei gebieten kann?«

»Das ist wahr. Diese freche Person! Was glaubt sie denn ... Leut' einsperren lassen, wie es ihr paßt ... Ja, recht haben Sie, der werden wir's zeigen.«

»Tausend Dank!«

»Den Girardi will ich nie mehr sehen. Der soll mir nicht vor die Augen. Aber ich will das möglichste tun.«

»Hallo ... Girardi, ich beschwör dich: häng jetzt nicht auf! Es ist Gefahr. Du mußt unbemerkt entkommen ... Verstehst du?«

»Ich weiß schon. Vom Fenster übersehe ich die ganze Nibelungengasse. Polizei und ein Wagen warten auf mich, wie wenn man Verbrecher einbringt. Also: Irrenhaus ... Du hast leicht reden. Das Haus hat nur einen einzigen Ausgang, wie soll ich entkommen?«

»Der Modesalon Madeleine, im ersten Stock – die Ateliers sind im Nebenhaus, aber sie sind mit dem Salon verbunden. So kannst du über die andere Stiege hinuntergehen.«

»Fabelhafte Idee. Der Sherlock Holmes kann sich vor dir verstecken. Aber: Die Spitzel unten, die erkennen mich doch gleich!«

»No, so mach halt Maske. Wird dir nicht schwerfallen.«

»Jesus – ich hab' meine Perücke hier und den langen weißen Bart, schon für mein Grazer Gastspiel eingepackt. Vielleicht gelingt es mir, noch zu entkommen ...«

Liebste, es ist rührend von Dir, daß Du, die seit Jahren in Paris lebt, unsere herrlichen Mädchenjahre nicht vergißt. Und daß Dir Girardi noch immer wert ist. Deshalb habe ich Dir gleich geschrieben, was vorgeht. Auf Dein eben erhaltenes Telegramm antworte ich nun ausführlich.

Der Anschlag gegen Girardi ist der Odilon mißlungen. Er konnte sich, verkleidet, zu Kathi Schratt retten. Die ist heute die einzige in Wien, die eine Aktion des Polizeipräsidenten verhindern kann. Roserl, meine Nichte, die trotz ihres jugendlichen Alters Gesellschafterin bei der Schratt ist, hat mir genau geschildert, wie diese Tragödie sich in eine Komödie gewandelt hat. So vermag ich Dir authentische Nachrichten zu geben.

Es läutet am Gartentor der Villa Schratt in Hietzing. Diese Villa hat ihr der Kaiser geschenkt, weil seine Residenz Schönbrunn nur ein paar Schritt davon entfernt ist. Das Stubenmädchen meldet: »Ein alter Herr ist da, er bittet, die gnädige Frau sprechen zu dürfen.« Die Schratt ist sehr gutmütig, sie weist ungern einen Bittsteller ab. Der alte Herr tritt ein, geht auf die Schratt zu: »Kathi, ich bitt' dich, erbarm' dich meiner.«

»Jesus, der Xandl!« schreit die Schratt auf. Dann beginnen beide zu weinen. Roserl hat mir erzählt, daß nach der ersten Rührung, als Girardi den langen weißen Bart und die Perücke abnahm, alle zu lachen anfingen ... Hierauf wurde getafelt, wie man nur bei der Schratt zu schmausen bekommt. Doch plötzlich sagt die Schratt zur Roserl: »Du gibst acht auf den verrückten Kerl da, daß er nicht wieder davonläuft. Ich geh' zur Majestät. Denn sonst wird der Herr Polizeipräsident noch eine Hausdurchsuchung bei mir vornehmen.«

Girardi war erschöpft eingeschlafen. Die Schratt (so erzählte sie es dann Roserl) ging zum Kaiser. Sie wird immer unangemeldet vorgelassen. Auch diesmal. Aber wer das Temperament der Schratt kennt, dem muß klar sein, daß dieser Besuch nicht glatt ablaufen konnte.

»Majestät« (soll sie gesagt haben), »in Ihrem Staat geht es schön zu. Da befiehlt eine hergelaufene Komödiantin dem Polizeipräsidenten. Sie diktiert, wer in Wien verrückt ist und wer eingesperrt wird. Man muß sich ja schämen, in so einem Staat zu leben.«

Der Kaiser kennt seine Freundin und ist ihre Aufrichtigkeit gewöhnt. Gutmütig unterbricht er sie: »Was ist denn geschehen? Wenn Sie so aufgeregt sind, muß es sich wirklich um ein großes Unrecht handeln.«

»Majestät müssen den Polizeipräsidenten absetzen.« Der Kaiser ist etwas betroffen. »Erzählen Sie«, sagt er. Und Kathi, flammend vor Entrüstung, voll Haß gegen die Odilon, erzählt den ganzen Skandal.

Der Kaiser ließ den Grafen Paar[5] rufen und gab Befehl, dem Polizeipräsidenten sofort zu bedeuten, daß Herr Girardi unbehelligt bleiben müsse. Weiteres möge er abwarten.

»So, liebe Freundin, sind Sie jetzt beruhigt? Aber für meine Mühe bitte ich mir nun eine Recompense aus. Ich möchte doch diesen Girardi, in den ganz Wien verliebt ist und der mir von Ihnen als der amüsanteste Mensch geschildert wurde, kennenlernen. Ich lade mich bei Ihnen zu Tisch ein – zum Dejeuner – morgen, Mittwoch.«

»So eine Ehre für Girardi ... Aber Majestät werden es nicht bedauern, Sie werden sich großartig unterhalten.«

Die Schratt strahlt, als sie nach Hause kommt. »Dem Luder, der Odilon, hab' ich das Genick gebrochen. Und der Polizeipräsident, der kann sich freuen.« – Es wird ein besonderes Menü gemacht. Die Tafel deckt die Schratt mit ihrem berühmten Alt-Wien[6]. Girardi, bleich und schrecklich aufgeregt, wartet im Salon.

An der Tür erscheint der Kaiser. Spricht Girardi freundlich an. Man geht zu Tisch. Der Kaiser konversiert mit der Schratt. Girardi spricht kein Wort. Die Schratt wirft ihm ermunternde Blicke zu und sucht seinen Humor aufzustacheln. Aber Girardi schweigt krampfhaft.

Allmählich wird die Stimmung peinlich. Der Kaiser langweilt sich. Plötzlich wendet er sich, alle Etikette beiseite lassend, an Girardi:

»Man hat mir soviel von Ihnen erzählt, von Ihrem Witz, Ihrem Humor. Ich hatte mich so darauf gefreut. Warum sind Sie so schweigsam?«

Da platzt Girardi heraus:

»Möcht' wissen, ob Sie, Majestät, geistreich und witzig wären, wenn Sie mit dem Kaiser von Österreich bei Tisch sitzen müßten!«

Der Kaiser fing herzlich zu lachen an. Die behaglichste Stimmung stellte sich ein. Und Girardi ist jetzt »persona grata«.

Morgen fährt er auf den Semmering, ich hoffe, er wird bald von der Odilon genesen.

Es umarmt Dich
Deine Bertha

JOHANN STRAUSS
1892

Auf der Wieden besaß Johann Strauß ein kleines Palais. Gemütlich, ohne Prunk, doch dem Rhythmus seines Daseins angepaßt. So nahm das Speisezimmer einen besonders privilegierten Raum ein. Strauß war nicht nur Gourmand, sondern liebte langes Tafeln. »Nichts«, sagte er, »ist für die Stimmung verhängnisvoller, als wenn man den schwarzen Kaffee im Salon serviert. Gerade in dem Augenblick, wo Speis und Trank ins Blut gegangen sind, ins Hirn und ins Herz, und der Mensch gut, gescheit, beredt wird...«

Donnerstag abend vereinte uns bei Strauß eine kleine Gesellschaft. Alfred Grünfeld[1], der Pianist, dessen Anschlag so berühmt war wie das hohe C von Caruso, spielte nicht nur unnachahmlich Strauß'sche Walzer, sondern vermochte auch die unleserlichsten Partituren zu entziffern. Wenn Strauß eine neue Komposition geschrieben hatte, liebte er es, Grünfeld die Notenblätter auf das Klavierpult zu legen: »So, jetzt spiel mir, was ich gekritzelt hab'.« ... Und Grünfeld begann die Hieroglyphen in perlende Töne aufzulösen.

»Heute werden wir später nachtmahlen, weil der Girardi nach dem Theater kommt. Wir warten nicht auf ihn, aber beim Dessert soll er uns noch finden.«

»Gott sei Dank ist er wieder der alte. Der Odilon-Spuk ist verflogen.«

»Er ist als Künstler noch gewachsen. Wie wunderbar hat er den Valentin[2] gespielt! Wer hätte gedacht, daß er je zu Raimund gelangen wird, zu unserem größten Volksdichter!«

»Ich wollte, Meister Strauß, Sie hätten einen Raimund an Ihrer Seite gehabt.«

»Gnädigste wollen andeuten, daß die Libretti, die ich komponiere, von Eseln geschrieben sind?«

»Keinesfalls sind sie Ihrer würdig. Die ›Fledermaus‹ ausgenommen, die ein französisches Lustspiel bewitzelt, und der ›Zigeunerbaron‹, der ja auf eine Novelle des ungarischen Dichters Jokai[3] zurückgeht. Sonst hat man Ihnen nichts vorgesetzt als die banalste Operettenkost.«

»Wissen Sie warum? Weil ich dumm bin... Ja... Ja — nicht protestieren. Man sagt von mir: Der Strauß ist ein Genie ... Möglich! Da gibt es halt auch dumme Genies. So oft man mir Libretti zur Auswahl vorlegt, wähl' ich immer das schlechteste aus. Es genügt, daß mir eine Szene, eine Figur gefällt, gleich fang' ich Feuer. Bei mir ist immer der erste Einfall tyrannisch. Ich komme nicht mehr davon los. Und wenn es sich um die Operette handelt, da ist das ein Malheur. Wenn es aber nur ein Walzer ist, ist diese Tyrannei des ersten Einfalls gerade der Segen.«

»Es ist doch merkwürdig, daß Sie dem Theater so lange ausgewichen sind.«

»Ich hätte mich nie getraut, wäre ich nicht dem Offenbach[4] begegnet. Auf einer meiner Konzerttourneen war ich auch in Paris.«

»Wie sind Sie Offenbach begegnet?«

»Es war ein tiefer Eindruck. Ich hab' gespürt: Da ist Geist zu Musik geworden. Und weil Offenbach aus dem Geist geschaffen hat, verstand er es auch, den wunderbarsten Librettisten zu finden: Halévy!«

»Du wirst doch nicht behaupten«, unterbricht Grünfeld, »daß die Wiener Operette von der französischen abstammt? Das sind zwei Welten!«

»Behaupte ich auch nicht. Aber für mich war der Offenbach der erste Anstoß. Was bei Offenbach aus dem Geist kommt, kommt bei mir aus dem Gemüt. No — und das Gemüt ist, wenn es sich um einen echten Wiener handelt, vielfarbig: ober- und niederösterreichisch, böhmisch, ungarisch, polnisch und südlich. Bei mir kommt noch was Extras dazu. Mein Großvater, der ist aus Spanien eingewandert. Von dem hab' ich mein edles Hidalgoantlitz. Er hat eine Wirtstochter in der Leopoldstadt geheiratet. Das Wirtshaus ist am Donauufer gelegen. Da sind die Schiffer herauf- und heruntergefahren und haben ihre Weisen gesungen. Mein Vater war damals ein Bub — dem ist das spanische Blut und das österreichische Gemengsel zum Wiener Musizieren geworden.«

»Und dann? Als Sie ...«

»Das erzähle ich Ihnen später. Jetzt illustriere ich Österreich auf andere Weise. Ihr werdet staunen, wie das meine Frau gemacht hat.«

Die launige Menükarte überreichte mir Strauß kniend. Sie lautete:

Menu

»Risotto-Suppe auf Triestiner Art.«
»Fischpörkölt — Ungarisch«
»Braunbraten mit Zwiebeln — Polnisch«
»Serviettenknödel — Böhmisch«
»Bachhendeln mit Gurkensalat — Oberösterreichisch«
»Apfelstrudel — Wiener Idealgericht«
Weine: Tokayer, Donauperle; Sliwowitz.

Dieses kulinarische Symbol des Österreichertums wurde mit Andacht verzehrt. Der Apfelstrudel, bräunlich, knusprig, gefüllt mit fettgetränkten Bröseln und süßen Rosinen, war von so herrlicher Vollendung, daß Johann Strauß seiner Frau zutrinkend ausrief: »Adele, famos hast du das gemacht. Ich möcht' dich noch zehnmal heiraten!«

»Schani, im Heiraten warst du immer ein Virtuos.«

Mit diesen Worten trat Girardi ein.

»Nur nicht so arrogant, mein Lieber. Ich hab' halt dreimal geheiratet, aber nur einmal danebengegriffen. Aber du hast dich doch gleich das erstemal blamiert.«

»Wer weiß, wozu es gut war. Vielleicht hätt' ich den Raimund nicht spielen können, wenn ich nicht erst so durchgebeutelt worden wär.«

»No, gar so edel bist du wieder nicht geworden«, unterbricht der Schauspieler Lindau seinen Freund Girardi, »eben hast du einen Bittsteller im Theater unbarmherzig abgewiesen.«

»Was? Den Falotten, der mich immer anpumpt und dann mit meinem Geld den Damen Bouquetten schickt? ›Girardi, geh‹, sagt er, ›leih mir zehn Gulden!‹ Da hab' ich ihm geantwortet: ›Sein wir lieber gleich bös'!‹«

»Na, was is, Schani«, rief er in das allgemeine Gelächter, »du hast mich hergelotst, weil du mir etwas Neues vorspielen willst?«

»Gleich. Nur kann ich's schon wieder nicht entziffern. Aber der Grünfeld ist ja da.«

Strauß geht in sein Arbeitszimmer, kommt dann in den Salon, wo wir uns um das Klavier gruppieren. Er legt das Notenheft auf das Pult, und Grünfeld sieht es durch. Leise beginnt er, zuerst wie suchend, dann mehr und mehr hingerissen.

»Ich will den Walzer ›Frühlingswalzer‹ nennen«, sagt Strauß. »Vor ein paar Tagen, da ist auf den Stufen der Paulanerkirche ein armes altes Weib gesessen. So elend. Der Tod hat ihr aus den Augen geschaut. Einen Korb hat sie neben sich stehen gehabt. Und mit zittrigen Händen hat sie mir ein paar Blumen gereicht. Es waren nur Veigerln und Maiglöckchen. Aber nie, noch nie haben mich Blumen so trunken gemacht ... Daß da der Tod sitzt und mir Frühlingsblumen reicht – das hat in mir eine Lust zum Leben geweckt, daß ich alle Nachtigallen hab' singen hören ...«

Als wir gingen, gab Girardi Strauß einen Klaps auf die Schulter. »Sehr schön war's, die Überraschung. Nur nicht für mich. Was ist dir denn eingefallen? Koloraturen und Triller und solche Turnübungen? Kann ich trillern? Mit dem Kehlkopf wackeln? ... So a Gemeinheit! ... Sicher hast du dabei wieder an die Madeln gedacht, du Gauner.«

ARTHUR SCHNITZLERS ANFÄNGE UND EIN ABSCHIED

Mme. Paul Clemenceau, Paris *Wien, 1894*

Liebste, ich danke Dir für Deine interessanten Zeilen. Daß Du Proust[1] lange gesprochen hast, rührt mich seltsam, denn auch wir besitzen plötzlich einen Dichter, der seine Umwelt, seine Zeit und vor allem die Seelenart dieser Zeit schimmernd erstehen läßt. Mit so viel Grazie, Ironie, Bitterkeit, Humor und Geist, daß es, wäre es nicht absolut Wienerisch, Pariserisch sein könnte.

Nun: Er heißt Arthur Schnitzler, dieser neue aufgehende Stern. Sehr jung, nahe der Dreißig. Ich kenne von ihm eine Suite von Szenen, die nur lose zusammenhängen, doch geistig eine Einheit bilden. »Anatol[2]«, der Held, ist leichtsinnig, melancholisch, genußsüchtig, kultiviert. Du, die Gespräche zwischen ihm und seinem Freund, zwischen ihm und seinen Geliebten sind unnachahmlich in ihrem erotischen Charme, ihrem blendenden Esprit und ihrer tiefen psychologischen Einsicht.

Dabei habe ich gar keine Ursache, für diesen Schnitzler Reklame zu machen. Er hat mich nämlich unlängst miserabel behandelt. Laß Dir das erzählen.

Emil[3] und ich sind bei Professor Schnitzler[4], dem bekannten Laryngologen, Vater des jungen Dichters, eingeladen. Ich vergaß zu sagen, daß Arthur bereits praktizierender Arzt ist. Man geht spät zu Tisch, offenbar wartet die Hausfrau vergebens auf einen Gast. Der Platz rechts neben mir bleibt leer. Nach der Vorspeise tritt der Verspätete ein. Ein auffallend hübscher, blonder Mann, sehr elegant. Eine Locke fällt ihm in die Stirn. Die Augen sehe ich nicht, denn er hat die Lider gesenkt. Eine kühle Verbeugung, dann setzt er sich zu mir. Es ist der Sohn des Hauses, Arthur Schnitzler.

Das ist alles, was ich zunächst von ihm weiß, denn nicht ein Wort, kein einziges, hat er an mich gerichtet. So was ist mir noch nie passiert. Natürlich wende ich mich nach links zu meinem anderen Nachbarn, einem friedlichen alten Professor – und langweile mich tödlich. Die Stimmung ist überhaupt gedrückt. Man atmet auf, als die Hausfrau sich erhebt.

Während des schwarzen Kaffees fällt mir auf, daß Professor Schnitzler sich mit Emil zurückzieht. Dann verabschieden wir uns. Kaum auf der

Straße, fange ich zu wüten an. »Eine schöne Gesellschaft. Nicht um die Welt gehe ich noch einmal in dieses Haus. Dieser unartige, arrogante junge Mann – das ist doch ein Taubstummer ... Zum Schluß habe ich ihm schon sagen wollen: ›Bitte, jetzt sprechen wir einmal von etwas anderem.‹«

Emil hat mein Toben kolossal unterhalten. Erst als ich erschöpft schwieg, sagte er: »Wir haben Pech gehabt. Eine Stunde, ehe die Belustigung bei Schnitzler begann, hat es zwischen Vater und Sohn eine stürmische Auseinandersetzung gegeben. Du hast wohl bemerkt, daß Professor Schnitzler sich mit mir zurückzog. Er erleichterte sein gekränktes Herz. Arthur, sein Stolz, sein Liebling, sollte in der Laryngologie sein Nachfolger werden, und da, plötzlich eröffnet ihm der Sohn vor einigen Tagen, daß er die Medizin an den Nagel hängen will. Er hat Stücke und Novellen geschrieben, die ihm eine Gewähr für sein Talent scheinen. Er ist tief unglücklich, wenn er seinen ärztlichen Beruf ausübt, und himmlisch glücklich, wenn er dichtet.

Die Familie, die das Dichten als Nebenbeschäftigung gelten läßt, wie Klavierspielen oder Aquarellmalerei, ist außer sich. Da aber kein Zureden hilft, lenkt der Vater ein, bittet seinen Sohn, er möge ihn einiges lesen lassen. Arthur gibt ihm zwei Theaterstücke. Nun ist Professor Schnitzler Arzt und Freund aller Schauspieler und Sänger der kaiserlichen Theater. Du weißt, was der berühmte Sonnenthal[5] im Burgtheater für eine Sonderstellung einnimmt. Für Schnitzler ist Sonnenthal so eine Art Gott. Deshalb hat er ihm, ohne Arthur davon etwas zu sagen, dessen Talentproben gebracht.

Heute kam ein Brief Sonnenthals. Er lautet ungefähr so: ›Unter Freunden ist man sich unbedingte Aufrichtigkeit schuldig. Hier ist mein unumwundenes Urteil, es stimmt mit dem eines bedeutenden Kritikers, dem ich Einblick gegeben habe, überein. Leider ist Ihr Sohn schriftstellerisch völlig unbegabt. Darüber kann kein Zweifel herrschen: Abstruse, unverständliche Gedanken und Empfindungen, in einer höchst sonderbaren Sprache ... Der so sympathische Arthur bleibe bei seiner Kunst, Menschen zu kurieren.‹«

Den Effekt dieses Schreibens habe ich Dir schon geschildert. Jetzt warte ich, wer recht behalten wird. Mein Urteil wird von dem Benehmen des jungen Schnitzler mir gegenüber nicht berührt. Es lautet: Ein alter, wenn noch so berühmter Professor und ein alter, wenn noch so berühmter Schauspieler verstehen nichts von dem geheimnisvollen Wert literarischer Jugendsünden. Ich aber – ich bin jung – weiß also von der Jugend – und von Sünden ... Mein taubstummer Tischnachbar wird mich nicht enttäuschen. Ich umarme Dich.

Bertha

»Burckhard[6] ... Ich will Ihnen nur mitteilen ... Sie haben mir ja unlängst die lustige Geschichte von dem häuslichen Schnitzler-Drama erzählt ...

Nun, Bahr hat mir ein Stück des so untalentierten Arthur Schnitzler gebracht. Ich habe es sofort angenommen.«

»Was wird Sonnenthal dazu sagen?«

»Was er sagen wird? Da ich ihm eine Hauptrolle gebe, wird er im Brustton der Überzeugung tremolieren: Ich habe es ja immer gesagt ... Arthur ist ein Genie.«

»Und wie heißt das von Ihnen entdeckte Stück?«

»›Liebelei‹ – darf ich Sie bei der Premiere mit dem Herrn Gemahl in meine Loge bitten?«

Mme. Paul Clemenceau, Paris

Liebste, das Leben läuft manchmal ab wie ein dilettantisch gezimmertes Theaterstück, in dem eine mathematische Gerechtigkeit alle menschlichen Beziehungen regelt: Der edle Sohn behält zum Schluß recht und wird berühmt; der Vater, dessen Machtwort das Streben des Sprößlings abzuwürgen drohte, steht beschämt beiseite, und die Familie stimmt angesichts des jungen Ruhms ihres verlorenen Sohns ein Hosianna an.

Dieses Stück Leben ging soeben in der Haupt- und Residenzstadt Wien in Szene. Du erinnerst Dich gewiß eines Briefs, den ich Dir vor drei, vier Monaten schrieb. Über einen taubstummen Tischnachbarn, der mich wütend gemacht hat. Heute ist er ein großer Name der Weltliteratur, und das Burgtheater, von seinem Direktor Burckhard geführt, hat einer neuen Ära der österreichischen Dichtung den Weg gebahnt.

Vorgestern war die Premiere. Über dem glänzend besetzten Haus lag etwas wie unbestimmte Erwartung, denn ein dem großen Publikum unbekannter Autor stand auf dem Programm.

Ein Volkslied muß man dieses einfache, ergreifende, herzinnige, liebe, erst anmutig heitere, dann schwermütig tragische Schauspiel nennen. Nur wenige Menschen. Zwei Paare, jung, dem Leben frühlingshaft sich zuwendend, ein alter Mann, rührend wie der sich im Herbst entblätternde Baum, und eine eisigen Winterfrost kündende, unheilvolle Figur: der fremde Herr.

Ich schicke Dir bald das Buch. Du wirst sehen, was so einzig, so unwiederholbar ist: die Wahrheit, das Lebensnahe, die Greifbarkeit dieser Menschen. Die Gestalt der Christine – des einfachen Bürgermädchens, das zum ersten, zum einzigen Mal liebt –, diese Gestalt: unschuldig, schüchtern in ihrer Selbstvergessenheit ist ein hinreißendes Gebilde von solcher Kraft des Leidens, wie – ich sage es ruhig –, wie man es seit dem Gretchen nicht auf der Bühne gesehen hat. Ja, ein modernes Gretchen ist dieses süße Mädel.

So nennt Schnitzler die jungen Wienerinnen aus der Vorstadt, deren anmutig heitere Natur, die oft an Leichtfertigkeit grenzt, einen der Reize der Wienerstadt bildet. Oft Eintagsblüten der Liebe. Einer aber, die wie Christine liebt, der bricht das Herz.

Deine Bertha.

»Es kommt im Dasein eines Theaterdirektors wohl nur einmal vor, daß er ein dramatisches Genie entdeckt und gleich mit einem Erstlingswerk diesen phänomenalen Erfolg erringt.«

»Die Götter werden mir das nicht so bald verzeihen, dieses neidige Gesindel«, erwiderte Burckhard. »Vorläufig genieße ich aber Schnitzlers Triumph, der auf mich zurückstrahlt.«

»Eine schöne Aufführung. Nur den alten Musiker, Christines Vater, hätte ich mir volkstümlicher gedacht, als Sonnenthal ihn spielt.«

»Gewiß, Sonnenthal ist etwas zu elegant, zu vornehm. Die Künstler des Burgtheaters werden ihren pathetischen Klassikerstil erst allmählich loswerden. Bedenken Sie: Ein Dialog, wie ihn der junge Schnitzler schreibt, dieser federnde Rhythmus, diese Unmittelbarkeit der Worte – das meistert man nicht so leicht.«

»Mitterwurzer[7] kann es. Nur wundert es mich, daß er eine so kleine Rolle übernommen hat.«

»Übernommen? Gefordert hat er sie. Er hat gesagt: ›Ich muß den fremden Herrn, diesen betrogenen Ehemann spielen, der sich sein Opfer holt. Ich spüre: Das ist der Tod in Person, der bei dem jungen Geliebten seiner Frau eintritt. Tod muß den korrekten Gentleman umwittern, den ich in elegantem, drapfarbenem Überzieher, steifem, rundem Hut und gelben Handschuhen vor mir sehe. Tod muß das Publikum erschauernd fühlen. Das darf aber nicht etwa symbolisch, romantisch inszeniert werden. Ganz einfach, ohne Gesten, ohne die Stimme zu erheben, korrekt, höflich wird der fremde Herr – das heißt der Tod – dastehen.‹ Und es hat genauso gewirkt.«

»Eigentümlich, daß sich Schnitzler nach dem mondänen ›Anatol‹, den er ja aus erlebtem Milieu gestaltet hat, ganz anders entwickelt. Ich möchte sagen: zu Schubert, zum Volkslied hin, denn dieses einfache, ergreifende, herzinnige Stück möchte ich geradezu als Volkslied bezeichnen. Ich bin immer so neugierig, den Ursprung, die Keimzelle von eines Dichters Einfall kennenzulernen.«

»Schnitzler hat mich etwas dergleichen lesen lassen. Gestern nimmt er aus dem Schreibtisch einen kleinen Zettel. Darauf sind ein paar Worte gekritzelt.

›Sehen Sie‹, sagt er, ›das ist mir plötzlich eingefallen, einmal auf einem

Spaziergang. Das ist sozusagen der Embryo der Liebelei. Ich habe den Zettel abgeschrieben. Extra für Sie.‹ – Auf dem Zettel steht:

›Das arme Mädel. Das sag' ich dir gleich. Viel kann ich mich mit dir nicht abgeben ... Sie liebt ihn abgöttisch. Er sitzt im Parkett, sie auf der Galerie. Beim Kommen sieht sie ihn mit jener schönen Dame, mit der er ein Verhältnis hat ... Er hat wegen jener anderen ein Duell ... Den Abend vorher bei dem armen Mädel ... Am nächsten Tag wird er erschossen ... Sie steht fern, als er begraben wird, weiß nichts. Jetzt erfährt sie, daß er wegen einer anderen gestorben ist, und wankt nach Hause. Er war ihr noch einmal gestorben.‹

Aus diesen paar Worten ist die ›Liebelei‹ geworden. Von hier geht für das moderne Theater ein ebenso neues Sein aus wie von Ibsen.«

Wien 1918

»Ich bin's, Girardi. Du Hilfreiche, steh mir bei! Ich hab' so eine Angst. Nicht einmal bei meiner Antrittsvorstellung vor sechs Wochen im Burgtheater hab' ich so ein fortwährendes Erdbeben in mir gespürt. Und weiß Gott, daß ich auf der Burgtheaterbühne einmal den Aschenmann von Raimund spielen werde, das war doch zum Niederknien.«

»Nach deinem unbeschreiblichen Erfolg kannst du wirklich ganz ruhig sein.«

»Das ist nicht dasselbe. Raimund, bei dem bin ich aufgewachsen ... Aber einen Schnitzler spielen, einen Dichter, der noch am Leben ist und der sich einen Menschen aus dem Herzen geschnitten hat – wie ein Sakrileg kommt es mir vor, den Leuten den alten Weyring vorzugaukeln. Obwohl ich sein Gemüt bis in die Knochen spür' ... Nein – nein ... Ich bring' es nicht zusammen.«

»Vielleicht kann ich dir helfen. Willst du Schnitzler hier bei mir die Rolle vorspielen? Ganz allein werdet ihr sein. Wenn du dann merkst, daß ihm deine Art nahegeht ...«

»Bertha! Ich sag' immer: Du hast das Genie der Freundschaft. Ja, wenn mir Schnitzler sagt: Girardi – Sie sind der, den ich lebendig gemacht hab' – dieser weise, gute, biedere alte Mann, dem das Herz gebrochen wird –, dann hab' ich keine Angst mehr.«

»Lieber Freund. Es ist wegen Girardi. Ich fürchte, daß seine rührende Bescheidenheit ihm und Ihnen schaden wird. Sie müssen eingreifen. Ihm Mut machen, und deshalb eine Bitte: Darf er Ihnen den alten Weyring bei mir vorspielen? So, als gäbe es kein Theater, nur einen, der spricht – und den anderen, der zuhört wie einem Geständnis?«

»Sagen Sie Girardi, daß mich sein Vertrauen freut, wann wollen wir uns bei Ihnen treffen?«

»Morgen um fünf Uhr, wenn es Ihnen recht ist.«

»Grüß Sie der Himmel!« (Es ist der schöne, nur ihm eigene Gruß, mit dem Schnitzler seinen Freunden guten Tag sagt.) »Ich komme absichtlich früher. Morgen beginnen die Proben von ›Liebelei‹. Wenn sich Girardi wirklich so unsicher fühlt, so ist das eine Gefahr.«

»Deshalb habe ich Sie gerufen: Sie sind Seelenarzt und könnten diese hysterische Stimmung verscheuchen ...«

»Ich wundere mich nur, wie ein Künstler, der eine solche Apotheose des Ruhms erlebt hat, statt an Größenwahn an Kleinheitswahn erkrankt?«

»Ja, lieber Freund – mitten im Krieg, in einem Augenblick schrecklicher Spannungen – diese glanzvolle Vorstellung. Die Hoflogen überfüllt. Die kaiserliche Familie, die Erzherzöge vollständig erschienen. Tout Vienne versammelt. Und nach dem ›Hobellied‹ – unter uns, hat Raimund da nicht das revolutionärste aller Lieder geschrieben ...? ›Das Schicksal setzt den Hobel an und hobelt alle gleich!‹ nach der erschütternd wehmütigen Schlichtheit, die Girardi verklärt hat, diese Ovation! Wie sich alle erhoben – die Erzherzöge das Zeichen gaben, ihn zu ehren –, als reinsten Ausdruck des österreichischen Wesens.«

»Ich erinnere mich kaum, ähnlich ergriffen gewesen zu sein. Bin mir aber nicht ganz klar, warum.«

»Vielleicht, weil auch Sie gefühlt haben – ohne es sich einzugestehen –, das war der Abschied von Oesterreich.«

»Beschwören Sie nicht Dinge herauf, an die wir nicht rühren wollen ...«

»Herr Doktor, es ist großmütig von Ihnen, mir armem Spaßmacher zu helfen. Auf einmal soll ich von einem berühmten Autor, der gar noch lebendig ist, eine tragische Figur vorstellen. Meinem Vorgänger, dem berühmten Sonnenthal, hab' ich einmal gesagt: ›Haben vergessen, die Wasserleitung abzudrehen. Es tropft fortwährend.‹«

»Wie ich ihn gekannt habe«, meinte Schnitzler, »hat er herzlich gelacht.«

»Ja. Er war wirklich lieb. Nur das Theaterspielen war ihm so eine Gewohnheit geworden – auch im Leben. Kennen Sie die Geschichte, die ich mit ihm erlebt habe – in Graz, bei einem Gastspiel? Wir nachtmahlten im Hotel. Man bringt mir einen Brief, darin steht, daß mein guter alter einstiger Direktor Prohaska gestorben ist. ›Denken's Ihnen‹, sage ich zu Sonnenthal, ›der Prohaska ist gestorben.‹ – ›Prohaska tot!‹ schreit Sonnenthal auf, mit so schmerzlich bebender Stimme, daß mir ganz weh geworden ist, und legt die Hand vor die Augen... Pause... Dann fragt er vollkommen gleichgültig: ›Wer war das?‹«

Girardi mimte die Szene prachtvoll. Dann aber setzten wir uns um den kleinen Tisch vor meinem monumentalen Divan. Girardi reichte die Rolle Schnitzler, der im Fauteuil Girardi gegenüber Platz genommen hatte. Und es begann etwas sehr Schönes, Seltenes. Denn gleich, als Girardi den ersten Satz sagte: ›Frau Blümel – der Flieder fängt schon an zu blühn‹ –, schwebte ein so inniger, sanfter, ergebener Herzenston auf, daß Schnitzler zusammenzuckend den Atem anhielt. Für die Gestalt des alten Mannes, der durch bittere Erfahrung weise geworden, seinem einzigen Kind das Glück der Liebe – und wäre es auch eine illegale Liebe – nicht stören will, fand Girardi eine Einheit von Ton, Ausdruck, Geste... Fand eine Musik der Seele, die tief ins Herz griff. Als Christine fortstürzt – nach seinem Schrei ›Sie kommt nicht wieder‹, schwieg Girardi erschöpft.

Schnitzler erhob sich. Dann griff er Girardis Hand und sagte: »Hätten Sie damals den alten Weyring gespielt – ich wäre vielleicht einen anderen Weg gegangen.« Und er konnte nicht weitersprechen.

Girardi mochte erraten, was in ihm vorging, denn er beugte sich über Schnitzlers Hand, als wolle er sie küssen, und verließ wortlos das Zimmer.

GRÜNDUNG DER SECESSION.
OTTO WAGNER, DER GROSSE STÄDTEBAUER

Wien 1896

Er war eine echt österreichische Figur: Epikureer, Optimist, Revolutionär, Skeptiker, Weltmann, Diplomat, gleichzeitig ein Draufgänger bis zur Grobheit. Und – er war ein Prophet. Otto Wagner[1] verkündete den Baustil des zwanzigsten Jahrhunderts.

Einer alten Wiener Patrizierfamilie entsprossen, war er in Haltung, Sprache, Humor ein echter Wiener. Sein Lebensweg bis über die Hälfte schien eben und sorglos. Sein Aufstieg war sogar sensationell. Als Mitglied des Künstlerhauses, dessen Gründer die reichsten Bürger der Stadt waren, flogen ihm bedeutende Aufträge zu. Otto Wagner benutzte damals noch das Alphabet jahrhundertelanger Tradition. Nur wandte er deren Formen bereits auf eigene Art an. Er lauschte nach innen, um den architektonischen Rhythmus den zweckbedingten Forderungen des jeweiligen Bauwerks anzupassen. Er war es, der das Wort »Fassadenlüge« geprägt hat.

Das große Bankgebäude[2], das er gegen 1890 in Wien errichtete, trug bereits den Stempel des Neuerers. Denn hier erhob Otto Wagner zum ersten Mal imponierend gebieterisch den Kassenraum zum Zentrum des Baus. Diese Halle wurde zum Herzen des mächtigen Betriebs so sinnvoll gestaltet, daß dieses Schema in der ganzen Welt Nachahmung fand.

Noch ahnten Otto Wagners Auftraggeber nicht, daß aus der Hülle des akademischen Stilarchitekten bald der revolutionäre Baukünstler den Weg ins Freie finden würde.

Als sich Otto Wagner der Jugend anschloß, die das Künstlerhaus verließ, um Österreich den verlorenen Rang seiner künstlerischen Tradition wiederzuerringen, begann sein Martyrium. Er ertrug Enttäuschung, Beschimpfung und Verfolgung, denn er war seiner Natur nach imstande, sie Schlag für Schlag zu quittieren. Bald drangen Otto Wagners Lehren von den neuen, aus dem Material entstandenen Formen ins Ausland. Er stand in lebhaftestem Kontakt mit amerikanischen Architekten, viele wurden seine Schüler, er Ehrenmitglied aller amerikanischen Architektenvereine.

»Hier Otto Wagner ... Ich habe unlängst einen Artikel von Ihnen gelesen und dabei entdeckt, daß Wien noch in Europa liegt und nicht in Botokudien. Darf ich mich vorstellen? Als den abgefallenen, geächteten, einstigen Liebling des Künstlerhauses? Gnädige Frau, ich erlaube mir, Sie im Namen der Secessionisten, die eben eine Gegenvereinigung gründen, anzurufen. Heute abend gehen wir alle zum Heurigen nach Grinzing. Es wäre uns eine hohe Ehre, Sie dort begrüßen zu dürfen. Kann ich Sie mit einem feschen Fiaker abholen?«

Ende Mai. Der Fiaker im karierten Rock, den Stößer, jenen schmalkrempigen Zylinder, schief aufgesetzt, meint: »Herr von Wagner, soll ich nicht einen kleinen Umweg machen? Die Donau entlang. Heute ist sie wirklich blitzblau.«

»An der blauen Donau«, sagt mir Wagner, »geht es wieder einmal schön zu. Die Kunstanalphabeten, die unumschränkt in Wien herrschen, sind fuchsteufelswild. Unser Austritt aus dem Künstlerhaus zieht bereits die erwarteten Folgen nach sich. Gestern hat das Unterrichtsministerium den Staatsauftrag annulliert, den es mir gegeben hatte. Und auch die Privataufträge habe ich verloren.

Aber da ist nichts zu machen. Ich werfe ihnen alles hin, diesen Verbrechern am Geist. Eins können sie mir nicht nehmen, mein Lehramt. In der Akademie herrsche ich über die Jugend, der will ich die großen Begriffe einer ewigen Tradition einbrennen. Daß nichts verabscheuungswürdiger ist als die verfluchte Stiläfferei. Diese Eunuchenarchitekten, diese impotenten Stilstehler haben die zweite Hälfte unseres Jahrhunderts zu einer zerschlissenen Maskenleihanstalt gemacht. Die Jugend wird diesem beschämenden Zustand ein Ende machen.«

»Aber vielleicht entzieht man Ihnen auch Ihr Lehramt?«

»Das könnte man unter einem autokratischen Regime. Aber Kaiser Franz Joseph – ich bin deshalb Anhänger der Monarchie – hält sich starr und anständig an die Konstitution. Selbst wenn ihm etwas so unsympathisch ist wie der Begriff ›Moderne Kunst‹. Er versteht natürlich gar nichts davon, hat keine Ahnung. Schließlich wurde unter seiner Herrschaft Wien für ewig verschandelt. Die Ringstraße ist eine Musterkarte von Stilkopien, eine lächerlicher als die andere. Weil im Mittelalter jedes Rathaus selbstverständlich gotisch war, muß das 1880 gebaute, das ganz andere Aufgaben hat, gotisch lügen. Die Universität, die Museen – Renaissance! Versteht sich, von wegen der humanistischen Epoche. Das Parlament, wie könnte es wagen, nicht griechisch-römisch zu protzen?«

»Immerhin ist das Rathaus harmonisch in den Proportionen.«

»Sie reden wie der Blinde von der Farbe. Verzeihen Sie, wenn ich ein wenig ungeduldig bin. Ein Rathaus soll doch keine Attrappe sein! Es ist das

Zentrum eines Riesenbetriebs, soll einem Heer von Beamten die besten Arbeitsmöglichkeiten bieten. Aber in den Büros des Wiener Rathauses muß schon am Vormittag das elektrische Licht brennen, denn bei der Finsternis, die dort herrscht, kann kein Mensch schreiben. Und die Universität? Da wird der Herr Gemahl Bescheid wissen.«

»Ja, der Betrieb in den Lehr- und Prüfungssälen ist kaum aufrechtzuerhalten, weil fünf bis sechs Säle nur einen einzigen Eingang haben. Während der Professor in einem Saal prüft, müssen andere Professoren und Studenten ununterbrochen durchrennen.«

»Na also. Außen hui, innen pfui. Die einzigen großen Architekten jener Zeit, Van der Nüll[3] und Siccardsburg[4], haben wohl versucht, die Anlage der Ringstraße, dieses dummen Ringelspiels, das nirgends anfängt und nirgends hinführt, zu verhindern. Ihr großartiges Stadterweiterungsprojekt, sternartige Boulevards von den Basteien, die so in ihrer Herrlichkeit bestehengeblieben wären, ausgehen zu lassen, dieses Projekt haben die Pharisäer zu Fall gebracht. Dafür durften die beiden die Oper bauen. Sie wußten bereits, daß der Zweck, das heißt die innere Bestimmung, stets die äußeren Akzente beherrschen muß. Ihre Lösung des unvergleichlich harmonischen Theatersaals, des monumentalen und doch so einfach vornehmen Treppenhauses, der prunkvollen Loggia ist pyramidal. Kein Opernhaus der Welt besitzt eine so himmlische Akustik. Die berühmten Geigen der Philharmoniker singen nirgends so süß wie hier. Zum Dank dafür hat die in Wien stets losgelassene Meute der Kunstverhinderer die Wiener Oper derart in Grund und Boden verschimpft, daß Van der Nüll vor Kränkung der Schlag getroffen hat – und Siccardsburg –, der hat sich aufgehängt.«

»Und doch finden Sie den Mut, ein solches Kreuz auf sich zu nehmen?«

»Ein paar harte Jahre – aber dann werden wir Sieger sein. Ich werde halt weniger verdienen. Man wird sich einschränken. Meine acht Kinder fressen am Sonntag jedes ein ganzes Gansl auf, werden eben nur ein halbes fressen ... Die Otto-Wagner-Schule muß eine Armee von modernen Architekten ausbilden. Vorläufig ist schon der ›Klub der Sieben‹ marschbereit. Olbrich[5], Hoffmann[6], Moser[7], Roller[8] und so weiter ... Heute noch ungeläufige Namen, aber jeder einzelne wird von sich reden machen ... Und ich? Ich will der herrlichen Karlskirche – der Karlsplatz ist wüst wie ein ungarisches Dorf – den ihr gebührenden Rahmen geben. Das neue Museum, das darf niemand dort hinbauen als ich, und müßte ich daran sterben.«

Otto Wagner ist daran gestorben. Er hat das Museum nicht gebaut. Man wußte es zu verhindern. Mappen voll großartiger Pläne – denn Wagner war ein Städtebauer im weiten Sinn des Wortes – liegen in der Nationalbibliothek begraben. Ein Friedhof dehnt sich dort, unheimlicher, tragischer als jedes Beinhaus. Es ist der Friedhof des Nichtgewordenen, des verbrecherisch Verhinderten, der ungeborenen Meisterwerke. In jedem Land ist ein solcher Friedhof zu finden, doch nirgends in so verheerendem Ausmaß wie in Wien, jener Stadt, die immer wieder Genies gebar und sie dann erschlug.

Anno dazumal ähnelte ein echter Heuriger in Grinzing wenig den späteren, aufgeputzten, als sie Mode wurden und die elegante Welt dieser Wiener Spezialität ihr Interesse zuwandte. Der an einem ärmlichen Giebel befestigte Buschen besagt, daß hier ein Heuriger ausgeschenkt wird. Hof oder Gärtchen – ungehobelte Bänke, grüngestrichene Tische. Speisen gab es nicht. Man mußte einen Imbiß mitbringen. Nur der heurige Saft, der so zu Kopf steigt, wurde ausgeschenkt. Auch die Musikanten, die bei keinem Heurigen fehlen durften, waren noch echt. Irgendwelche armen Teufel, die aber mit dem jedem Wiener angeborenen Instinkt für Rhythmus und Wohllaut spielten, sangen, was gerade populär war.

»Da schaut her, wen ich euch mitgebracht habe.«

»Die B. Z., die an uns glaubt. Sie lebe hoch!« Und Gustav Klimt[9] leert sein Glas.

Klimt – der Anführer, der Wegweiser, das von allen anerkannte Genie. Er, der keinen Vorgänger gehabt hat und keinen Nachfolger haben wird. Ein Einmaliger, Einsamer, aufgetaucht aus dem Urgrund eines Stamms, eines Volks. Primitiv und raffiniert, einfach und kompliziert, immer aber beseelt. So wurde der junge Maler Gustav Klimt zur Galionsfigur der revolutionären Kunstbewegung, die weit über Österreichs Grenzen hinaus in ganz Europa ihre Fahne aufpflanzen konnte. Ein mächtiger Schädel mit bereits etwas schütterem Haarwuchs, in dessen Mitte sich einer Insel gleich eine dichte Locke wölbt. Die schöne, eigenartige Erscheinung des jungen Künstlers ist bereits populär. Das Volk nennt ihn den heiligen Petrus. Tatsächlich sieht Klimt aus wie ein Apostel.

»Wagner, was hast du wieder angestellt ... Dein verflixtes Temperament ist schon wieder mit dir durchgegangen ...«, sagt der Kunstkritiker Hevesi[10], der sich im Gegensatz zu den Beckmessern den jungen Secessionisten angeschlossen hat. »Heute greift dich die ›Neue Freie Presse‹ an. Du sollst gesagt haben, man müsse den Stephansdom demolieren. Solche überspitzten Thesen werden dann gegen euch ausgespielt.«

Wagner: »Wenn du jeden verlogenen Dreck glaubst – ich habe gesagt, man soll den Stephansplatz kassieren, weil er den herrlichen Dom durch seine ordinären Zinshäuser, die man sogenannt gotisch zu verzieren gewagt hat, entehrt. Ein Skandal, daß ich es nötig habe, mich vor euch zu rechtfertigen. Ihr seid eben noch keine richtigen Secessionisten. Neugeborene seid ihr, noch nicht zimmerrein ... Mit einer einzigen Nation bin ich wirklich in Kontakt. Mit den Amerikanern. Die haben in großartiger Dynamik und mit imponierendem Verständnis für Zweck und Material den Wolkenkratzer erstehen lassen. Auch ihre Hafenbauten, ihre Hangars und Silos sind Meisterwerke. Ebenso großartige Kulturdenkmäler wie das Parthenon ... Ja, ja – ihr lacht mich aus, weil euch die akademische Gipslehre noch in den Gliedern steckt. Bitte? Haben die Griechen die Eisentraverse gekannt? Beton? Die Maschine? Die Amerikaner sind bis in die Fingerspitzen Menschen ihrer Zeit. Deshalb haben sie eine Architektur geschaffen, Baudenkmäler eigener Art – ewig wie die Kathedralen.«

»Schon Goethe war deiner Ansicht«, sagt Klimt lachend.

»Amerika, du hast es besser als unser Kontinent, der alte – hast keine verfallenen Schlösser – und keine Basalte. Dich stört nicht im Innern – zu lebendiger Zeit – unnützes Erinnern – und vergeblicher Streit.«

»Recht hast du, Wagner«, sagt Kolo Moser, ein blasser, hochaufgeschossener junger Mann, dessen große, träumerische braune Augen einen eigenen Zauber ausüben, als seien sie Bewahrer geheim aufgestapelter Schätze. »Aber glaubst du, daß wir dich nur neue Häuser bauen lassen? Ah, nein; Revision aller Unwerte! – Auch die Möbel sind verrottete Erzeugnisse. Wiener Tischler, einmal die besten der Welt, wissen die Seele der Hölzer nicht mehr zu behandeln. Die edle glatte Fläche, die schöne Maserung, wie sie die Biedermeierzeit noch kannte, existiert nicht mehr. Alles wird gedrechselt, angeklebt. Eine Kredenz schaut aus wie ein gotischer Beichtstuhl, Sessel sollen durchaus so aussehen, als kämen sie aus dem Dogenpalast. Gaslüster imitieren Petroleumlampen. Die elektrische Kraft maskiert man als Kerze, und die Gebrauchsgegenstände! Einen Krug habe ich gesehen, um den fährt als Dekor eine Eisenbahn. Eine Uhr als Eulenkopf, ein Thermometer als Alpenstock, scheußlich, dieser Klamsch.«

Hevesi: »Was ist das eigentlich, was Sie Klamsch nennen?«

Die Antwort kommt von Joseph Hoffmann. Er hat ein ruhevolles Antlitz, stammt aus Mähren, dessen geheimnisvoller schöpferischer Kraft Österreichs Kunstgenius so viel verdankt. Er ist der Begründer, das ausstrahlende Element der großen Renaissance des Kunsthandwerks, seiner Formen, der Technik, der Qualität – man kann sagen: seiner Ehre. Dreißig Jahre nach der im Überschwang jugendlichen Enthusiasmus' erfolgten Gründung der »Wiener Werkstätte[11]« erbaute Hoffmann 1925 in Paris für die internationale Kunsthandwerksausstellung den österreichischen Pavillon, eine Schatzkammer der berühmt gewordenen Wiener Werkstätte. Seit diesem triumphalen Erfolg hat sich die Bezeichnung Hoffmann-Stil eingebürgert.

»Er meint damit das«, antwortete Hoffmann, »was der Mensch im allgemeinen braucht, wenn er in einer anständigen Umgebung leben will. Jeder Gebrauchsgegenstand, wie er jetzt erzeugt wird, unsachlich und unehrlich, beleidigt nicht nur unser Auge, auch unsere Hand, unseren logischen Sinn. Da wollen wir Ordnung machen, nur wird es sehr lange dauern. Erst heißt es, Arbeiter erziehen, die wieder Meister ihres Handwerks sein müssen wie einst. Die Tradition des Qualitätshandwerks ist abgerissen.«

Klimt: »Ihr müßt eine Werkstätte gründen, müßt Muster, Beispiele herstellen für Glas, Porzellan, Leder, Silber, Textilien, Schmuck, Tischlerei. Aber vor allem müßt ihr selber lernen. Alle müssen wir noch lernen.«

Wagner: »Bravo. Ich beantrage die Gründung einer solchen Besserungsanstalt. Nur eine Frage: Wer wird das Geld hergeben?«

Der Fabrikant Wärndorfer: »Ich stelle mein Vermögen zur Verfügung.«

Fritz Wärndorfer ist tatsächlich der enthusiastische Begründer der Wiener Werkstätte geworden und hat diesem ideellen Unternehmen sein Vermögen geopfert.

Hevesi: »Ich weiß, Sie sind ein fanatischer Anhänger dieser Kunstrevolution, aber was Sie vorhaben, ist sehr riskant. Ehe sich die Wiener an die Moderne gewöhnen, ist sie bereits eine Antiquität.«

Wärndorfer: »Vielleicht verliere ich mein Vermögen. Immer noch anständiger, als es in Monte Carlo oder am Turf zu verspielen.«

Klimt: »Wir dürfen das Haus nicht beim Dach anfangen. Vor allem muß die Secession ihr Heim haben, erst wird gebaut, dann eingerichtet. Also, Olbrich – dazu sind wir doch heute hier beisammen. Heraus mit deinem Plan.«

Olbrich, kaum fünfundzwanzigjährig, wirkt abgeklärter als sein Lehrer Otto Wagner. Er ist der Aristokrat unter den Revolutionären. Sein blasses, nachdenkliches Gesicht, seine elegante Gestalt, sein zurückhaltendes Wesen ließen eher auf einen Diplomaten schließen als auf einen Künstler. Er gibt wohl den Kollegen den genauen Ton an wie eine Stimmgabel, nach der sich alle Orchestermitglieder richten, aber damit ist seine Wiener Mission beendet. Bald wird er in Deutschland eine große Rolle spielen.

Olbrich breitet schweigend seine Pläne aus.

Aufgeregtes Durcheinander der Kollegen:

»Aber das ist doch kein Grundriß!«

»Könnte eine Markthalle sein.«

»Wo sind die Wände?«

Olbrich, ruhig, bestimmt: »Wände gibt es nicht und gibt es doch. Verstellbare Wände, die wir auswechseln können. Wände, die nur aus Holzrahmen bestehen und aus gespannter Leinwand. Die Wiener Secession schafft auf diese Art den neuen Ausstellungsstil für ganz Europa.«

Moser, begeistert: »Großartig. Du hast das Problem gelöst. Unser Programm ist ja: Fenster aufreißen, frische Luft hereinlassen in unsere übelriechende Kunstwelt. Den Wienern wollen wir vor allem zeigen, was die Franzosen geschaffen haben; aber auch die Engländer, die Skandinavier, die Schweizer. Olbrich gibt uns jetzt die Möglichkeit, jede Ausstellung nach dem gegebenen Thema zu gestalten.«

Hoffmann: »Was Olbrich da erfunden hat, bedeutet nicht nur, daß wir jedem Land, das heißt seiner Kunst, eine charakteristische Raumbildung geben werden. Noch etwas Besonderes. Jeder einzelne von uns wird eine Ausstellung selbstherrlich gestalten. Kein Komitee, keine Jury, die dreinreden darf.«

Später kommen Hermann Bahr und der Bühnenbildner Alfred Roller an unseren Tisch. Olbrich bringt den Angriff auf Klimt zur Sprache, den sich die »Neue Freie Presse« an diesem Tag geleistet hat.

»Ich habe heute in der Schwarzweißausstellung Ihre Zeichnungen bewundert«, sagt Bahr zu Klimt. »Sie sind denen der größten Meister an die Seite zu stellen, und da wagt so ein Analphabet zu schreiben, Sie seien ein Pornograph!«

»Hörst du, Klimt!« ruft Hoffmann. »Und du wirst dich wieder nicht rühren? Du mußt ein für allemal ein Exempel statuieren! Du mußt auf Ehrenbeleidigung klagen.«

Klimt, sehr ruhig: »Muß ich? Klagen ...? Zu Gericht gehen? Eine Rede halten? Vielleicht drei Tage mit Hin und Her verlieren ...? Ah, nein, da mal' ich lieber.«

Lilly, Klimts Freundin, das schönste Mädchen Wiens, ist dem Weinen nahe. Sie stammt aus einer sehr guten bürgerlichen Familie; ihre grenzenlose Liebe zu Klimt ist ihr zum Schicksal geworden. Obwohl sie Klimt auch künstlerisch das ist, was die Barbarina Rafael – die Mona Lisa Leonardo –, nämlich das Idealmodell seines Frauentypus, der für die Frau der kommenden Jahrzehnte bestimmend werden wird, will Klimt sich nicht binden.

Klimt: »Du wirst doch nicht weinen! Wo kämen wir hin, wenn jeder Künstler, den ein Zeitungsschmierer anpöbelt, sich duellieren oder klagen müßte?«

Lilly: »Ich weine, weil für dich nichts zählt als deine Farben, deine Leinwand – man spuckt dich an – du zuckst die Achseln – und malst.«

GUSTAV MAHLER
Wien 1897

»Hofrat Wlassek. Haben Sie Zeit? Es wird ein langes Gespräch. Zunächst eine Überraschung: Gustav Mahler[1] ist Direktor der Wiener Hofoper.«

»Wie ist das möglich? Mahler, der den Ruf hat, unbeugsam Forderungen zu stellen, keine Konzessionen zu machen? Der, kurz gesagt, der unbequemste Idealist sein soll?«

»Es schien ja auch hoffnungslos. Aber in Österreich geht schließlich immer alles anders aus ... Meiner Meinung nach ist diese waghalsige Ernennung nur möglich gewesen, durch einen sozusagen atmosphärischen Vorgang, durch den Sturm, der plötzlich auf dem Gebiet der Kultur losgebrochen ist. Welcher Komet wandelt jetzt am Himmel, der als Zeichen einer solchen Umwälzung zu deuten wäre?«

»Gewöhnlich kündet ein Komet Katastrophen an. Was Sie mir aber sagen, bedeutet doch, daß Wien zu einem neuen Frühling zu erwachen scheint.«

»Was jetzt mit diesem Gustav Mahler über Wien hereinbricht, daran darf der erste Beamte des Oberhofmeisteramts, also meine Wenigkeit, gar nicht denken!«

»Mir machen Sie nichts weis. Sie freuen sich doch, wenn es bei euch drunter und drüber geht. Jedenfalls verdanken wir Mahler Ihnen.«

»Mein Hauptargument war der Kassenerfolg. Nie hat die Hamburger Oper ähnliche Einnahmen gehabt wie unter Mahler, und das hat überzeugender gewirkt, als hätte ich ins Treffen geführt, daß Mahler dirigiert wie der liebe Gott.«

Gustav Mahler hat zehn Jahre lang Routine, Betrieb, Nepotismus, Verschlampung, Intrigen und Dummheit die Stirn geboten. In diesen zehn Jahren regenerierte er die Oper. Nicht nur die Wiener Oper, sondern die Oper als Kunstform überhaupt. Sein Opernstil war die Antwort auf Jahrzehnte leerer Ariensingerei. In Wien herrschte der Belcanto ungehemmt. Selbst Richard Wagner wurde von Hans Richter breit und arios dirigiert. Auch da hieß es: nur Gemütlichkeit, nur keine Aufregung!

Mahlers Dynamik, die Dämonie, die ihn umwitterte, erinnerte zuweilen an eine Gestalt von E. T. A. Hoffmann. Was seine Wirkung ausmachte, war die leidenschaftliche Sehnsucht, tiefe, echte Kunstwahrheit und Erschütterung in den Sängern, Orchestermitgliedern und im Publikum wiederzuerwecken. Er war nicht nur ein Gehörgenie. Sein schmerzlich mitfühlendes Herz war es, das die Meisterwerke neu belebte.

Mahler empfand die Oper aus dem Instrumentalen. Das Arioso war ihm nie so wichtig. Auch Toscanini[2] empfand ähnlich. Sein Wutschrei auf einer Salzburger Probe:

»Bestia Tenore!« zeugt davon.

Niemand, der dieses scharfgeschnittene, strenge, dunkle Antlitz gesehen hat, wird es jemals verlieren: herrisch und doch selbstvergessen, als lauschte es Geheimnissen der Unendlichkeit. War er häßlich? Eine Häßlichkeit, die Schönheit wird, sobald die Augen hinter den Brillengläsern zu funkeln beginnen. Die zwei scharfen Kerben, die die Wangen teilen, verraten verschlossene, ja bittere Wehmut des Schöpfers. In seinen zehn herrlichen Symphonien erschließt sich diese große Seele ganz.

Mahler betritt den Orchesterraum, schwingt sich ans Dirigentenpult und wendet sich mit einem Ruck zum Publikum. Wie Napoleon bei der Truppenschau läßt er seinen Blick über die Menschen im Parkett, in den Logen, auf den Galerien gleiten. Es herrscht atemlose Stille. Die Magie dieser Erscheinung, dieses eisernen Willens, dieses befehlenden Geistes bannt die Versammelten. Wehe, wenn einer jener unverschämten Theaterhuster die Stille entweiht oder ein Operngucker tückisch zu Boden fällt! Da blitzen die Brillengläser des Allfordernden in teuflischem Hohn. Jeder fühlt sich zerknirscht, mitschuldig. Jetzt verlöschen die Lüster, verlöschen die Lichter. Es herrscht Finsternis. Gustav Mahler ist der Erfinder des Verdunkelungssystems, das später allgemein Usus wurde. Während seiner zehn Jahre dauernden Diktatur – denn er war nicht Leiter, er war Diktator der Wiener Oper – gewöhnte sich das Publikum an seinen Befehl: »Du wirst gezwungen, in dich zu gehen, dich zu sammeln, ehe die heilige Handlung beginnt.« Da gibt es, bevor die Ouvertüre einsetzt, kein Grüßen von der Loge ins Parkett, keine Diskussionen auf der Galerie, vor allem schleicht kein Zuspätkommender herein. Hermetisch schließen sich die Türen, sowie die Verfinsterung eintritt. Eine beinahe schmerzhafte Spannung einigt alle.

»Die kompakte Majorität«, nannte Ibsen die Mächte der Minderwertigen. Nun, sie stürmen ein Jahrzehnt gegen die Mission an, der Mahler sich verschrieben hatte. Gegen das Ideal des Gesamtkunstwerks, der Einheit von Ton, Wort, Geste, Gestalt, Raum, Licht. Daß er diesem Ideal so nahe kam wie vor ihm kein anderer, war Mahlers Leistung. Als er Alfred Roller, den jungen Secessionisten, zum Chef des Bühnenbilds, der Ausstattung berief, wußte er, welchen Gefahren er sich aussetzte, galt es doch den vollkommenen Umsturz. Gefahr aber erhöhte nur Mahlers Energie.

In der Secessionsausstellung hatte Mahler eine Bühnen-Maquette gesehen, die Alfred Roller zum ersten Tristan-Akt entworfen hatte. Sein Entschluß stand sofort fest. Roller sollte für die Neueinstudierung des »Tristan« das Bühnenbild entwerfen. Die windgeblähten Segel des mächtigen Schiffs, der Einfluß, den die Beleuchtung im zweiten Akt auf die Szene ausübte, das waren wohl Neuerungen, doch erregten sie, da zurückhaltend eingefügt, noch keinen Widerstand. Erst als Mahlers Genie sich des Mozartschen »Don Juan« bemächtigte, erst als er die Vision eines Musikdramas hatte, das die in Inszenierungstradition längst verschüttete Tragik mit elementarer Wucht neu offenbarte, erst da begann jene Partei des Wienertums, die stets zerstörend wirkt, in Aktion zu treten.

Mahlers Konzeption war es, die Oper auf einer verengten Bühne spielen zu lassen, um den dramatischen Effekt der Szene, das Aufeinanderprallen der Leidenschaften zu intensivieren. Roller gelang es, die ihm gestellte Aufgabe formal zu lösen. Die erste Stilbühne, die dann von allen Opernhäusern nachgeahmt wurde – Mahler und Roller hatten sie im »Don Juan« ans Rampenlicht gebracht. Die Neuschöpfung des »Don Juan«, jenes Meisterwerks, das im Schlendrian der Jahrzehnte seines Ewigkeitsgehalts beraubt worden war, wurde zur echten Tradition.

Wien war in zwei Lager geteilt. Man kann sich heute, da Fragen der Kunstvergeistigung keinerlei Brände mehr entzünden, kaum mehr vorstellen, mit welchem Fanatismus Mahlerianer und Antimahlerianer einander bekämpften. Die hochstehende Minorität, die mit Mahler durch dick und dünn ging, hielt die kompakte Majorität des »Niggerltums« nieder. »Niggerl« ist ein unübersetzbares Wort. Es bezeichnet den Typus des reaktionären, verbissenen, hämischen, falsch-gemütlichen, hinterlistigen Wieners. Viele Jahre war es Mahler trotzdem vergönnt, unterstützt – es sei zu ihrer Ehre gesagt – von einem bedeutenden Teil der Wiener Presse, sein Ideal, die Oper als Gesamtkunstwerk, zum Leben zu erwecken.

Die Erneuerung des »Figaro«, die Vergeistigung dieses Meisterwerks, und die Auferstehung des »Fidelio« sind Marksteine der Operngeschichte.

Ich hatte das Glück, einigen Proben des »Fidelio« beizuwohnen. Eines Tages wandte sich Mahler an das Orchester:

»Von nun an, meine Herren, spielen wir die dritte Leonoren-Ouvertüre nach der Kerkerszene, weil dieses Opus die durchlebte Skala der dramatischen Handlung in ungeheurer Steigerung zusammenballt. Erst so wirkt der Sieg des Edlen über die Gewalten der Niedertracht überwältigend.«

Der einzigartige Mann, der in seinem harten Streben asketisch geworden ist, den Sinn für die Gottesgabe »Freude« verloren hat, findet in Wien wie so viele Musiker die Erlösung. Die Landschaft und Wien, die schon Beethoven und Schubert bezaubert hatten, und ein wunderbares Wiener Mädchen haben dies vollbracht.

»Gustav Mahler. Guten Tag. Ich bringe Ihnen Grüße aus Paris.«

»Vielen Dank, Herr Direktor, daß Sie sich diese Mühe nehmen.«

»Zu danken habe ich Ihren Verwandten[3] in Paris. Dort fand ich Verständnis, wirkliche Musikliebe ... Nur das hat mich bewogen, Sie anzurufen. Ist sonst nicht meine Art.«

»Ich traue mich kaum, Sie zu fragen, ob es Ihnen paßt, einen Abend bei uns zu verbringen?«

»Vielleicht entschließe ich mich dazu. Aber es ist ein Opfer. Und nur unter der Bedingung: Keine Gesellschaft, sonst laufe ich davon.«

»Das weiß ich. Sie brauchen nichts dergleichen zu befürchten.«

»Donnerstag bin ich frei. Ich esse nur Grahambrot und Meraner Äpfel. Empfehle mich.«

»Hier Anna Moll ... Kann ich Hofrat Zuckerkandl sprechen? Emil, ich möchte dich konsultieren.«

»Mich? Ich kuriere doch nur Leichen.«

»Ja, ich weiß. Aber ich bilde mir ein, daß ein berühmter Anatom wie du, vieles besser weiß als so ein Auswendigkurierer.«

»Also, was gibt es?«

»Es ist wegen Alma[4]. Das Mädel magert ab, ist ganz blaß und – kannst du dir das vorstellen, ist ganz still geworden. Was mir am meisten auffällt, sie kokettiert gar nicht mehr.«

»Das ist allerdings bedenklich. Was sagt euer Arzt?«

»Blödsinn. Daß sie bleichsüchtig ist. Es gibt nur eine Erklärung. Alma sitzt beinahe jeden Abend in der Oper. Sie kommt dann ganz verweint nach Hause, setzt sich ans Klavier und spielt stundenlang.«

»Soll ich eine Diagnose stellen? Es ist möglich, daß die Suggestionskraft dieses Musikers an der sogenannten Bleichsucht schuld ist. Sollte das der Fall sein, vielleicht kann ich Alma kurieren.«

»Dann bist du ein Hexenmeister.«

»Schick sie Donnerstag abend zu uns. Kann sein, ich beginne mit meiner Kur.«

Mme. Paul Clemenceau, Paris *Wien, den 30. November 1900*

Liebste!

Seit drei Wochen schon will ich Dir schreiben. Vor allem muß ich Dir von Gustav Mahler erzählen. Denk Dir, er selbst hat mich eines Tages angerufen, um mir Eure Grüße zu bestellen. Er hat sogar zugesagt, einen Abend bei uns zu verbringen. Den dritten November war es soweit. Es war keine leichte Frage, wen man zu diesem scheuen, verschlossenen, hypersensiblen Menschen einladen sollte. Längst war der Ruf von ungemütlichen Vorfällen zu mir gedrungen. So traf ich meine Wahl: Hermann Bahr, Max Burckhard und Gustav Klimt.

Keine Frauen, nur ein junges Mädchen, das einzuladen Emil sich in den Kopf gesetzt hatte: Alma Schindler, die Tochter des großen Malers Emil Schindler. Er ist vor Jahren gestorben, jetzt ist sie die Stieftochter des Malers Karl Moll, des frevelhaft geschickten Impresarios der Secession.

Natürlich war das Menü auf Mahler eingestellt, er verträgt nur leichte Kost. Punkt acht Uhr kam er. Viel gemütlicher, als wir dachten. Angeregtes Tischgespräch über die Wiener Art, Kunst zu sabotieren. Mahler erzählte, daß ein Erzherzog ihm geschrieben und dringend verlangt habe, er solle eine absolut unbegabte, sehr hübsche Sängerin engagieren. Der Oberhofmeister fragt verlegen, ob er dem Erzherzog endlich die Antwort geben dürfe. »Antworten Sie ihm, daß ich den Brief in den Papierkorb geworfen habe«, sagt Mahler.

»Daß Sie, lieber Kollege, nicht sofort entlassen wurden, sondern der Erzherzog dies schweigend hinnahm«, sagte nun Burckhard, »zeigt, wieviel sich im letzten Jahrzehnt zugunsten von Kunst und Künstlern gewandelt hat. Heute wäre nicht mehr möglich, was noch vor meiner Direktion geschah, daß nämlich eine Erzherzogin ein Stück verbieten läßt, weil darin ein unverheiratetes Mädchen mit unehelichem Kind vorkommt. Ebenso ist es seit meinem Amtsantritt ausgeschlossen, daß der Oberhofmeister die Annahme eines Stücks mit der Begründung verbietet, die erlaubte Anzahl der Stücke, in denen ein unehelicher Sohn vorkommt, sei dieses Jahr bereits überschritten.«

Alma hatte bisher schweigend zugehört. Nun fragte sie temperamentvoll: »Warum hat sich das Publikum das gefallen lassen?«

Mahler hatte sie bisher nicht beachtet. Jetzt sah er sie aufmerksam an.

»Eine solche Frage kann nur die Jugend stellen, die weiß noch nichts von Feigheit und Kompromissen.«

Dann wurde das Dessert serviert, und Mahler wandte sein Interesse den Äpfeln zu. Zum schwarzen Kaffee löste sich die Tischgemeinschaft auf. Plötzlich höre ich laute Stimmen aus dem Nebenzimmer und werfe einen Blick hinein. Zornig steht Alma da. Auch Mahler ist wütend. Hüpft hin und her, wie immer, wenn ihm seine Nerven durchgehen.

»Sie haben nicht das Recht, ein Werk, das Ihnen eingereicht wird – noch dazu von einem echten Musiker wie Zemlinsky –, einfach ein Jahr lang liegenzulassen! Sie können ›nein‹ sagen, aber antworten hätten Sie müssen!«

»Das Ballett ist miserabel«, knurrt Mahler. »Ich verstehe nicht... Sie studieren doch Musik – wie können Sie für so einen Schmarren eintreten?«

»Erstens ist es kein Schmarren. Wahrscheinlich haben Sie sich nicht die Zeit genommen, das Werk durchzusehen, und zweitens kann man auch höflich sein, wenn es sich um schlechte Musik handelt.«

Mahler nagt heftig an seiner Lippe. Plötzlich streckt er seine Hand aus:

»Machen wir Frieden. Ich verspreche Ihnen natürlich nicht, das Ballett anzunehmen. Weil Sie aber so tapfer für Ihren Lehrer einstehen, verspreche ich Ihnen, Zemlinsky morgen zu mir zu bitten.«

Alma war sichtlich über ihren Temperamentsausbruch erschrocken. Wie hatte sie ihn ihrem Idol gegenüber nur wagen können? Sie flüchtete zu Klimt und Burckhard. Klimt hat für sie geschwärmt, als sie sechzehn Jahre alt gewesen ist. Burckhard ist eben jetzt in sie verliebt. Sie aber nimmt das recht gleichgültig hin.

»Es ist das erste Mal«, sagte Mahler später, »daß ich mich in einer Gesellschaft wohl fühle. Ich muß aber fort, denn ich habe morgen Kostümprobe. Übermorgen ist die Generalprobe von ›Hoffmanns Erzählungen‹. Diese Oper bedeutet mir viel. Offenbach hat sich sein Leben lang danach gesehnt, der Operette zu entwachsen, eine Oper zu komponieren. Aber erst als alter Mann, an der Schwelle des Todes, hat er es vollbracht. Ein Schicksal, das jeden von uns erwartet. Erst sterbend vollenden wir uns.«

Dann, als er sich verabschiedete: »Darf ich Sie zur Generalprobe einladen? Übermorgen Punkt zehn Uhr. Wenn es Fräulein Schindler interessiert, so bitte ich auch sie, mir das Vergnügen zu machen.«

Fort war er. Mit seinen hastig zuckenden Schritten verschwand er wie ein Irrlicht. Wir bleiben noch beisammen.

»Alma, du kannst dich nicht beklagen«, sagte ich scherzend, »ich habe dir die Vergangenheit eingeladen«, und ich zeigte auf Klimt, »die Gegenwart«, auf Burckhard, »und vielleicht die Zukunft.«

Drei Wochen sind seither vergangen. Gestern hat sich Alma mit Mahler verlobt. Gleich nach dem Abend bei mir hatte er Frau Moll, Almas Mutter, besucht, war von der Atmosphäre dieses Heims entzückt – taute auf, vergaß seine asketische Weltanschauung, wurde jung und töricht verliebt.

Genug getratscht. Deine Bertha

MAX BURCKHARD
1890–1898

In seiner »Kulturgeschichte der Neuzeit« nennt Egon Friedell[1] die Atonie des geistigen und künstlerischen Schaffens, die dem Schlaf gleicht, »Inkubationszeit« und weist nach, daß scheinbare Sterilität die Zeit neuen Keimens ist. Selten hat sich dies so überzeugend herausgestellt wie im letzten Jahrzehnt des neunzehnten und im ersten des zwanzigsten Jahrhunderts in Österreich.

Taumel der Erlebnisse, der schöpferischen Energie. Ein vulkanischer Ausbruch von Genie und Talent. Was half da der erbitterte Widerstand jener Menschen, die neues Wollen mit Anarchie verwechselten? Sie konnten wohl aufhalten, aber sie haben nichts verhindert. Alles, mit wenigen Ausnahmen, ist geworden, wie eine simultane Vision den Stil unserer Epoche, ihr Antlitz, modelliert hat. Der Rückblick zeigt, daß Kunst, Literatur, Musik, Philosophie und Wissenschaft in Österreich einen Block bilden. Geheimnisvolle Zusammenhänge durchfließen Sprache, Farben, Formen, Töne und Weltbekennen. In der imponierend einheitlichen europäischen Erneuerung, die gegen 1860 von Frankreich ausging, spielte Österreich ab 1890 eine führende Rolle.

In bewußtem oder unbewußtem Gegensatz zu Deutschland, wo der Jugendstil hemmungslos tobte und der Naturalismus Literatur und Kunst beherrschte, entwickelte sich in Österreich ein neues Stilbewußtsein, gleich von Beginn charakterisiert durch strenge Harmonie und Abkehr vom Naturalismus. Der breite Strom neuen Fühlens und Erschauens hat in Wien seinen Ursprung. Hier wird ein aristokratischer Stil lebendig, lyrisch, beschwingt, vergeistigt, phantasiegesegnet: die Welt in Traum gehüllt.

Vorerst aber galt es, Festungen zu schleifen. Das k. k. Burgtheater zum Beispiel war zuzeiten die berühmteste Bühne deutscher Sprache gewesen. Plötzlich aber schien die Menschheit alle Herrlichkeiten und Wahrheiten, die Kunst und Kultur Epoche um Epoche gestapelt hatten, vergessen zu haben. In der zweiten Hälfte des 19. Jahrhunderts trat einer der vielen Sprößlinge Satans seine Herrschaft an: der Kitsch- und Talmi-Teufel. Auf allen Gebieten wurde gefälscht und gelogen. So verfiel auch das Burgtheater. Denn auf die Dauer kann eine bedeutende nationale Bühne ihrer Mission nicht gerecht werden, wenn sie zur seichten Unterhaltung absinkt, zu einem akademischen, höfischen, offiziell regierten Theater.

Hermann Bahr ist am Telefon.

»Wieder einmal hat sich meine Theorie bewahrheitet«, sagte er. »Die weisesten, die wichtigsten Entschließungen sind oft keineswegs die Folge logischer Erwägung, sondern kolossaler Mißverständnisse.«

»Ich bin schrecklich neugierig.«

»Das Burgtheater hat seit gestern abend einen neuen Direktor. Das Burgtheater, dieser Hort der Rückständigkeit, wird laut Entschließung des Oberhofmeisters einem Hofrat des Justizministeriums übergeben. Auf diese sichere Weise soll es vor den revolutionären, verdächtigen Lehren geschützt werden, die der Kritiker Hermann Bahr sich zu verbreiten erfrecht.«

»Und da jubeln Sie?«

»Geduld. Die Wahl fiel auf den jungen Hofrat[2] Burckhard. Der Oberhofmeister hatte lange vergebens Umschau nach dem geeigneten Mann gehalten, den und jenen Rat gehört. Endlich fiel einem Sektionschef etwas ein. ›Da ist‹, sagte er, ›im Justizministerium ein fleißiger, tüchtiger Jurist. Der hat, das weiß ich von meiner Tochter, irgend etwas gedichtet. So ein Epos. Ich glaube, die Nibelungen kommen darin vor – ein altes berühmtes Geschlecht. Der Mann scheint literarische Neigungen zu haben!‹ ... Na, darauf wurde Max Burckhard sofort ernannt.«

»Warum nicht, wenn er ein Dichter ist?«

»Keine Spur. Das Epos ist eine fade Jugendsünde, war aber fabelhaft zu gebrauchen, denn jetzt kommt die Pointe: Dieser Burckhard ist ein entschlossener Fortschrittler. Ich kenne ihn. Stundenlang erzählte er mir, obwohl ahnungslos, daß er je eine solche Berufung erhalten könnte, wie eine moderne Bühne geleitet werden müßte. Hätten der Oberhofmeister und seine Satelliten das gehört – ich glaube, es hätte sie der Schlag getroffen.«

»Jetzt werden sie es ja hören, wenn Sie darüber schreiben.«

»Gott behüte! Man muß sie hereinfallen lassen, diese Bonzen. Und auch die allmächtigen Schauspieler. Die sind die Gefährlichsten. Lieber möcht' ich meinen Kopf in einen Löwenkäfig stecken als in die Garderobe von so einem Burgtheaterprominenten ... Aber Burckhard, der freut sich darauf!«

Max Burckhard war damals ungefähr 35 Jahre alt, mittelgroß, gut gewachsen, nachlässig elegant; ein feingeschnittenes Gesicht, klare, kecke Augen. Freundlich, doch kurz angebunden, sehr empfänglich für Humor. Von Frauen geliebt, Frauen umschwärmend. Er liebte auch seine Bibliothek, sein

Segelschiff und seine Justamententscheidungen. Nicht umsonst allerdings hatte er seit seiner Jugend die Atmosphäre des Bürokratismus eingeatmet. Er vermochte glatt und undurchsichtig zu erscheinen. So versammelte er Schauspieler und Personal um sich und hielt eine Antrittsrede, vorsichtig, farblos und doch irgendwie beunruhigend. Die Göttlichen, die bisher über jeden Direktor geherrscht hatten, wurden unsicher; sie witterten etwas Neues, wußten aber nicht, was da auf sie zukam.

Hermann Bahr erwartet seinen Freund Burckhard bei mir. Burckhard kommt verspätet, erhitzt, aber siegreich.

»Ich habe es durchgesetzt. Aber nur, weil ich meine Demission angeboten habe. ›Wie? Acht Tage nach Ihrer Ernennung?‹ sagte händeringend der Oberhofmeister, ›schon eine Direktionskrise? Skandal ohnegleichen. Was würde sich Majestät denken? Ich wäre blamiert!‹ – ›Verzeihen Exzellenz, ich muß an das Wohl und Wehe des Theaters denken, das Sie mir anvertraut haben. Es steht schlimm um dieses Institut. Haben Exzellenz den Artikel gelesen, den – Gott sei Dank noch vor meiner Ernennung – ein junger Kritiker, Felix Salten[3], geschrieben hat? Der Artikel beginnt mit den Worten: Heute ist Erstaufführung. Ich frage einen Schutzmann: Bitte, können Sie mir sagen, wo das Burgtheater ist? Dieser pyramidale Satz enthält alles, was sich über Ihre verfallene Bühne sagen läßt. Blutiger Hohn! Ein Peitschenhieb! Niemand weiß also überhaupt mehr, wo das Burgtheater vegetiert... Exzellenz, für das Repertoire, das ich von Grund auf neu aufbauen will, für eine Renaissance der Klassiker ist das Engagement von Friedrich Mitterwurzer entscheidend. Er ist der größte Schauspieler, den Europa besitzt...‹ – ›Um Himmels willen‹, hat die trostlose Exzellenz geantwortet, ›wie wollen Sie das bewerkstelligen? Dazu wären doch Neubesetzungen notwendig! Bedenken Sie, alteingesessene Rechte auf Rollen, die man durch Jahrzehnte innegehabt hat, können Sie nicht...‹ – ›Ich kann es, Exzellenz. Nur dürfen Sie mir nicht in den Rücken fallen. Weisen Sie jeden Versuch zurück, Ihre Intervention anzurufen, und vor allem erbitte ich mir absolutes Stillschweigen, auch Ihren Beamten gegenüber, falls mir dieses Engagement bewilligt wird. Erst wenn ich die Unterschrift von Exzellenz in der Tasche habe, lasse ich die Bombe platzen.‹ Damit war es vollbracht. Ich werde Ibsen spielen. Ist es nicht unerhört, daß man Wien erst jetzt Ibsen aufzwingen muß?«

»Mitterwurzer wird mit Ihnen durch dick und dünn gehen. Als junges Mädchen war ich mit ihm befreundet und kenne ihn genau. Schon vor Jahren holte er sich Anregungen bei Dostojewski, Tolstoi, Zola. Er ist mehr als ein großer Schauspieler. Er ist ein Denker. Er ist ein Genie. Natürlich ist er schwer zu behandeln, wenn er sich nicht verstanden fühlt, launenhaft, unberechenbar. Aber er scheut niemals harte Probenarbeit. Einmal hat er mir gesagt: ›Wenn ich Regisseur wäre, würde ich kein Stück unter dreimonatiger Probenarbeit herausbringen. Ich würde so lange proben, bis sich die Schauspieler aneinander gewöhnt haben, bis sie den Text so innehaben, daß er die Darstellung nicht mehr stört. Eigentlich müßte man so weit kommen, ohne Souffleur zu spielen. Der Souffleurkasten ist der Sarg jeder echten Leistung.‹

Einmal gab er im Stadttheater einen Musiker in einem französischen Stück. Mitterwurzer ist musikalisch und spielt leidenschaftlich gern Klavier. Das Stück wurde zu rasch herausgebracht, die Schauspielerin, mit der Mitterwurzer eine große Szene hatte, war textunsicher. Mitterwurzer war wütend. Er setzte sich ans Klavier, mit dem Rücken zum Publikum, begann zu spielen, hörte nicht auf. Die Schauspielerin verlor den Kopf und ging ab. Mitterwurzer spielte weiter. Endlich ließ der Regisseur den Vorhang fallen. Das Publikum hielt dieses improvisierte Konzert für einen brillanten Aktschluß und applaudierte wie rasend. Hinter der Bühne aber ging es bunt zu. ›Ich werde jedesmal so lange spielen, bis sich das Fräulein an ihren Text erinnert!‹ rief Mitterwurzer.

An seinen Figaro erinnere ich mich besonders, weil ich ihm die Rolle auf einer Soiree, bei der er sich schrecklich langweilte, abgehört habe... Herrlich hat er gespielt. ›Das Publikum‹, sagte er mir, ›muß den Atem der Revolution spüren. Figaro ist ein Dämon und keine lustige Figur...‹ Seine Sehnsucht war es, den König Lear zu spielen. ›Warum soll ich eine Gestalt von Shakespeare, Schiller oder Goethe so sehen, wie einer meiner Vorgänger sie vor hundert, vor fünfzig, vor fünfundzwanzig Jahren sah?‹ fragte er. ›Ich lebe in einer Welt, die sich unablässig wandelt. Ich werde den König Lear anders spielen, weil ich ›Père Goriot‹ von Balzac gelesen habe. Der alte Goriot ist der König Lear der modernen Zeit... Beide Figuren verschmelzen in meiner Phantasie.‹«

Er trat als König Philipp in Schillers »Don Carlos« auf. Wieder einmal zeigte sich, was Wien für eine intuitive Theaterstadt ist. Der geniale Mitterwurzer ließ den grausamen Tyrannen in beklemmender Düsterkeit erstehen. Doch in der Szene, da er seinem jungen Neffen, dem er wohl will und der in die Schlacht zieht, die Hand zum Kuß reichte, überstrahlte plötzlich ein Lächeln das eisige Antlitz. Dieses Lächeln brach durch dunkles Gewölk wie ein Sonnenstrahl und enthüllte für einen Augenblick den heimlich verborgenen Grund einer schmerzdurchwühlten Seele. Ein unvergeßliches Erlebnis. Es war charakteristisch für die Wiener Theaterpassion, daß es sich wie ein Lauffeuer in allen Schichten der Gesellschaft verbreitete: »Der Mitterwurzer hat aus dem grauslichen Philipp etwas Erschütterndes gemacht.« Mit einem Schlag rückte das Burgtheater wieder in den Mittelpunkt des Interesses.

Wenige Jahre später starb Mitterwurzer. Er hatte die Gewohnheit, mit Chlorkali zu gurgeln, und unachtsam hatte er jahrelang dieses Gift geschluckt. Emil Zuckerkandl und sein Kollege, der pathologische Anatom, konstatierten bei der Sektion diese Todesursache an der dunkelbraunen Färbung der Knochen. Was die Kunst an Mitterwurzer verlor, hat Hugo von Hofmannsthal ergreifend gesagt:

Er losch auf einmal aus, so wie ein Licht.
Wir trugen alle wie von einem Blitz
den Widerschein als Blässe im Gesicht.
Es fielen alle Puppen hin,
in deren Adern er sein Lebensblut
Ergossen hatte. Lautlos starben sie,
Und wo er lag, da lag ein Haufen Leichen,
Wüst hingestreckt; das Knie von einem Säufer
in eines Königs Aug gedrückt, Don Philipp,
mit Caliban als Alb um seinen Hals.
. . .
. . .
Hier stand er. Wann kommt einer, der ihm gleicht?

Die zweite Tat Burckhards: Er war es, der Arthur Schnitzler nicht nur die Pforten des Burgtheaters öffnete, er begründete auch den Weltruhm des jungen, unbekannten Dichters, als er dessen Volksstück »Liebelei« zur Uraufführung brachte.

Der revolutionäre Hofrat ist ja nur eine in Österreich mögliche Erscheinung. Österreichs großer Dichter Franz Grillparzer war die Idealgestalt des revolutionären Bürokraten. Er erfand den Streik des Geistes und inszenierte ihn gegen den Ungeist, als der Hof, die Bürokratie, die Behörden und die sogenannten Stützen der Gesellschaft sein Schöpfertum mit Nadelstichen und mit Kolbenschlägen verfolgten. Von seinem fünfzigsten Jahr bis zu seinem Tod hat Grillparzer kein Wort mehr veröffentlicht. Er hat gestreikt. Vornehm, verachtungsvoll, tödlich.

Seitdem hat man in Österreich noch so manchen revolutionären Hofrat mundtot zu machen versucht. Aber immer wieder, wie im Fall Max Burckhard, stand einer auf und verbreitete Schrecken.

1 Bertha Zuckerkandl als junges Mädchen

2 Bertha Zuckerkandl

WIEN, STADT DER HEILKUNST

1900

Josef II. gründete Ende des achtzehnten Jahrhunderts das Allgemeine Krankenhaus[1]. Der Giebel des Gebäudes trägt die Inschrift:

»Der Menschheit.«

Humanität zeichnet die gesamte Heilkunst Österreichs aus, bis zu ihrer Auflösung. Das Allgemeine Krankenhaus, das im Lauf des neunzehnten Jahrhunderts Hof an Hof, Zellen an Zellen reihend fortwährend wuchs, ist ehrwürdiger Boden, von der medizinischen Fakultät beackert und befruchtet. Dieser Fakultät, dem blühendsten Zweig der seit dem Mittelalter berühmten Wiener Universität, entsproß ein unabsehbares Heilwerk.

Die heroische Zeit der medizinischen Schule begann mit dem neunzehnten Jahrhundert. Rokitanskys[2] überragende Gestalt bleibt legendär. Er baute die pathologische Anatomie zur bedeutungsvollsten Basis medizinischen Wissens aus. Die Diagnosen des großen Internisten Skoda[3] waren intuitivste Erkenntnisse. Eine der berühmtesten: Er betritt den Saal seiner Klinik und bleibt vor dem Bett eines Fieberkranken, dessen Fall bisher durchaus nicht zu erkennen gewesen ist, stehen. Nach einer Weile sagt er: »Ich rieche Scharlach.« Sofort wurde der Kranke in das Infektionsspital transportiert, und nach einigen Tagen brach die Scharlachreaktion aus. Und alle: Hyrtl[4], der geniale Anatom, der diese Wissenschaft in makroskopische Unendlichkeit entwickelt hat, sein Schüler Emil Zuckerkandl, Oppolzer[5], Meynert[6], Hebra[7], Brücke[8] ... sie alle bauten an der Pyramide: Österreichische Heilkunst.

Die nächste Generation beschritt mit besonderer Kühnheit den Weg der Chirurgie, Billroth[9], der die Magenresektion virtuos durchführte, und Albert, der große Lehrer, gewannen Schlacht um Schlacht gegen die feindlichen Tumore, Gangräne, Geschwüre aller Art. Emil Zuckerkandls Arbeiten über die Anatomie des Kehlkopfes, der Nase, des Ohrs und des Kiefers erschlossen neue Gebiete. Ein Heer von Spezialisten formierte sich.

Die Ausbildung der Ärzte erfolgte nach einem tiefdurchdachten System. Ablehnung jeder Dogmatik, Geschmeidigkeit, Einfühlungsgabe und humane Gesinnung charakterisieren den so seltenen Typus des österreichischen Arztes, des seines Metiers sicheren, nie in Routine erstarrenden Mediziners, der von großen Vorbildern geleitet und in der besonderen Atmosphäre des Wiener Allgemeinen Krankenhauses großgezogen worden ist.

Es muß dem Regime Kaiser Franz Josephs zugebilligt werden, daß weder Nationalitäten noch Rassenfragen eine Rolle spielten, wenn es galt, den als würdig Erkannten an die ihm gebührende Stelle zu setzen. Der Vielfalt der Ärzteschaft entsprach übrigens die Vielfalt der Patienten. Von den Alpenländern, von Böhmen, Ungarn, Polen und aus dem Nahen Osten strömten alljährlich hunderttausende Heilungssuchende nach Wien.

Wie es eine rein österreichische Kultur gibt, die von jener der Deutschen sich vollkommen unterscheidet, so gibt es auch eine rein österreichische Heilkunst. Sie hat der Menschheit Großes geschenkt.

Für einen besonderen Typ österreichischer Sanatorien waren so alle Voraussetzungen gegeben. Er war jenem der Spitäler angeglichen und beruhte auf dem System individueller Behandlung.

Anton Loew gründete um 1880 das erste chirurgische Sanatorium. Es wurde von Billroth geleitet zum Zentrum der chirurgischen Entwicklung. Ein Jahrzehnt später begann die Spezialistenepoche, die den Sanatorien neue Klientel brachte. Bald suchten Sultane, Maharadschas, Magnaten, Engländer, Russen, Skandinavier und Spanier berühmte Spezialisten wie Professor Heinrich Neumann auf. Sie blieben monatelang Gäste der Wienerstadt.

Vormittags erscheint die Elite der Professoren in einem der Sanatorien. Durch Hallen und Gänge eilen in weißen Kitteln die operierenden oder behandelnden Berühmtheiten. Hätten sie nicht die weißen Kittel an, wenn sie einander nach getaner Arbeit in der Halle wieder begegnen, würde sie niemand, der sie belauschte, als Schüler Aeskulaps erkennen. Billroth, leidenschaftlicher Anhänger von Brahms, war durch und durch Musiker, überdies Verfasser eines Buches über das Wesen der Musik. Albert[10] war als Wagnerianer ein Gegner von Brahms. Das ergab heftige Diskussionen. Sobald man sich über irgendeine Diagnose verständigt hatte, stürzte man sich sogleich auf Themen dieser Art. Erst recht, wenn in den letzten Tagen im Burgtheater Ibsen oder Schnitzler gespielt wurde; war doch das Theater Wiens brennendste Angelegenheit.

Die Oper war diesen Ärzten ein Heiligtum. Einige von ihnen hatten eine tägliche Loge abonniert. Dort konnte man oft einen Herrn im Smoking, mit abgearbeitetem Antlitz auftauchen und nach einer halben Stunde wieder verschwinden sehen. Das Wiener Ärzteorchester war eine Vereinigung von Rang. Beinahe alle Mediziner spielten ein Instrument, und es gab wenige Familien ohne ihr häusliches Quartett.

Lebt der Mensch wirklich nur ein einmaliges Leben, wenn es ihm das Schicksal erlaubt, Zeuge jener Abenteuer des Geistes zu sein, die das Antlitz einer schöpferischen Epoche prägen? Mein seltsames Dasein verneint diese Frage. Mir ist, als hätte ich verschiedene, voneinander abgetrennte, in sich abgeschlossene Existenzen durchschritten. So vollkommen wandelte sich in gewissen Abschnitten der Rhythmus, das Milieu, die Atmosphäre, das seelische Klima, in dem allein »Erleben« aus Leben wird.

So bin ich mir im Rückblick eines Zeitraums bewußt, der mit meinem früheren und späteren Dasein in keinem Zusammenhang steht.

Bald nach Emil Zuckerkandls Berufung an die Wiener Universität (1888) vereinte seine ausstrahlende Persönlichkeit alle Kräfte der medizinischen Wissenschaft in seinem Institut der Anatomie. Es war ein Augenblick der Blüte, einer Überfülle von reifenden Problemen. Diese dem Tod gewidmete, aus Tod neue Heilkunst erweckende Stätte wurde mir vertraut. Aus den Tagen jener stürmischen Entwicklung ist zwar manches verblaßt, doch verhelfen mir auch hier meine Telefonaufzeichnungen dazu, einige charakteristische Momente festzuhalten.

Das am Fuß eines hohen Gebirges verkrochene steirische Dorf ist Wagner-Jaureggs Versuchsstation. Dort ist der Prozentsatz der Kretins, an denen er seine neuen Heilmethoden erprobt, erschreckend hoch. Der Wagen, der den großen Psychiater, meinen Mann und mich in diese entlegene Gegend führt, hält bei dem Gasthaus, wo Wagner-Jauregg abzusteigen pflegt.

Ein mysteriöser holländischer Maler aus der Breughel-Epoche hat Bilder einer wüsten Phantasie hinterlassen. Orgien von mißgebildeten Geschöpfen, halb Tier, halb Zerrbild menschlicher Kreatur. Nun, diese Visionen des sadistisch veranlagten Künstlers bleiben hinter der Wirklichkeit, die wir zu schauen bekamen, zurück. Von dem jungen Arzt, der nach Wagner-Jaureggs Angaben die Behandlung der Idioten überwacht, geführt, schleichen, schwanken, hinken sie herbei, die jämmerlichen Gestalten.

Der kindhafte, zurückgebliebene Körper trägt einen monströsen Kopf. Eine vom Hals herabhängende Geschwulst schwingt bei jedem Schritt hin und her. Stumpfe, leblose Augen starren blöde vor sich hin. Verkümmerte Zähne blecken aus dem verzerrt-halbgeöffneten Mund. Die Stirn des eiförmigen, von borstigem Haarwuchs überwucherten Schädels ist verkümmert. Der höckerige Rücken, die verbogenen Beine, die langen, fast zum Boden reichenden Arme geben dem sich schleichend und wackelnd vorwärtsbewegenden Gnomen die Widerwärtigkeit giftiger Insekten. Willenlos lassen sich die Kretins untersuchen. Willenlos schlucken sie die Jodsalzmengen. Es sind Fälle im ersten Stadium der Behandlung. Dann aber werden die in

Heilung begriffenen und einige geheilte Patienten vorgeführt. Und es ist wirklich wie das Märchen der von der bösen Fee in Tiere verwandelten Menschen, die von dem gütigen Zauberer gerettet werden. Der Körper hat sich gestreckt, der monströse Kropf ist verschwunden, ein beinahe normaler Hals trägt nun den Kopf, dessen Schädelbildung allerdings keine Veränderung aufweist, trotz der nun aktivierten Durchblutung des Gehirns. Doch blicken uns Augen an, die wieder schauen. Erstaunte Kinderaugen. Treuherzig begrüßen sie ihren Wohltäter. Die Kinder dieser geheilten Idioten werden bereits einer entgifteten Generation angehören. Und so ist die humane Aufgabe, die Wagner-Jauregg sich gestellt hat, für die Zukunft dieser Bauernfamilien entscheidend.

»Nach und nach«, sagte Wagner-Jauregg, »werden die in allen Alpenländern vegetierenden Kretins unter unablässiger Behandlung und Fürsorge verschwinden.«

Auf der Rückfahrt erklärt er mir in seiner einfachen Art die mir rätselhaft erscheinende, von ihm gefundene Methode, einer der vielen Grausamkeiten, welche die Natur an ihren Geschöpfen übt, ein Ende zu setzen.

»Die Drüsen sind für die Entwicklung des Körpers der entscheidende Faktor. Die Schilddrüse – und sie wurde der Ausgangspunkt meiner Untersuchungen – ist die bedeutendste. Es ist mir gelungen, festzustellen, daß eine Insuffizienz der Schilddrüse jede körperlich und zerebrale Entwicklung hindert, und ebenso ist mir klargeworden: Es wird möglich sein, den Kretinismus auszurotten. Wie aber die bei den Kretins vollkommen inaktive Schilddrüse stimulieren? Was tun, um die Funktion dieser Drüse in Gang zu setzen? . . . Damit hat dann die klinische Arbeit begonnen, bis ich endlich die Lösung des Problems fand. Das Jodsalz, in geringen Mengen, aber regelmäßig und oft jahrelang einem verkümmerten Körper zugeführt, peitscht die Drüsen auf, setzt die Hormonsekretion in Bewegung. Sie haben Beispiele der von mir erzeugten Dynamik erschlaffter Organe gesehen. Natürlich sind Erfolge nur bis zu einem gewissen Alter möglich. Deshalb wende ich meine Aufmerksamkeit den jungen, noch entwicklungsfähigen Kretins zu.«

»Es ist ein Wunder, das Sie vollbringen!«

»Die Wissenschaft kennt keine Wunder. Aber dem Forscher, will er in Geheimnisse der Natur eindringen, müssen zwei Eigenschaften zu Gebote stehen: Einmal Intuition, aber ohne das Korrektiv der Logik, die unbarmherzig prüft, wägt, verwirft oder bestätigt, würde das Blitzlicht der Intuition allzu rasch verlöschen . . .«

Gleichzeitig mit Emil Zuckerkandl wurde auch Professor Krafft-Ebing[11] aus Graz an die psychiatrische Klinik nach Wien berufen. Diesen stämmigen, blonden Deutschen, dessen wasserblaue Augen so eindringlich blickten, beherrschte ein heißes Sehnen, in Wien zu wirken. Oft sprach er mit mir von diesem Wunsch, und kaum in Wien angekommen, rief er mich an und erkundigte sich, ob ich das Exemplar seiner »Psychopathia sexualis«, das er meinem Mann gewidmet hatte, schon durchgeblättert habe. »Obwohl es gerade nicht die passendste Lektüre für eine junge Frau ist«, fügte er hinzu. »Aber Ihnen sind wissenschaftliche Probleme nicht fremd, und Sie besitzen auch, was eben zum Verständnis meines Lebenswerks unerläßlich ist, ein mitleidendes Herz.«

»Emil hat mir Ihr Buch gegeben. Er hält es für eine Tat, die eine moralische Revolution zur Folge haben wird.«

»Ich will es hoffen. Vorläufig suche ich nach einer Möglichkeit, viele meiner Patienten auch außerhalb der Klinik behandeln zu können. Meine Behandlung erstreckt sich ja oft über Jahre. Sie, liebe Freundin, vermitteln so oft, wenn es zu helfen gilt. Wissen Sie hier kein Sanatorium ähnlich jenem, das ich in Graz besaß?«

Der Zufall brachte es, daß ich bald Gelegenheit fand, Krafft-Ebings Wunsch zu erfüllen. Ich rief ihn an.

»Wollen Sie morgen eine Landpartie machen? Um Ihr Sanatorium zu besichtigen?«

»Sollten Sie gezaubert haben?«

»Die Anstalt ist veraltet, aber die Lage ist ideal.«

Auf der Fahrt nach dem im Wienerwald gelegenen Sanatorium spricht Krafft-Ebing von der Aufgabe, die er sich gestellt hat.

»Das Material, das ich in meiner ›Psychopatia sexualis‹ veröffentlicht habe, gibt Einblick in eins der traurigsten Gebiete menschlicher Irrungen und Abwege. Was bisher aber in Bausch und Bogen als Laster verfolgt und bestraft wurde, verweise ich vielfach in die Grenzen der Pathologie. Oft sind es rein physische Defekte, die psychische Anomalien auslösen ... Laster betrachte ich als unheilbar, aber physische Anomalien sind heilbar. Diese Erfahrungen habe ich zusammengefaßt, und durch mein Buch will ich ihnen weite Verbreitung geben. Vielleicht werden Verzweifelte daraus Trost schöpfen, sie, die sich für immer in die Hölle der Anormalen verbannt glaubten.

Psychiater und Neurologe müssen zwischen lasterhafter Immoralität und einem rein körperlich krankhaften Zustand unterscheiden lernen. Ich bin mir der Schwierigkeiten bewußt, die sich diesem Kreuzzug entgegenstellen werden. Wenn ich meine Berufung nach Wien so energisch betrieben habe, so nur, weil ich allein in Österreich das seelische Klima finde, in dem mein Werk gedeihen kann. Ich stehe an einem Wendepunkt, denn es gilt ja, theoretische Erkenntnisse in ausgedehntem Maß praktisch zur Anwendung zu bringen. Der Arzt allein vermag hier keinen Wandel zu schaffen. Er muß die Justiz an seiner Seite haben. Ohne diesen aufgeklärten Beistand bliebe mein Wirken ohnmächtig. Auf dem Gebiet der sexuellen Verirrung ist die Zusammenarbeit von Richtern und Gerichtsärzten eine unabweisbare Forderung. Nur eine antropologisch-klinische Untersuchung kann Klarheit schaffen.

Wer die Psycho-Pathologie des sexuellen Lebens erforschen will, bewegt sich im dunkelsten Gebiet menschlichen Elends. Oft möchte man daran verzweifeln, im Menschen das Ebenbild Gottes zu erkennen. Wer aber mit ganzer Seele die Entschuldigung der Kreatur sucht, der findet einen Trost in der Erkenntnis, daß es sich vielfach um krankhafte Dispositionen handelt... Tragödien solcher Art – ich hatte Gelegenheit, mich davon zu überzeugen – werden durch aufgeklärte Gesetzgebung ihre furchtbare Hoffnungslosigkeit verlieren. Ich setze mein ganzes Vertrauen auf die österreichischen Richter, die wie die österreichischen Ärzte von humanem Geist beseelt sind.«

Viele Existenzen hat Krafft-Ebing in den Jahren seines Wirkens gerettet. Es ist ihm gelungen, einen neuen Typ von Gerichtsärzten heranzuziehen und der Psychiatrie Neuland zu erobern. Es ist ihm vergönnt gewesen, die Krönung seines mitleidsvollen Forschens zu erleben. Von Österreich ist die geforderte Angleichung der Gesetzgebung an Erkenntnisse der Psychiatrie ausgegangen und hat in aller Welt bislang gültige Anschauungen gewandelt.

Als Krafft-Ebing, von Krankheit gebrochen, die Bühne seines Wirkens verließ, sprach er die Abschiedsworte:

»Es sollte gerade den Moralisten eine Beruhigung sein, daß es krankhafte Dispositionen sind, die oft zu solchen Verirrungen führen.«

Noch einen Anruf aus jener Epoche, die ich die »medizinische« meines Lebens nenne, finde ich aufgezeichnet.

Dr. Julius Tandler[12], Emil Zuckerkandls junger Assistent der Anatomie, hatte sich telefonisch angekündigt, um mir einen Abschiedsbesuch zu machen. Dieser ausgezeichnete Gelehrte, der später nach dem Weltkrieg als Unterstaatssekretär für Volksgesundheit eine für Österreich, später als Stadtrat besonders für Wien segensreiche Rolle spielen sollte, unternahm eine Forschungsreise nach Bosnien. Dort in den bosnischen Wäldern hauste noch ein Geschlecht von Edelhirschen, deren seltsamste Eigenschaft unerschöpfliche Langlebigkeit und Jugendlichkeit war. Diese Forschungsreise stand im Zusammenhang mit seit Jahren im Anatomischen Institut von Professor Steinach[13] durchgeführten Untersuchungen der Drüsenfunktionen. Diese Arbeiten erregten das höchste Interesse der Gelehrtenwelt, galten sie doch einem Problem, das kühne, ja märchenhafte Folgen in sich schloß. Professor Steinachs Glaube an die Möglichkeit, die Menschen zu verjüngen, war grenzenlos.

Der berühmte französische Forscher Brown-Sequard[14] hat als erster eine Erneuerung der Lebensenergie durch Einpflanzung von Drüsen als Zukunftsversprechen verkündet. Doch die Idee dieses Pioniers blieb verkannt, bis sie um 1890 oder einige Jahre später von Professor Steinach aufgegriffen wurde und der Wissenschaft ein neues Feld eroberte. Der Österreicher Steinach hat der Verjüngungstheorie entscheidende Impulse gegeben. In Emil Zuckerkandls Institut führten in unablässigem Forschen Drüseneinpflanzungen an Tieren zu immer greifbareren Resultaten.

Was später Woronoff spektakulär in Szene gesetzt hat, ist die Folge der Steinachschen Arbeiten. Auch Steinach hat der Realisierung des großen Problems nur den Weg gebahnt. Damals, im Taumel der ersten klinischen Erfolge, schien es, als wäre der Menschheit Sehnsucht nach Verjüngung bereits erfüllt. Doch die Wissenschaft geht ihren bedächtigen Schritt, gleich der Schildkröte gelangt sie rascher ans Ziel wie mancher scharlatanhafte Improvisator. Steinach selbst ist über seine ersten Versuche hinweggeschritten, und die großartige Hormontheorie ist ohne seine Versuche undenkbar. So ist es wieder ein Österreicher, der im Zeichen der Wissenschaft den Menschen ihren sehnsüchtigen Wunschtraum der Erfüllung nahebringt.

Den Traum: Verjüngung.

AUGUSTE RODIN IN WIEN

1902

Es war die dritte Ausstellung in dem von Olbrich erbauten Haus der Secession. Zu Wiens Ehre hatten Mäzene, die der jungen mutigen Schar von Künstlern ihr Interesse zuwandten, die Kosten des einfachen und dennoch monumentalen tempelartigen Gebäudes getragen. Es war nach Olbrichs Plänen, die er seinerzeit im Gärtchen jenes Grinzinger Heurigen gezeigt hatte, ein Haus ohne Zwischenwände, das durch bewegliche Rahmen jedesmal eine andere Gestaltung des Innenraums ermöglichte. So war in der imponierenden Impressionistenausstellung des Vorjahrs dank vieler getrennter Räume jeder Künstler einzeln zur Wirkung gekommen. Ein großer Saal war Rodins[1] Skulpturen vorbehalten gewesen. Hier hatte man die »Bürger von Calais« genau so aufgestellt, wie dies Rodin selbst in Calais vergeblich durchzusetzen versucht hatte, nämlich ohne Sockel. Direkt vom Boden aufschnellend sollten sie dahinschreiten, die sich opfernden Bürger.

Rodin war damals verhindert, nach Wien zu kommen. Als er später in Prag der Eröffnung der Künstlervereinigung »Manes« beiwohnte, schrieb er mir:

»Liebe Freundin, ich bin in Prag und so frei, nach Wien zu kommen, um Ihre missionsbewußten Architekten kennenzulernen. Auf bald. Rodin.«

Der berühmte deutsche Radierer Klinger[2] hatte ein Beethoven-Denkmal vollendet. Die Secession beschloß, ihn besonders zu ehren. Thema der Ausstellung waren aber eigentlich Architekturprobleme.

Das Innere der Secession war diesmal in einen domartigen Raum verwandelt, dessen Mitte Klingers »Beethoven« beherrschte. Mannigfache neue Dekoreinfälle schmückten die Mauern. Für Klimt hatte Hoffmann einen schmalen Seitentrakt abgesondert. Dort auf hohem Gerüst arbeitete der junge Künstler an einem Fresko; das Motiv, das er gewählt hatte, war der Hymnus »Freude, schöner Götterfunke« aus Beethovens »Neunter«.
Klimt weicht von dem traditionellen Stil der Freskomalerei, wie ihn Renaissance und Barock überliefern, ab. Sein Fresko bedeckt die Wand nicht vollständig. Er bezieht auch die Mauer in seine Komposition ein. Es

ist seltsam, es ist magisch, wie Gestalten aus dem Grau des Gesteins auftauchen und darin wieder verschwinden.
Ich begab mich frohlockend in die Beethoven-Ausstellung. »Rodin kommt!« Die Nachricht verbreitete sich wie ein Lauffeuer.

Ein Grandseigneur! Exquisite Manieren, die ihn in schlichter Art mit den Menschen verbinden und ihn doch wie durch einen Schleier von den Menschen trennen. Mir bringt Rodin viel Sympathie entgegen. Sooft ich in Paris bin, gehe ich in sein Atelier. Dort ruhen auf Sockeln, von nassen Tüchern verhüllt, seine Geschöpfe. Meist geht er zwischen ihnen auf und ab, und man hört ihn abgerissene Worte murmeln.

»Die Schönheit ist ewig – man muß niederknien, um sie zu betrachten ...«

Hie und da streichelt er zärtlich eine Hülle. Seine Augen blitzen auf wie Lichter. Mit behutsamen Griffen, als wolle er sich entschuldigen, beginnt er, die Tücher zu entfernen. Nun taucht die Erscheinung auf, steht einsam, lebendig, atmend unter den Larven, die noch des Meisters Gebot harren.

»Was empfinden Sie dabei?« fragte mich Rodin dann oft.

Es ist wie eine Prüfung. Nur wenigen wird diese Ehre zuteil. Errate ich manchmal den symbolischen Sinn der Gestalt, dann leuchtet ein Lächeln in Rodins immer schwermütigem Antlitz auf.

»Genau das – Sie haben es richtig formuliert.«

Erst im Nachhinein spielen Symbol und Literatur bei ihm eine Rolle. Rodins Empfinden kristallisiert Form, Geste, Seele – Körper, Glieder, Rhythmus, Ausdruck als Geheimnis des unübersehbaren Räderwerks des kompliziertesten aller Mechanismen: des Menschen.

Bewegt sind diese Wiener Rodin-Tage ... Sein erster Gang gilt wie in jeder großen Stadt den Sammlungen von Gipsabdrücken der Antike. Ich führe ihn in die Akademie der Schönen Künste. Er lehrt mich die Griechen verstehen. Vor dem Torso eines Epheben steht er wie vor einem Heiligtum. Gern hätte er, wie in seinem Atelier, diese Formen gestreichelt. In Gegenwart des Saaldieners streichelt er sie nur mit seinen Blicken.

»Diese Wollust!« murmelt er. »Die Leute glauben, Wollust gäbe es nur in der Liebe. Aber da ist sie ja – in diesen Kunstwerken, wie in der Blume, dem Baum, dem Himmel ...«

Von der Antike zur gotischen Kathedrale, jener zuckenden Flamme, die zum Himmel sprüht, dem Stephansdom zu Wien.

»Der Finger Gottes! Dieser Turm ist der Finger Gottes ... In dieser Überwindung des Raums ist ebensoviel Gnade wie Unerbittlichkeit – mit einer befehlenden Geste reckt er sich zum Himmel auf.«

Für drei Uhr hat sich Rodin in der Secession angesagt. Auf dem Weg erklärte ich ihm, welches Thema die junge Künstlergruppe diesmal gewählt hat. Die Idee einer programmatischen Ausstellung entzückte ihn:

»Das ist ein Schritt nach vorn — damit erweckt man eine neue Art Kunstverständnis.«

Von Klimt geführt, beginnt er den Rundgang. »Beethoven« ist der Mittelpunkt der Kunstschau.

Klinger, der junge Radierer, ist unerreicht in dieser Kunst, Gedanken ins Visuelle zu übertragen. Doch bleibt er leider auch als Maler und Bildhauer stets nur Radierer...

Rodin schaut und schweigt. Ich kenne ihn zu gut, um an Künstlerrivalität zu denken. Er ist ja stets mit Enthusiasmus bereit, Talente anzuerkennen. Hier geht er eben nicht mit. Als wir allein bleiben, sagt er:

»Das widerspricht dem eigentlichen Sinn der Skulptur. Es ist eine wunderbare Arbeit, man müßte eine Million Kopien davon machen. Aber mit Bildhauerei hat es nichts zu tun. Man muß den menschlichen Körper Schicht für Schicht rekonstruieren, um ihn zu schaffen.«

Ganz anders äußerte er sein Interesse an den plastischen Versuchen mit architektonischen Dekors aus neugewonnenen Materialien.

»Das da ist wichtig — ich habe selbst einmal Skulpturen zu dekorativen Zwecken gemacht. Die Karyatiden in der Börse von Brüssel und viele Statuetten für Sèvres beweisen das. Somit kann niemand besser als ich die enormen Fortschritte erkennen, die man bei Ihnen in der Entwicklung neuer Verfahren gemacht hat.«

Und als er dann im Klimt-Saal vor dessen Beethoven-Fresko steht, schweigt er wieder — doch es ist das Schweigen der Ergriffenheit. Er nimmt Klimts Hände in die seinen: »Was sind Sie für ein Künstler! Sie verstehen Ihr Handwerk.«

Ehe er geht, nehmen wir im Sekretariat eine Erfrischung, und Rodin sagt zu den um ihn versammelten Künstlern:

»Ich habe den Stephansdom bewundert: Wie alle Kathedralen ist er ein anonymes Kunstwerk. Was mich so tief berührt, ist die gewollte Anonymität Ihrer schönen Ausstellung. Sie sind wahre Künstler und vergessen den Augenblick, um für die Zukunft zu arbeiten. Denn Sie wissen, daß die kühnen Impulse, die Sie der modernen architektonischen Ausstattung gegeben haben, sich nur langsam durchsetzen werden. Das Publikum braucht Zeit, um dem vom schöpferischen Genie vorgezeichneten Weg folgen zu können. Sieger bleibt schließlich doch das Genie.

Ich kenne keine Stadt außer Wien, keine Gruppe von Künstlern, die sich mit so prophetischem Weitblick eines so schwerwiegenden Problems annimmt, ja sich ihm aufopfert, dies auf die Gefahr hin, unverstanden zu bleiben.

Meine Herren! Ihre künstlerische Tätigkeit wird nicht nur Ihrem Land von Nutzen sein, sie wird Europa bereichern. Sie wird ihren Widerhall auch in Amerika finden, diesem wunderbaren Land mit seinen reichen Mitteln, das jeder künstlerischen Entwicklung, die einen neuen Keim in sich trägt, so aufgeschlossen gegenübersteht.«

Gustav Mahler dirigiert an diesem Abend in der Oper »Die Hochzeit des Figaro«. Ein Glücksfall, denn für Rodin ist Musik etwas Göttliches. Dieser Mahlersche »Figaro«, die blendende Farbe des Orchesters, die Magie der Rhythmen und Tempi, wie sie Mozart in der Euphorie des Schaffens gewiß vernommen hatte und nach ihm erst wieder Mahler – dieses Juwel leuchtet in hundertfach facettiertem Schliff. Solche Vollkommenheit erschüttert Rodin.

»Was für ein Traum! Was für eine Märchenstadt! Zum erstenmal höre ich wirklich Mozart! ... Dieser Orchesterzauberer offenbart mir Mozart ... Nein! Das ist der wiederauferstandene Mozart – ich sehe Mozart im erhabenen Kopf Mahlers!«

Einige Jahre später wollte es der gütige Zufall, daß Rodin den Auftrag erhielt, Mahlers Büste zu modellieren.

»Das ist Ihr großer Freund, das ist Gustav Mahler. Ich habe sein Gesicht so reproduziert, wie es mir erschien, als er in Wien den ›Figaro‹ dirigierte.«

Nach der Oper versammelten sich bei uns Rodin, Bahr, Klimt, Hoffmann und Moser zum Souper. Rodin, von dem der Maler Rafaelli gesagt hat: »Rodin kann alles. Vor allem schweigen!« perhorresziert jede größere Gesellschaft. Doch hier, im Kreis von Künstlern, löst sich sein Wesen. Man bittet ihn um sein Urteil über eine Frage, die von den Secessionisten verschieden beurteilt wird.

»Es ist nämlich«, sagt Hoffmann, »folgendes vorgefallen: Am Tag vor der Eröffnung unserer Ausstellung war wie immer alles noch in voller Arbeit. Klimt stand auf dem Gerüst. Obwohl wir prinzipiell nie einen Firnistag eingeführt haben, ist es doch nicht zu vermeiden, daß einige privilegierte Kritiker und einige enge Freunde einen ersten Blick in die Ausstellung werfen dürfen. Wieso Graf L., der sich, weil er von seinem Vater griechische Antiken geerbt hat, in Wien als Kunstorakel aufspielt, plötzlich dagestanden ist, hochnäsig, impertinent – wissen wir nicht. Er schielt durch das Gerüst auf das Fresko. Klimt legt eben letzte Hand an. Da kreischt Graf L.: ›Scheußlich!‹ Worauf er sich umdreht und das Lokal verläßt.«

Klimt lachte vergnügt.

»Lach nicht. Es ist nun die Frage, und deshalb wenden wir uns an Sie um Ihren Rat, Meister: Haben wir das Recht, dem Grafen L. auf Grund seines skandalösen Benehmens und weil er, ohne eingeladen zu sein, in die noch nicht eröffnete Ausstellung eingedrungen ist, fernerhin das Betreten der Secession zu untersagen?«

»Ich bin der Meinung«, unterbrach ihn Klimt, »daß wir uns um solche Wutausbrüche von Kunstanalphabeten nicht zu kümmern haben.«

Rodin hatte die Augen geschlossen. Man hätte meinen können, er sei eingeschlafen, aber es war nur ein Augenblick kontemplativen Erinnerns.

»Ich nehme an, Sie kennen die groteske Tragödie meines Balzac-Denkmals. Erlauben Sie, daß ich Ihnen die letzte Station dieses Kreuzwegs schildere.

Es war im Jahr 1898. Wie jedes Jahr fand die offizielle Eröffnung der Kunstausstellung statt. Die riesige Halle, die für die Weltausstellung 1889 errichtet worden war, stand diesmal den Künstlern zur Verfügung.

Ich stellte meinen »Balzac« und ein früheres Werk, den »Kuß«, aus, um meine Entwicklung zu zeigen.

Mein »Balzac« erhob sich fünf Meter über alle anderen Werke. Möglich, daß dies eine phantastische Wirkung hervorrief. Die Ausstellung war während des Vormittags für das große Publikum geschlossen. Der Präsident der Republik, von Vertretern des öffentlichen Lebens begleitet, eröffnete die Ausstellung. Als Vertreter der Bildhauer stellte ich meine Kollegen vor. Dann begann der Präsident seinen Rundgang. Vor meiner Gruppe »Der Kuß« angelangt, geruhte er, einige herablassende Worte zu näseln. Als er aber den »Balzac« erblickte, warf mir Felix Faure einen unverschämten Blick zu und drehte mir den Rücken. Er entfernte sich Hals über Kopf, als hätte ich die Pest. Für Tout-Paris, das dieser Szene beiwohnte, war das Urteil gefällt: Man wollte nichts mehr von mir wissen.

Am Nachmittag kam es noch schlimmer. Das Publikum strömte herein. Ich hatte mir geschworen, mich nicht vom Fleck zu rühren und vor meinem Werk, dem ich so viele Jahre meines Lebens geopfert hatte, auszuharren. Grimassen, Beleidigungen, Pfiffe. Ohne mich zu bewegen, blieb ich auf meinem Posten stehen, als ob es sich nicht um mich handelte.

Aber mein Herz zog sich jedesmal zusammen, wenn ein Kollege – einer von den Alten der Akademie – laut auflachte, daß es ja alle hörten, und sagte:

›Das ist eine Farce! Eine Karikatur‹ . . . ›Nein‹, antwortete ein anderer, ›ich glaube vielmehr, daß er verrückt geworden ist!‹ ... ›Aber nein, das ist eine unverschämte Herausforderung!‹

Ich rührte mich nicht. Ich blieb vor meinem Balzac stehen, als müßte ich ihn vor all diesen Beschimpfungen schützen.

Als diese Tortur endlich vorbei war, kam ein tapferer junger Mann, ein Journalist, auf mich zu – man beachtet die Hilfe dieser Leute im richtigen Augenblick immer viel zu wenig – ein Journalist also, und fragte mich: ›Nun, Herr Rodin, was sagen Sie zu dieser Schlacht?‹ – ›Ich glaube‹, antwortete ich, ›daß ich die Schlacht gewonnen habe.‹ Dieser Tag war für mich ein schöner Tag.«

Rodin schwieg.

»Die Lehre, die Sie uns gegeben haben«, sagte Klimt, »deckt sich vollkommen mit meinem Empfinden. Man soll den Grafen L. ruhig weiterschimpfen lassen, denn wenn auch hunderttausend Besucher der Ausstellung Ihren Balzac bespuckt hätten ... Sie alle und auch ihre Kindeskinder werden längst dahinsein ... Ihr Meisterwerk aber, dieser Balzac, von dem einer Ihrer großen Schriftsteller gesagt hat: ›Das ist keine Gestalt, das ist ein Element‹, wird lebendig sein wie an dem Tag, an dem Sie ihn geschaffen haben.«

DIE KLIMT-AFFÄRE

Mme. Paul Clemenceau, Paris *Wien, 1905*

Liebste! Nun ist unser herrlicher Freund Eugène Carrière[1] nicht mehr. Wie hasse ich die kurzsichtige, unintelligente, ja boshafte Art, mit der die Natur ihre Auswahl unter den Sterblichen trifft, sie hinwegzuraffen, und immer wieder Menschen, die einer Elite zuzuzählen sind. So mußte ein edler Künstler und Denker wie es Carrière war, von Krebs zernagt werden, mußte dieser in Schönheit schwelgende Mensch den häßlichsten Tod erleiden.

Meine Korrespondenz mit Carrière hat also ihr Ende gefunden. Er fordert, liest nicht mehr meine Berichte über die Fortentwicklung einer Bewegung, die er »La participation de l'Autriche à l'avènement mondial d'un réveil de la conscience artistique et spirituelle« nannte. Und eben jetzt haben wir in Wien ein großartiges Beispiel jenes »Réveil de la conscience artistique« erlebt. Ich will Dir davon berichten, Dir brühwarm Klimts Rebellentat schildern. Du kennst ihn und schätzt ihn.

Vor ungefähr zwei Jahren entschied der Unterrichtsminister, es müsse doch auch einmal einem der verfemten Secessionisten ein Staatsauftrag zugewiesen werden. So wurden bei Klimt für den Festsaal der Wiener Universität drei Deckengemälde bestellt. Das Thema: die vier Fakultäten, Medizin, Jurisprudenz, Theologie und Philosophie. Gustav Klimts Sehnsucht war es, wie seine Beethoven-Fresken bewiesen, schon längst, vom Tafelbild zu einem monumentaleren Stil zu gelangen. Ein namhafter Vorschuß wurde vereinbart, da diese Deckengemälde jede andere Arbeit ausschlossen. Klimt verpflichtete sich, zuerst Kartons vorzulegen, die eine Kommission zu prüfen und für geeignet zu erklären hatte. Dies geschah, die Kartons wurden akzeptiert.

Es entstand zuerst die Medizin, dann die Philosophie, schließlich die Jurisprudenz. Klimt wich nun von jeder althergebrachten Symbolik ab. Er hat es gewagt, vermittels seiner Zeichensprache eigene Allegorien zu gestalten. Er hat das Gedankliche überhaupt in den Hindergrund gedrückt, denn das Malerische kommt bei ihm an erster Stelle. Von der Farbe kommen bei ihm Form, Gestalt, Komposition; erst durch diese dynamische Kraft erwacht das Gedankliche.

Ehe diese Gemälde, zunächst »Medizin« und »Philosophie«, an ihren Bestimmungsort gebracht wurden, stellte man sie in der Secession aus. Der Großteil des Wiener Publikums benahm sich, als hätte es gegolten, über einen Verbrecher herzufallen, ebenso ein Teil der Presse. Wütend schimpfte man über die freche Herausforderung aller geheiligten Traditionen ... Man bespuckte das als echt, wahr und eigen empfundene Werk.

Doch war dies nur der Anfang des Kesseltreibens, denn die Führer der Jugend, die Professoren der Universität, für die ja die Deckengemälde bestimmt waren, vereinigten sich, um die »Schändung« der Alma Mater durch Klimts Werk zu verhindern. Es kam zu einer Senatssitzung der Universität. Dem Senat gehörten der Rektor, vier Dekane und vier Prodekane an. Emil Zuckerkandl ist in diesem Jahr Dekan der medizinischen Fakultät.

Der Rektor verliest eine Eingabe. Es soll ein Protest beschlossen werden, in dem die Annahme der Deckengemälde als Schmähung der Kunst bezeichnet wird.

Emil Zuckerkandl erhebt sich und kündigt an, daß er Stimmen von Kollegen für einen Gegenprotest sammeln wird, da er es für einen Eingriff in das freie Recht eines Künstlers hält, eine Art Femegericht walten zu lassen.

Gereizte Debatte.

»Herr Klimt wagt es«, sagt einer der Dekane, »was ein Raffael für ewig gestaltet hat, anzutasten. Er verachtet die Symbole, die in der Darstellung der Medizin, der Philosophie seit Jahrhunderten gültig sind.«

»Für ewig? Selbst einem Raffael kann das nicht gelingen. Was meinen Sie damit, Herr Kollege?« fragt Zuckerkandl.

» ... daß Raffael die Philosophie durch die würdige Gestalt eines Gelehrten darstellt, der mit edler Gebärde ein Buch aufschlägt. Das ist ein endgültiges Symbol. Ebenso wird die Medizin nur durch bestimmte Attribute bezeichnet. Phiolen und den Aeskulapstab kann jeder Gebildete deuten.«

Nun fragt Zuckerkandl ironisch, ob die Medizin, die Philosophie, die Jurisprudenz seit der Renaissance keinen Fortschritt gemacht hätten.

»... Ja? ... Warum darf dann allein der Künstler nicht evolvieren? Gerade er, dessen subtile Antennen jede geistige Wellenbewegung gierig auffangen, ist doch dazu ausersehen, ein höheres Abbild der sich wandelnden Welt zu schauen.«

»Dem kann ich nicht beistimmen«, wendet der Rektor ein. »Unvorstellbares muß durch bestimmte Konventionen gekennzeichnet werden, und die verachtet Herr Klimt eben. So läßt er die Philosophie als eine Art Gorgonenhaupt in einem flimmernden, flüssigen Äther schwimmen ... Abscheulich!«

»Magnifizenz«, erwidert Zuckerkandl, »gerade unsere Vorstellung des Weltraums hat sich radikal gewandelt. Was Sie, Magnifizenz, abscheulich nennen, nenne ich die Divinationsgabe eines großen Künstlers. Aber es fehlt uns ja vorläufig das ausschlaggebende Urteil, nämlich das unseres hervorragendsten Kunsthistorikers, Professor Wickhoff[2]. Er ist zur Zeit in Rom, ich beantrage, daß er telegraphisch von Protest und Gegenprotest in Kenntnis gesetzt wird. Er soll seine Stimme abgeben.«

Wenige Stunden später langte Wickhoffs Antwort an.

»Ich schließe mich selbstverständlich dem Gegenprotest an. Ich kenne und bewundere Klimts Deckengemälde. Einen Protest der Universitätsprofessoren halte ich für unzulässig.«

Der Protest wurde dessen ungeachtet von der Majorität der Professoren unterzeichnet; der Gegenprotest brachte ihn aber um alle Wirkung.

Dieser Sieg war errungen, doch sollte sofort ein zweiter Angriff erfolgen.

Man mobilisierte das Parlament. Ich glaube, es ereignete sich in der Kunstgeschichte zum erstenmal, daß in einer Parlamentsdebatte über Wert oder Unwert eines Kunstwerks entschieden werden sollte.

In meiner Redaktion erfuhr ich, daß für den nächsten Tag wegen der Klimtschen Gemälde eine Interpellation an den Unterrichtsminister vorbereitet werde. Ein dicht besetztes Haus, denn die Klimt-Affäre war in allen Salons und Cafés das Tagesgespräch. In der Journalistenloge erzählte mir ein Kollege, der Unterrichtsminister sei in peinlicher Verlegenheit. Er gehört nämlich der Deutsch-Nationalen Partei an, und die Interpellanten sind Christlichsoziale. Da eben Verhandlungen über irgendeine Kompromißabstimmung zwischen Deutschnationalen und Christlichsozialen stattfinden und nicht gestört werden sollen, hat der Unterrichtsminister von seiner Partei die Weisung erhalten, die Interpellation entgegenkommend zu behandeln, das heißt: nicht für Klimt einzutreten. Eine peinliche Situation. Der Unterrichtsminister hat doch selbst Klimt den Auftrag gegeben.

Der Interpellant, ein besonders brutaler Kleinbürger, bekannt für seine protzige Verachtung aller Bildungswerte, bringt seine Anfrage ein. Er übt Kritik. Besonders hebt er die Unanständigkeit des Gemäldes »Die Medizin« hervor. Den Zug der Heilungssuchenden bilden nackte Gestalten, und eine Gebärende, eine schöne blonde Frau, deren blühender Leib als sinnlich herausfordernd bezeichnet wurde, schwebt dem Zug voraus. Nun fragt der Abgeordnete, ob der Herr Unterrichtsminister dulden könne, daß die Kunst in solcher Weise zu obszönen Darstellungen mißbraucht und damit die Moral der studierenden Jugend gefährdet werde. Er fordert den Minister auf, Maßregeln zu ergreifen. Nun muß der Minister antworten, erhebt sich,

3 Emil Zuckerkandl 4 Arthur Schnitzler

5 Sigmund Freud 6 Julius Wagner-Jauregg

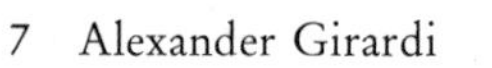

7 Alexander Girardi 8 Johann Strauß

9 Helene Odilon 10 Kathi Schratt

spricht stockend, verlegen, sucht nach Ausflüchten und findet kein Wort zur Verteidigung Klimts. Er verspricht, an den Gemälden radikale Änderungen vornehmen zu lassen. Es ist der jämmerlichste Kotau der Schacherpolitik des österreichischen Parlaments, den man sich vorstellen kann.

Obwohl ich mit dem Minister befreundet bin, nehme ich mir vor, ihn in meinem Kunstreferat scharf anzugreifen. Deshalb suche ich Klimt gleich am nächsten Morgen in seinem Atelier in der Josefstädterstraße auf.

Es liegt verborgen im Gartenhof eines Altwiener Zinshauses. Ich klopfe, doch rührt sich nichts. Da fällt mir ein, daß Klimt, um nicht gestört zu werden, mit einigen Vertrauten ein bestimmtes Klopfzeichen verabredet hat. Jetzt öffnet sich die Tür. Klimt lugt vorsichtig heraus in seinem dunkelblauen Talar, die graue Katze auf der Schulter.

»Sie sind's, Frau Bertha! Eben habe ich mich gefragt, wie Sie zu erreichen wären. Bahr ist gerade fortgegangen. Er schwört, daß der Unterrichtsminister zur Demission gezwungen werden wird.«

»Schmählich ist dieses Benehmen.«

»Ich bin sonst nie dafür, die Öffentlichkeit mit meinen Kunstaffären zu füttern. Aber diesmal geht es nicht um mich. Es geht um die Freiheit der Kunst, um ihre Würde. Es muß ein Exempel statuiert werden. Und wenn es mich auch viel Zeit und Geld kostet, ich will dafür einstehen, daß dieses schamlose Treiben der Mucker verurteilt wird. Bitte, lesen Sie die Abschrift des Briefs, den ich noch gestern an den Unterrichtsminister geschrieben habe. Sie können ihn veröffentlichen.«

Der Schlußsatz des Briefs lautete:

»Ich, Gustav Klimt, erlege mit heutigem Tag den erhaltenen Vorschuß von sechzigtausend Kronen in der Creditbank zu Ihren Händen, Herr Unterrichtsminister. Für einen Auftraggeber, der nicht an mein Werk glaubt, für einen Auftraggeber, der mich beschimpfen läßt, weigere ich mich, ferner zu arbeiten. Der Auftraggeber ist der Österreichische Staat, Sie, Herr Unterrichtsminister, sind dessen Vertreter. Sie hatten die Pflicht gehabt, den schmählichen und lächerlichen Angriff zurückzuweisen.

Demnach behalte ich die fertiggestellten Gemälde, an denen ich keinen Strich ändern werde, als meinen rechtmäßigen Besitz und verweigere die Ablieferung. Gustav Klimt.«

Klimt ist bereit, mir ein Interview zu geben, das ich in meinem am Abend erscheinenden Blatt[3] zusammen mit dem Brief veröffentlichen werde.

Wie rasend rennt er auf und ab und improvisiert eine flammende Anklage, einen leidenschaftlichen Appell. Da klopft es: »Ein Brief vom Herrn Unterrichtsminister.«

»Schon die Antwort?« fragt Klimt. Während er den Brief überfliegt, zittert seine Hand. Dem sonst so gelassenen Mann schießt eine Blutwelle ins Gesicht. Er reicht mir den Brief.

»Sehr geehrter Herr Klimt!

Die Rückzahlung Ihres Vorschusses wird vom Unterrichtsministerium abgelehnt, Sie werden verhalten, die drei bestellten Gemälde, die bereits staatlicher Besitz sind, heute noch abzuliefern, widrigenfalls diese mit Brachialgewalt aus Ihrem Atelier geholt werden.«

»Es ist mir lieber so, jetzt habe ich jede Rücksicht von mir zu werfen. Jetzt wird mein Atelier zur Festung, und ich werde sie zu verteidigen wissen ... Ah – Brachialgewalt wollen die Satrapen anwenden? Die sollen nur kommen.«

Und Klimt schließt eine Lade auf, entnimmt ihr einen Revolver, prüft die Ladung.

»Es ist besser, Sie gehen jetzt. Ich muß allein sein, damit ich mich ungehindert wehren kann.«

Wie es dann weiterging? Ich veröffentlichte im Sechs-Uhr-Blatt beide Briefe und das Interview. Es war ein journalistischer Bombenerfolg. Man riß sich die Zeitung aus der Hand. Am nächsten Tag fuhr ein Möbelwagen bei Klimt vor. Klimt stand hinter der verschlossenen Tür und rief: »Ich schieße jeden nieder, der es versucht, hier einzudringen! Melden Sie das dem Herrn Minister!«

Nach stundenlangem Warten fuhr der Wagen ab. Er kam nicht wieder. Klimt erhielt die Mitteilung, der zurückgezahlte Vorschuß sei behoben worden, und der Staat verzichte auf die Gemälde.

Klimt hat sein ganzes Vermögen geopfert, zumal er zwei Jahre lang alle Privataufträge zurückgestellt hatte, und ist nun bettelarm. Aber er schüttelt sorglos sein schönes Apostelhaupt, nimmt die Palette zur Hand und tritt vor seine Staffelei, denn er ist einer jener Künstler, der zum Helden wird, wenn es gilt, sein Reich zu schützen.

Herzlichst Deine Bertha.

GESPRÄCH MIT ALMA

Wien 1905

Acht Jahre sind vergangen, seitdem Alma Schindler Gustav Mahler bei uns kennengelernt hat. Nun ist sie die geistige Genossin des Genies, dem sie ihr Leben gewidmet hat, und energischer Reorganisator eines zerrütteten Junggesellenhaushalts. Als Mutter ist sie die hingebende Hüterin der ihr von der Natur anvertrauten Kostbarkeiten. Aber ungleich anderen Frauen, die in der Erfüllung ihrer Aufgaben ihr eigenes Selbst verlieren, ihr Persönlichstes auslöschen, ist Alma so reich an Individualität, daß sie das Virtuosenstück zustande gebracht hat, sich vollkommen unabhängig fortzuentwickeln. Sie läßt sich nicht einmal wie alle Mahler Nahestehenden von seiner Dämonie beherrschen. Oft hat sie einen anderen Weg eingeschlagen als Mahler. Er ließ sich zuweilen täuschen oder, da er großzügig jeden künstlerischen Willen respektierte, zu Entscheidungen zwingen (vor allem von seinem Mitarbeiter Roller), für die er selbst die Verantwortung übernehmen mußte, obwohl er im Innersten nicht ganz damit einverstanden war.

In solchen Fällen konnte Alma unerbittlich in Opposition treten. Klug durchschaute sie viele Mahler-Affären, die in Wien ein Jahrzehnt hindurch an der Tagesordnung waren, als zu persönlichen Zwecken von seinen Mitarbeitern angezettelte Intrigen. Es war ein oft nervenzermürbender Kampf. Wenn nun Alma, was selten vorkam, einmal müde wurde und genug von dem Ringen mit der Kulissenwelt hatte, rief sie mich an. Sie kam dann, oder ich ging zu ihr.

Ich bin nicht nur um eine Generation älter als Alma. Wir sind auch grundverschieden geartet. Die Gegensätze unserer Naturen hätten eigentlich trennend wirken müssen, aber sie wurden zum unlöslichen Band einer Freundschaft, die auf Freiheit beruht. Auf Freiheit von Vorurteilen, von gesellschaftlichen Vorschriften und heuchlerischem Scheinleben.

»Ich vertrag' es nicht«, sagte sie mir einmal am Telefon, »daß Gustav so oft in Affären verwickelt ist, die von den Zeitungen sofort aufgebauscht werden.«

»Das kann dich doch nicht wundern. Er wird den Bequemen immer unbequem sein.«

»Darum geht es ja nicht. Aber vieles, was das Publikum in Opposition treibt, geht auf unnötige, eigensinnige Forderungen zurück. Und nicht Mahler ist der Urheber. Es sind die Talmi-Idealisten, die sich mit Mahlers Toga drapieren. Es ist ja leicht, auf seine Kosten unerbittlich jede geringfügige Konzession an die öffentliche Meinung zurückzuweisen. Ich bin gewiß auch keine Kompromißnatur, aber man sollte nur dort stark bleiben, wo man wirklich ganz recht hat.«

»Meinst du die Kampagne gegen Rollers Verdunkelungssystem der Bühne?«

»Ja. Das Publikum lehnt mit Recht ab, daß die Gestaltung der Szene durch Licht und Dunkel, die Mahler als wichtiges Stimmungsmoment erkannt hat, kraß übertrieben wird. Roller fehlt es trotz seiner großen Qualitäten immer an künstlerischem Takt, und er kann sich nicht genug tun an einer Realistik, die auch ich ablehne. Ich bin wütend, wenn Mahler in dieser Beziehung Roller gegen seinen Willen nachgibt. Auf der Bühne muß doch alles Illusion bleiben, übersetzte Wirklichkeit. Wenn aber das Publikum die Sänger tatsächlich nicht sieht, ihre Gesten nicht ausnehmen kann und sich schrecklich anstrengen muß, dem Ablauf der Handlung überhaupt zu folgen, so schadet das gerade jener Intensität, die Mahler als höchstes dramatisches Ziel erkannt hat. Aber da er selbst unnachgiebig seine Überzeugung verteidigt, zollt er Rollers Charakter eben höchste Achtung und setzt sich lieber Angriffen aus, als daß er einem Künstler, dem die Regeneration der Bühne zu verdanken ist, die Hände binden würde.«

»An Abenden wie dem gestrigen vergißt jeder diese flüchtigen Reibungen. ›Rheingold‹ war wie ein wundervolles Märchen. Wie hat Mahler wieder das Verborgenste beleuchtet, und wie hat man ihm zugejubelt! Das hat mir nach dem empörenden Skandal bei der Uraufführung seiner Fünften Symphonie so wohlgetan! Nur in Wien findet man bei den »Gerechten« so viel Verständnis, so viel Bereitschaft zum künstlerischen Erlebnis. Sonst wäre Wien nicht der heilige Boden Haydns, Mozarts, Beethovens, Schuberts, Bruckners, Johann Strauß' und jetzt Mahlers.«

»Aber die arroganten Hüter einer falschen Tradition, die Neidischen und Unfruchtbaren, speien als Kritiker Gift, sammeln als Salonsnobs eifrig Material, um es in die höchsten Kreise zu tragen.«

»Unlängst, bei der Erstaufführung der Fünften Symphonie, saß einer dieser Schädlinge hinter mir in der Loge, Bela Haas[1], der verwöhnte Witzbold der Wiener Gesellschaft. Ich sehe, wie er seine blütenweißen Manschetten herauszieht und darauf zu kritzeln beginnt ... In einer Pause sagt er boshaft lächelnd: ›Dieses fünfte Verbrechen des Herrn Mahler zu ahnden, habe ich meine Manschetten geopfert. Morgen werden ein paar vernichtende Witze die Eruption eines Schwindlers zur Strecke gebracht haben!‹ Da ist es ja nur natürlich, wenn Mahler verbittert ist.«

»Er? Verbittert? Da irrst du. Er ist viel zu zerstreut, zu weltabgewandt, um sich solche Dinge nahegehen zu lassen. Nur irgendwo in seinem Unterbewußtsein schwelt doch etwas Schmerzliches, und daher bricht meist an unrechter Stelle seine Wut los. Selbst ein Teil der Philharmoniker, die ihm einen solchen Aufschwung verdanken, intrigieren gegen Gustav. Angeblich malträtiert er sie mit endlosen Proben, ist ein Sklavenhalter, ein Tyrann. Die Geschichte unlängst, wie der Tenor das hohe C geschmissen hat und sich aus Angst vor Mahler ins Klosett einsperrt – Mahler wutentbrannt an der Tür rüttelt und brüllt: ›Feig' sind Sie auch?‹ –, diese Geschichte wurde von einigen Herren des Orchesters brühwarm im Kaffeehaus kolportiert. Es ist für mich wirklich nicht leicht. Ich muß ja im Wirbel dieses Treibens auf festem Boden stehen. Ich soll praktisch, vernünftig, ausgleichend wirken. Ich muß Gustav schützen und dafür oft die kleinen Launen eines großen Genies ertragen.«

»Oft denke ich an einen Ausspruch – ich glaube von Talleyrand: ›Es gibt keinen großen Herrn für seinen Kammerdiener.‹ Und bitte, sag aufrichtig: Gibt es für uns Geniefrauen ein Genie?«

MAHLERS ABSCHIED
Wien 1907

»Mahler verläßt die Oper ... Er hat um seine Entlassung nachgesucht.«

»Alma! Das ist doch nicht möglich. Nie, nie wird man ihn fortlassen!«

»Du kennst doch den dümmsten Ausspruch, den Philistergehirne erfunden haben: Niemand ist unersetzlich ... Glaub' mir, das Oberhofmeisteramt ist im Begriff, diesen Spruch in die Tat umzusetzen, und Mahlers Rücktritt wird sogar mit Erleichterung zur Kenntnis genommen.«

»Daß er den Bürokraten unbequem ist, lasse ich gelten. Trotzdem wird sich der Oberhofmeister nicht der Einsicht verschließen können, daß die zehn Jahre der Ära Mahler der Oper weit über Österreichs Grenzen hinaus eine nie gekannte Bedeutung gewonnen haben.«

»Du siehst das durch die Brille der Mahler-Gemeinde, aber ich bin mir der unüberbrückbaren Mißverständnisse, die zwischen Mahler und dem normalen Opernbetrieb bestehen müssen, genau bewußt ... Der sekkante Mahler! sagen Behörden, Sänger und besonders das Orchester, so blökt die Herde jener Opernbesucher, die immer seufzen: Zu meiner Zeit ...«

»Der sekkante Mahler — ist ein gläubiger Träumer!«

»Er hat es immerhin zustande gebracht, seinen Traum zehn Jahre lang zu leben, was ein Wunder ist ... Aber jetzt will er gehen. Er hat es satt. Die ewigen Quälereien, Hindernisse, Intrigen. Und ich juble, weil wir diese vielbeneidete Position aufgeben. Mir war nichts so zuwider, als Frau Direktor zu spielen. Ich sehe die Erneuerung der Oper auch nicht als Mahlers Mission an. Seine Aufgabe erkennt man jetzt immer lebendiger in seinen Symphonien und Gesängen.«

»Jetzt wird er also frei werden.«

»Nein, noch nicht. Schon versucht man, ihn für Amerika zu gewinnen.«

»Ihr wollt fort?«

»Ja, Bertha. An die Metropolitan Opera. Man hat auch ein Symphonie-Orchester für ihn ins Leben gerufen — wie könnte er da widerstehen? Leicht fällt es uns nicht. Weißt du, was er gestern gesagt hat? Wenn ich so viele Menschen mitnehmen könnte, wie ich Finger habe, ich hätte kein Heimweh. Unter diesen zehn Menschen müßten die Zuckerkandls sein.«

Ein Altwiener Garten. Große Nußbäume beschatten einen Kiesweg, den Rosenstöcke umsäumen. Es ist Emil Zuckerkandls Garten, und Gustav Mahler geht mit ihm auf und ab. Mahler wirft hie und da einen Blick auf die Nußbäume, denn er weiß, daß Beethoven unter ihnen geweilt und gearbeitet hat.

»Wie liebe ich Ihren Garten«, sagt Mahler. »Dieses leichte Wiegen der Nußbäume, diese heilige Erinnerung an Beethoven. Er hat erreicht, was mir nie zuteil werden wird: Vollkommenheit... In der Wiedergabe eines Kunstwerks ist Vollkommenheit ja nur in einem kurzen Aufleuchten erreichbar, denn Vollkommenheit bedeutet Erfüllung – und beides ist ein Atemholen der Ewigkeit. So oft ich eine Oper einstudiere und dirigiere, möchte ich Vollkommenheit erreichen. Doch erlange ich diesen Segen nur als einen Blitz, der die Seele durchfährt, aufflammt und schon wieder verlischt.«

Mme. Paul Clemenceau, Paris *Wien 1907*

Liebste, Dir, der ich es verdanke, Mahler vor Jahren kennengelernt zu haben, will ich fortlaufend über alle Vorgänge berichten, die Mahlers Weggang von Wien eine symbolische Bedeutung geben, denn er hat sein ganzes Wesen noch einmal in Glucks »Iphigenie« offenbart. Es war, als hätte auch sonst alles mitgewirkt, um Mahlers Sehnsucht nach Vollkommenheit zu erfüllen. Die Besetzung war großartig. Das Orchester gab sich willig einer zähen Probenarbeit hin. Die szenische Lösung des Bühnenbildes war glücklich: Hinter einem hauchdünnen Schleier enthüllte sich eine ins Traumhafte gerückte griechische Welt. Durch diese Verschleierung bewegten sich die Gestalten umso bildhafter – sicher stellen wir uns trotz aller Kunstschätze, die Griechenland hinterließ, die Antike nicht so vor, wie sie in Wahrheit gewesen ist. Mahler ist es gelungen, seiner Vision der griechischen Iphigenie eine wunderbare Einheit zu geben. Die gezügelte Leidenschaft von Glucks Musik steigerte sich unter Mahlers Stab zu tragischen Akzenten. Wie sehr hat er sich vor seinem Scheiden in dieses Werk versenkt! Er lebte in einer Art Trance. Am Tag der Erstaufführung sah Emil ihn auf der Ringstraße vor einer Litfaßsäule stehen und mit entzücktem Lächeln auf das Programm der »Iphigenie« starren. Emil fragte ihn: »Was lesen Sie da so andachtsvoll?« Und Mahler erwiderte ganz naiv, ja kindlich: »Ich kann mich an dem Programm der ›Iphigenie‹ nicht satt sehen. Bei jeder Plakatsäule bleibe ich stehen, ich kann gar nicht glauben, daß es nun Wirklichkeit wird, daß mir heute abend diese Sänger, dieses Orchester folgen werden. Es ist für mich so ein großes Glück...«

Emil kam ganz erregt nach Hause. Er sagte, es sei etwas Heiliges um Mahler gewesen.

Als Mahler abends ans Pult trat, empfing ihn eine orkanartige Ovation. Es ist, als sei man sich des ungeheuren Verlusts jetzt bewußt, weil es zu spät ist. Doch wandte sich Mahler nicht um. Was galt ihm in diesem Augenblick persönliches Erleben? Er fühlte nur Iphigenies Schicksal und den Zorn der Götter. Dann, nach drei oder vier Vorstellungen richtete Mahler einen kurzen Abschiedsbrief an Orchester und Sänger. Er verschwand aus dem Gesichtskreis der undankbaren Stadt. Und wir sind arm geworden.

Ich schreibe Dir wieder, und zwar über die tragikomischen Ereignisse nach Mahlers Abreise. Er, Alma und das Töchterchen sind schon in New York. Wen, glaubst Du, haben die Philharmoniker nach Mahler zu ihrem Dirigenten gewählt? Einen recht gewöhnlichen Ballettdirigenten[1], einen sogenannten feschen Wiener, dessen emporgezwirbelter Schnurrbart, dessen burschikose Gemütlichkeit den lebhaftesten Kontrast zu Mahlers Dämonie bilden. Offenbar war es den Herren Philharmonikern darum zu tun, ein Oberhaupt zu wählen, von dem sie sicher sind, daß er in nichts dreinreden wird. Nun, das Abonnement auf ihre Konzerte ist bereits katastrophal gefallen. Irgendwie reagiert dieses verflixte Wien doch noch, wenn es um seine Musik geht. Und Mahlers Nachfolger als Direktor der Oper? Er hat schon lange darauf gelauert... Gewiß ein ausgezeichneter Dirigent. Was er aber sonst vermag, als Leiter, als Organisator, wie er seine Mission auffaßt und worin er seine besondere Aufgabe sieht? Darin – Mahlers Werk von Grund auf zu vernichten.

Was ich Dir schreibe, ist keine Übertreibung. Denn die erste Tat der neuen Herren ist ein Unikum in der Geschichte der Oper: Die Zerstörung einer einmaligen Schöpfung wie der des Mahlerschen ›Fidelio‹... Um den Hetzern zu schmeicheln, wurde der verstaubte, geistig verrottete, musikalisch verratene ›Fidelio‹ aus der traurigsten Verfallszeit der Oper wiederhergestellt. Wird Mahlers Tat je auferstehen?

Es ist Mahlers tragisches Schicksal, daß seine Tat der Regenerierung der Oper nicht unantastbar geblieben ist. Doch denke ich an Worte, die er mir einmal gesagt hat:

»Kein Samenkorn, und fiele es auf nackten Felsen, geht in der Welt verloren.«

Nach Monaten sind Mahler und Alma wieder zurück. In New York ist der Erfolg groß und nachhaltig. Mahler hat sich für weitere drei Jahre gebunden. Es hat ihm wohlgetan, endlich Verständnis zu finden. Er arbeitet jetzt an seiner Achten Symphonie. Die Uraufführung findet in München statt. Und Wien? – Kein Versuch, den Meister wiederzugewinnen. Kein Auftrieb, kein Verlangen, keine Sehnsucht, keine Dankbarkeit ...

Liebste! Im Oktober, vor seiner Abreise nach New York, hat Mahler mich besucht, das erstemal, seit Emil nicht mehr ist. Er vermied es, mir ein Wort des Trostes zu sagen, er weiß, daß es keinen gibt. Im Gegenteil, er suchte mich zu zerstreuen. Lebhaft schilderte er seine Eindrücke von Amerika, von der Jugendlichkeit dieses Volks, die mitzuerleben ihm als Glück erscheint, von der unbezähmbaren Begeisterung, Neues aufzunehmen, zu bewundern, an sich zu reißen. Er ist entschlossen, weiterhin in Amerika zu wirken.

Wir kommen natürlich auf Wien zu sprechen, auf dieses rätselhafte Gebilde, das so anziehend und auch so verstimmend wirkt.

»Gibt es nicht«, frage ich Mahler, »eine Psychologie der Städte? Gerade das Wiener Wesen enthält so schwer Entwirrbares: die Stadt, die Genies hervorbringt und ihre Genies erschlägt.«

»Ja«, antwortet Mahler. »Sie haben recht. Was müssen im Werden Wiens für innere Kämpfe getobt haben!«

Liebste! Ich habe Dir vor Monaten von dem Besuch erzählt, den Mahler mir vor seiner abermaligen Abreise machte. Es sollte unsere letzte Begegnung sein. Du hast Mahler vor wenigen Wochen in Paris gesehen, den todkranken Mann, den die tapfere Alma noch aus Amerika nach Hause gebracht hat[2].

Vor wenigen Tagen ist er in Wien gestorben. Er hat viel gelitten und vielleicht nichts mehr von einem Schauspiel gewußt, das ihm, dem philosophisch klaren Geist, der in seinem Werk Gott gesucht hat, nur ein resigniertes Kopfschütteln entlockt hätte. Denn von dem Augenblick an, da die Presse meldete, Mahler sei schwer krank auf der Heimfahrt begriffen, erfaßte vehemente Trauer diese Stadt, diese Menschen, die den gesunden, den tätigen, den für sie opfervoll Schaffenden verjagt hatten.

In sensationeller Aufmachung brachte die Presse täglich Bulletins vom Krankenbett. Sentimentale Anekdoten wurden gerührt kolportiert. In Salons und Cafés schwirrte es nur so von Erinnerungen an die herrliche Opernepoche unter Mahler. Dieser geniale »Don Juan«, dieser herrliche »Fidelio« – dieser geistessprühende »Figaro« ... Nie mehr wird man dergleichen erleben ...

Auf Mahlers Grab ging ein Blumenregen nieder. Den mächtigsten Kranz, der so schwer war, daß ihn zwei Männer tragen mußten, und auf dessen breitwallender Schleife etwas von überschwenglicher Liebe zu dem unvergeßlichen Meister stand, dem sie in tiefster Dankbarkeit mit ganzer Seele gedient hätten – den legten die Philharmoniker Mahler als letzten Gruß auf sein Grab.

Ich wollte dem Begräbnis nicht beiwohnen. Ich hasse seit jeher dieses Abschiednehmen inmitten einer Horde gleichgültiger Zuschauer. Zu Hause konnte ich viel ungestörter trauern. Der gute, liebe Girardi hatte sich, feinfühlig wie immer, bei mir eingefunden. Mein Stubenmädchen trat ein und brachte mir das Abendblatt. Girardi las mir den sensationell aufgemachten Artikel vor, der ausführlich von den rührenden Zeichen der allgemeinen Trauer berichtete, die Wien einem seiner größten Söhne darbrachte. Zum Schluß wurde der von den Philharmonikern am Grab niedergelegte Kranz besonders erwähnt, auch die erschütterte Widmung seiner Getreuen.

»Hör auf«, bat ich Girardi. »Es ekelt mich an. Aber mehr noch als die Charakterlosigkeit ist es die stupide Dummheit. Wäre es eine Komödie, die man sich und anderen vorspielt – eine jesuitische Verdrehung, die dem Zweck dient, sich zu entschuldigen. Aber nein – sie glauben wirklich an ihre Trauer. Sie sind überzeugte Leidtragende!«

Da sagt Girardi mit seinem sardonischen Lächeln, das so weise und so närrisch ist:

»Ja, im Aufbahren waren die Wiener immer groß!«

EUROPAS AKADEMIEN DER WISSENSCHAFTEN IN WIEN

Wien 1908

Einer der edelsten Plätze Alt-Wiens ist an seiner Stirnseite vom Gebäude der Akademie der Wissenschaften begrenzt. Fischer von Erlach, der großartige Meister des Barock, hat es erbaut. Seine bezaubernd bewegte Formphantasie verleiht der Fassade den Schwung der Apotheose.

In breitausladendem Schwung führt die monumentale Treppe hinauf zum Festsaal der Akademie. Es ist ein amphitheatralischer Rundbau. Dort versammeln sich jeden Donnerstag die Akademiker zu einer Plenarsitzung. Ich pflegte Emil Zuckerkandl abzuholen, und jedesmal, wenn ich in dem vornehmen Treppenhaus wartete, gab mir die Harmonie der Proportionen ein besonderes Glücksgefühl. Mein Mann kam meist in Begleitung des berühmten Philosophen Ernst Mach[1] und des nicht minder berühmten Geologen Eduard Suess[2]. Wir plauderten dann immer ein wenig.

Ich kannte Suess seit meiner Kindheit, denn Suess hätte sein Werk, das Wien im Hinblick auf die Hygiene einen besonderen Rang unter den Großstädten sicherte und in Europa beispielgebend wirkte, die Wiener Hochquellwasserleitung, nicht vollenden können, wäre nicht mein Vater in seiner Zeitung energisch dafür eingetreten.

Eduard Suess hatte die außerordentlichen Möglichkeiten erkannt, die das Gebirge südlich Wiens bietet. Die Schichtung des Gesteins ergab eine natürliche Filtrierung der Tausende Quellen, Bäche und Wasserfälle, die im Höllental zusammenfließen. Er hatte jahrelang an der Entwicklung des Plans gearbeitet, diesen Reichtum einer verschwenderischen Natur zum Segen der Wiener in das Herz ihrer Stadt zu leiten. Aber auch dagegen regte sich Widerstand. Mein Vater griff ein. Er wußte das Projekt so populär zu machen, daß die öffentliche Meinung Partei für Suess nahm. So wurde Wien eine der epidemiesichersten Städte der Welt.

»Hier Eduard Suess. Sie kennen ja die Gepflogenheit, alljährlich sämtliche Akademien der Wissenschaften Europas zu einer Tagung zu vereinigen. Diesmal wurde Wien zum Tagungsort gewählt. So werden sich Abordnungen aus aller Herren Ländern bei uns einfinden, und da Ihr Gemahl dieses Jahr Dekan ist, denken wir, der erste Empfang sollte bei Ihnen stattfinden.«

Es war ein Anblick, wie ihn nur noch die letzte Phase des Weltfriedens bieten konnte. Aus allen Zentren der Wissenschaft waren Gelehrte gekommen: Franzosen, unter ihnen der Mathematiker Poincaré[3], Spanier, Deutsche, Skandinavier, Italiener, Engländer. Die Sitzordnung hatte ich dem Generalsekretär der Akademie überlassen. Er flüsterte mir zu: »Darf ich Sie bitten, Herrn Poincaré rechts an Ihre Seite zu setzen? Er ist übrigens seiner Zerstreutheit wegen berühmt. Er vergißt oft Essen und Trinken, ja er weiß zuweilen kaum, wo er sich befindet.«

Professor Mach sitzt links, Poincaré rechts von mir. Mittelgroß, ein Gesicht ohne besonderen Charakter. Er sieht aus, als hätte er vergessen, ein Gesicht zu haben. Nur die Augen scheinen in einem Nebel zu schwimmen. Augen, die ins Unendliche blicken.

Man geht zu Tisch. Ich begrüße die Gäste und schließe mit dem Satz: »In meiner Sprache sage ich Ihnen nur zwei Worte, die die ganze Welt versteht: Das eine ist ›Willkommen‹, das andere ›Auf Wiedersehen‹!« Mein Glas ist mit Wasser gefüllt. »Man begrüßt seine Freunde mit dem Besten, was man hat. Unsere österreichischen Weine können sich mit den Ihren nicht messen. Wir besitzen aber etwas Köstliches: das Wiener Wasser! Gestatten Sie, daß ich mein mit unserem edelsten Getränk gefülltes Glas auf Ihr Wohl leere.«

Es ist ein Erfolg. Die Stimmung wird fröhlich. Man akklamiert Suess. Herr Poincaré aber sitzt geistesabwesend da, als ginge ihn das alles nichts an. Ich sehe ein, daß man ihn wie ein kleines Kind behandeln muß. Also schneide ich ihm das Fleisch und drücke ihm die Gabel in die Hand. Er läßt alles ganz passiv geschehen. Dann führt er sein Glas zum Mund, vergißt dann aber zu trinken und bleibt, das Glas in der Hand, ganz in sich versunken sitzen.

Später, als ich die Tafel aufheben will, erwacht Henri Poincaré plötzlich wie aus Trance. Leise, aber bestimmt spricht er, zu mir gewendet:

»Ich habe Ihre Worte verstanden, auch was Sie meinten. ›Willkommen‹ ist ein fröhliches Wort, es klingt so menschlich. Aber ›Auf Wiedersehen‹ ist ein trauriges Wort, und es wird oft Lügen gestraft. Wir sind aus allen Teilen der Welt in dieses gastfreundliche Haus gekommen, vereint im Zeichen des Geistes, der Wissenschaft. Ihrem Wort ›Auf Wiedersehen‹ zufolge sollten wir diese brüderliche Zusammenarbeit für immer fortsetzen, aber ich fürchte – ich habe Angst, daß ...«

So plötzlich, wie er zu sprechen begonnen hatte, verstummte Poincaré.

Man war seine Zerstreutheit so gewöhnt, daß man annahm, er hätte einfach den Schluß vergessen, und niemand verstand damals diesen Kassandraruf, der den vereinten Akademien der Wissenschaften galt. Wir waren ja erst im Jahr der Annexion Bosniens[4], 1908 – doch 1914, als ein gewaltiger Riß das Band zerfetzte, das die internationale Gelehrtenwelt geeinigt hatte, erinnerte ich mich an die prophetischen Worte des so zerstreuten großen Mathematikers. Für die reale Welt war er blind, doch die Welt der schicksalbedrohenden Vernichtung vermochte er zu errechnen.

Professor Mach verabschiedete sich. Es kam selten vor, daß der Gelehrte, dessen philosophische Erkenntnisse neben jenen Bergsons die Geistesrichtung des Zeitbildes prägte, in Gesellschaft ging. Er dankte uns für dieses, wie er sagt, griechische Symposion und sprach den Wunsch aus, uns bald wiederzusehen ... »Wollen Sie«, fragte ich Mach, »übermorgen nach der Akademiesitzung bei uns nachtmahlen? Ich werde Emil und Sie abholen. Sie treffen nur einen Freund von uns, Hermann Bahr.«

»Bahr?« sagte Mach interessiert. »Das freut mich sehr. Ein Philosoph, ein Dichter, ein Journalist, ein Freidenker und ein Mystiker – da haben wir uns viel zu sagen.«

Es war sehr gemütlich. »Erinnern Sie sich, Bahr« – ich wollte gleich das richtige Wort anschlagen – »an unser erstes Gespräch im Jahre 1892 nach Ihrer Rückkehr aus Paris? Wie Sie wütend ins Telefon riefen: ›Wien schnarcht ...‹ Und jetzt nach einem Jahrzehnt – welche Fülle! Die großartige Entfaltung der Dichtung, das Aufblühen der bildenden und dekorativen Künste, Mahlers hinreißende Art zu musizieren!« Ich schloß mit einem Hinweis auf die Mach'sche Lehre.

Mach unterbrach mich.

»Es bleibt einer späteren Epoche überlassen, uns alle einzureihen. Dann erst werden die Zusammenhänge zu erkennen sein. Vielleicht erweist sich das Gerüst, das ich zu errichten versuchte, als untragbar.«

Bahr (mit seinem ironisch-listigen Lächeln): Darf ich mir erlauben, Ihnen Mach zu erklären? Den Denker, der die Formel gefunden hat vom unrettbaren »Ich«, das als unabänderliches, fest verankertes Zentrum nicht existiert.

Mach: Wenn ich sage: »das Ich ist unrettbar«, so meine ich damit, daß es nur in der Einfühlung des Menschen in alle Dinge, in alle Erscheinungen besteht, daß dieses Ich sich auflöst in allem, was fühlbar, hörbar, sichtbar, tastbar ist. Alles ist flüchtig; eine substanzlose Welt, die nur aus Farben, Konturen, Tönen besteht. Ihre Realität ist ewige Bewegung, chamäleonartig schillernd. In diesem Spiel der Phänomene kristallisiert, was wir unser »Ich« nennen. Vom Augenblick der Geburt bis zum Tod wechselt es ohne Ruhe.

Bahr: Hofmannsthals Bekenntnis lautet: Unser Ich ersteht von außer nach innen. Er hat es so gesagt: »Draußen sind wir zu finden, von draußen weht es uns an.« Er sagt auch: »Dichter sein ist Seismograph sein.« Und: »Das Weltall denkt an den Dichter und liebt ihn.«

Mach: Für einen Philosophen gibt es keine herzlichere Bestätigung seines Glaubensbekenntnisses als diese Gleichzeitigkeit und das Bewußtsein daß, was bei mir Erkenntnis ist, dem Dichter die Macht der Gestaltung verleiht.

Bahr: Die dramatische und die lyrische Gestaltungskraft der Jung-Wiener Dichter sind der gleichen gesegneten Stunde entsprungen. Hofmannsthal spricht vom »Geheimnis der Kontemporanität«. »Dieses Geheimnis« sagt er, »hört nie auf, mich zu beschäftigen, im Leben wie in der Arbeit denn es ist der eigentliche Schlüssel zum Dasein.«

Emil Zuckerkandl: Ich bin Anatom, ich seziere den menschlichen Körper Glaubt ihr, daß der Tote nichts mehr von seiner Seele aussagt? Ich erhalte Einsicht in Tausende verschiedenartiger Schicksale, wenn ich die Runen entziffere, die in stille Gesichter gekerbt sind. Deshalb kann ich diese Deuter verstehen. Ich zerstückle Leichen, um dem Körper Geheimnisse zu entreißen, die zu Heilmitteln werden können. Der Dichter zerstückelt Seelen, um der Heilung des Geistes willen.

Bahr: Hofmannsthal war sich des Inkommensurablen im Poetendasein wohl bewußt. Ich kenne ein von ihm skizziertes Gespräch, das er zwischen Balzac und einem Freund imaginiert. Darin sucht er das Wesen des Dichters durch ein mächtiges Gleichnis zu erleuchten. Balzac spricht und sagt ungefähr:

»Haben Sie eine größere Reise auf einem Dampfschiff mitgemacht? Entsinnen Sie sich da einer sonderbaren, beinahe mitleiderregenden Gestalt, die gegen Abend aus einer Luke des Maschinenraums auftauchte und sich für eine Viertelstunde oben aufhielt, um Luft zu schöpfen? Der Mann war halbnackt, er hatte ein geschwärztes Gesicht und rote, entzündete Augen. Man hat Ihnen gesagt, er sei der Heizer der Maschine. Sooft er heraufkam, taumelte er, trank gierig einen Krug Wasser, setzte sich auf einen Haufen Werg und spielte mit dem Schiffshund. Er warf ein paar scheue, beinahe schwachsinnige Blicke auf die schönen und fröhlichen Passagiere der ersten Kajüte, die auf Deck waren, um sich an den Sternen des südlichen Himmels zu entzücken. Er atmete, dieser Mensch, mit Gier, so wie er getrunken hatte, die Luft, die durchfeuchtet war von einer im Tau vergehenden Nachtwolke, und den Duft von unberührten Palmeninseln, der über das Meer heranschwebte, und er verschwand wieder im Bauch des Schiffes, ohne die Sterne und den Duft der geheimnisvollen Inseln auch nur bemerkt zu haben. Das sind die Aufenthalte des Künstlers unter den Menschen, wenn er mit blöden Augen aus dem feurigen Bauch seiner Arbeit hervortaumelt. Aber dieses Geschöpf ist nicht ärmer als die droben auf Deck. Der Künstler ist nicht ärmer als irgendeiner unter den Lebenden. Nicht ärmer als Timur, der Eroberer, nicht ärmer als Lucullus, der Prasser, nicht ärmer als Casanova, der Verführer, nicht ärmer als Mirabeau, der Mann des Schicksals. Aber sein Schicksal ist nirgends als in seiner Arbeit.[5]«

(Ich hatte am Abend zuvor Hofmannsthals »Elektra« gelesen und fühlte mich wie zerschlagen von der nervenaufpeitschenden Spannung dieses Stücks, von dem rasenden Rhythmus der Leidenschaften, von der Wildheit, mit der hier die letzten Seelenschleier zerfetzt werden, und ich sprach nun davon.)

Bahr: Wir gelangen endlich dorthin, wo es uns längst hintreibt. Zu Schnitzlers »Ich«. Er könnte im Gegensatz zu Hofmannsthal sagen: »Drinnen sind wir zu finden, von drinnen weht es uns an.« Denn sein »Ich« ist nach innen konzentriert. Ganz dem Dunkel zugekehrt, den Abgründen, die hinter dem Bewußtsein sich auftun, dort, wo kein Gewissen, keine Verantwortung wohnt und herrscht. Er ist ein Seelentieftaucher, ein Traumverwirrer und -entwirrer ... Kennen Sie seinen »Paracelsus«? Dieses kurze Schauspiel in Versen stammt, wenn ich nicht irre, aus dem Jahr 1895. Da ist eine Stelle, auch die kann ich auswendig hersagen, die ein neues Kapitel der Psychologie aufschlägt:

»Es war ein Spiel. Wie sollt es anders sein?
Es fließen ineinander Traum und Wachen,
Wahrheit und Lüge. Sicherheit ist nirgends.
Wir wissen nichts vom andern, nichts von uns.
Wir spielen immer. Wer es weiß, ist klug.«

In diesem und anderen seiner Werke des endenden 19. Jahrhunderts, wie im »Grünen Kakadu«, dem seltsam tragischen Spiel der Seelenenttäuschung, in manchen seiner meisterhaften Novellen, offenbart sich etwas Außerordentliches: Daß es die Dichter sind, die mit ihrem Sehersinn, mit ihren Träumen, mit ihren Gestalten die Realität bauen. So hat Schnitzler offenbart, vorausgebildet, was erst jetzt eine neue erschütternde Erkenntnis der Wissenschaft geworden ist. Die von Wien ausstrahlend die Welt in Erregung und Bestürzung versetzt: die Psychoanalyse!

Mach: Ich dachte im Gegenteil, daß Freud[6] der Literatur einen unübersehbaren Raum eröffnet hat.

Bahr: Gewiß. Und diese vehemente Beeinflussung der Weltliteratur durch

Freud steht erst an ihrem Beginn. Man soll nicht vergessen, daß Schnitzler der Vorläufer von Freud ist. Aber, und das ist einzigartig, er vermag es auch, die Kehrseite dieser Unter- und Traumwelt zu erkennen. Denn er ist sinnenfreudig, von hellstem Humor, voll innigster Naturliebe. Kurz, die Polarität seines Wesens erweckt in ihm den starken Dramatiker.

Mach (nachdenklich): Stimmt dieser Relativismus des Empfindens nicht ebenfalls mit einem Credo überein? Taubenschlag der Gefühle, der Eindrücke, des Erlebens. So scheint mir, betrachtet auch Schnitzler menschliche Beziehungen.

Emil Zuckerkandl: Ich kannte Arthur Schnitzler schon, als er ein ganz junger Arzt war. Jedes laute Hervortreten, jede Polemik ist ihm ein Greuel, und doch gibt es kaum einen Künstler, der so verfolgt wird, von dessen Affären soviel die Rede ist. Es scheint, als ob er von Anfang an das Klein- und Großbürgertum besonders gereizt hätte.

Bahr (lachend): Ich fordere diese Abderiten-Welt doch gewiß auf frechste Weise heraus, aber mich läßt man eher in Ruhe. Schnitzler ist das rote Tuch. Seine Verbannung von der Bühne des Burgtheaters, weil er einer Erzherzogin nicht genehm ist, sein Konflikt mit der Militärbehörde, die ihm die Oberstabsarzt-Charge aberkennt, weil er eine meisterhafte Novelle geschrieben hat, in der ein Offizier tragische Gewissensqualen durchlebt[7] ... Sie werden sehen – das alles geht ad infinitum fort. Ich halte das für den Anfang eines österreichischen Dichterschicksals.

Emil Zuckerkandl: Schnitzler teilt die Tragik, die uns alle mehr oder weniger betrifft. Er liebt seine Heimat fanatisch und weiß doch, daß sie Gefahr läuft, an ihrer Lässigkeit, Unklarheit und Schwäche zugrunde zu gehen.

Mach (nach einer Pause): Allmählich begreife ich diese neuen Menschen, die vom Gestern noch nicht ganz losgelöst eine Art Übergangsspezies sind. Und wie erkläre ich mir die Jung-Wiener Literaturbewegung[8]? Ich bringe sie in Zusammenhang mit Österreichs Hinauswurf aus Deutschland. 1866 war, wie sich jetzt erweist, eine Geburtsstunde vollkommen eigener, von tragischen Wendungen bestimmter österreichischer Erscheinungen, geistiger und künstlerischer. Aus einer historisch gekitteten Gesamtheit verwiesen, flüchten sie in ein Land, das jedem Zugriff unerreichbar bleibt, in die Heimat einer von Realität unberührten Poesie und Kunst.

Bahr: Ja – dem Traum »Österreich« wollen wir Gestalt, Geist, Form, Farbe, Musik geben. Und weil Österreich aus einem unwiederholbaren Völkerkonglomerat besteht, so ist es reicher als irgendein anderes Staatengebilde an einer verwirrenden Vielart von Seelen. Deshalb ist es kein Zufall, sondern Bestimmung, daß österreichische Dichter als erste in die dunklen Gänge hineinleuchten, die Leidenschaft und Atavismus gegraben haben. Daß dann ein wissenschaftlicher Geist dieselben Wege beschreitet und dabei einen neuen Weltteil entdeckt – das Gebiet des Unterbewußtseins –, das ist die Offenbarung schicksalhafter Bestimmung. Jedenfalls ist es Schnitzlers Werk, das Wesen und Sein unserer Zeit, ihre moralischen Probleme mit der gleichen unerbittlichen Schärfe und Einsicht festhält wie das Ibsens. Nur sind es österreichische Menschen, die leben, leiden, lachen, lieben, träumen und sterben.

Emil Zuckerkandl: Der Traum spielt in Schnitzlers Novellen und dramatischen Arbeiten eine große Rolle. Auch hier begegnet er sich mit Freud. Die Träume, die Schnitzler seine Geschöpfe träumen läßt, sind für ihre Seelenart, für ihr Erleben so charakteristisch, daß mir ein großer Psychoanalytiker, der berühmte Traumdeuter Wilhelm Stekel[9], unlängst gesagt hat: »Die wissenschaftliche Forschung kann diese Schnitzlerschen Seelenanalysen als reale Objekte zu ihren Zwecken benutzen.«

Bahr: Schnitzler kennt die Menschen wie nur wenige. Seine Ironie, seine Skepsis, seine Melancholie führen ihn keineswegs zur Misanthropie, nur zu einem höheren Verständnis. Einer seiner Aussprüche läßt die stille Hoffnungslosigkeit erkennen, mit der Schnitzler die Menschen und auch sich selbst betrachtet. Er sagt mit der ihm eigenen milden Trostlosigkeit: »Wenn wir lange genug existierten, behielte wahrscheinlich jede Lüge recht, die über uns umläuft. Horch auf die Verleumder, so wirst du die Wahrheit erfahren. Das Gerücht weiß selten, was wir tun, aber es weiß, wohin wir treiben.«

Acht Jahre später, 1916

»Hier Schnitzler. Sind Sie nachmittags für mich zu Hause?«

»Selbstverständlich. Ich höre Ihrer Stimme an, daß Ihnen irgend etwas Erfreuliches passiert ist.«

»Nichts, was die Menschen gewöhnlich freut. Weder eine unerwartete Erbschaft noch eine Ordensverleihung. Nur ein Brief. Ich bringe ihn mit.«

Arthur Schnitzler war – unsere erste unfreundliche Begegnung ausgenommen – erst 1911 in mein Leben getreten, in einem Augenblick furchtbarer Prüfung, die mich tiefer Einsamkeit preisgab. Nur die Aufforderungen der Arbeit konnten mir damals helfen. Ich war Redakteurin einer Tageszeitung. Dies brachte angespannte Tätigkeit mit sich. Doch während des Winters 1910 überließ ich vor allem das Theaterreferat einem Kollegen. So konnte ich über eins der interessantesten Schauspiele Schnitzlers nicht berichten: »Der junge Medardus« ist eine Historie aus dem napoleonisch besetzten Wien, psychologisch, volksliedhaft süß, heimatlich und doch von weltgeschichtlichem Sinn. Es war ein großer Erfolg des Burgtheaters.

1911 rief mich meine Schwester nach Paris. Ehe ich hinfuhr, schrieb ich an Schnitzler, ob er mich nicht beauftragen würde, den »Jungen Medardus« für die französische Bühne zu bearbeiten. Damit begann eine innige Freundschaft. In guten wie in bösen Tagen fand er stets den Weg zu mir.

»Ich weiß nicht, was mich dazu getrieben hat«, sagte er, »an einen Unbekannten zu schreiben, an einen Mann, den ich niemals gesehen habe, obwohl ich im Cottage wohne und er in der Berggasse, so daß uns also nur eine einzige lange Straße trennt[10]. Vor einigen Tagen aber las ich, daß Sigmund Freud seinen 60. Geburtstag feiert. Und da war es mir plötzlich, als müßte ich einen Freund, der mich mein ganzes Leben begleitet hat, gleich beglückwünschen. Deshalb, ganz meinem Wesen entgegen, schrieb ich vorgestern an Freud und versicherte ihn meiner Verehrung.«

»Ich freue mich, daß Sie einmal aus Ihrer strengen Reserve herausgetreten sind.«

»Ich kenne die Gefahren menschlicher Beziehungen. Diesmal aber hat meine leidenschaftliche Neugierde, Geheimnisse der Verbundenheiten und Zusammenhänge zu ergründen, Befriedigung gefunden ... Ich wußte nichts von Freud, Freud nichts von mir. Wir wuchsen in derselben Stadt auf und begannen hier unsere Kenntnisse zu sammeln, gelangten hier zu Gewißheit und Einsicht. Aber keiner ahnte etwas vom andern. Selbst, als in späteren Jahren die Geistesverwandtschaft in jedem unserer Werke selbst dem Laien klarzuwerden begann, gingen unsere Wege so parallel, daß wir einander nie begegneten.«

»Hofmannsthal sprach einmal von der Unersetzlichkeit irdischer Begegnungen, wenn sie zur rechten Stunde erfolgen, als von der dunklen Ahnung eines Gesetzes. Er fügte hinzu, daß keine echte Potenz einer Epoche ausgeschaltet werden könnte, ohne daß die übrigen, sogar die gegnerischen, an Wirkungskraft einbüßten. Daß Sie und Freud einander nie begegnet sind, scheint dem zu widersprechen.«

»Im Gegenteil. Nicht die leibliche Begegnung ist hier entscheidend. Und es war gewiß die rechte Stunde, die mich und Freud um 1895, wenn auch unbewußt, zueinanderfinden ließ. Deshalb bringe ich Ihnen einen wunderbaren Brief von Freud.«

Es ist beinahe ein Vierteljahrhundert vergangen, seitdem ich diesen Brief von Freud gelesen habe. Der Wortlaut ist mir entfallen. Doch der Sinn blieb lebendig, als wäre es gestern gewesen.

»Nicht ich« – so ist der Sinn – »bin der Entdecker der Psychoanalyse, sondern Sie... Sie, der, ehe ich noch das Gerüst für die Erforschung der Unterwelt festgerammt hatte, diese Unterwelt, wie es eben nur ein Dichter vermag, blitzartig erkannte[11].«

SIGMUND FREUD

1908

»Ich weiß mir nicht mehr zu helfen. Jeden Tag wird unsere Grete schwermütiger. Sie will kaum mehr Nahrung zu sich nehmen, dämmert apathisch vor sich hin.«

»Wie oft habe ich dir gesagt, du solltest einen Nervenarzt konsultieren! Ein blühendes, lebenslustiges Geschöpf – und plötzlich diese Todessehnsucht... Da muß doch etwas vorgefallen sein.«

»Nein, es ist ganz plötzlich gekommen. Man will mich zwingen, Grete in eine geschlossene Anstalt bringen zu lassen. Das überlebe ich nicht. Gib einen Rat, Bertha.«

»Das ist schwer bei Eurem Snobismus... Lieber soll ein Kind zugrunde gehen, als daß man eine Krankheit dieser Art behandeln läßt... Aber ich werde Emil fragen.«

Mein Mann setzte sich mit Professor Freud in Verbindung, und Freud erklärte sich bereit, den Fall der Tochter meiner Freundin zu übernehmen.

Ich kannte ihn nur oberflächlich. In den neunziger Jahren hatte er oft in Emils Institut gearbeitet. Sein stilles, durchgeistigtes Wesen prägte die adligen Züge eines Menschen, für den die Welt nur existiert, weil sie ihm Anlaß gibt, sich in Rätsel zu versenken. Das Rätsel, dessen Lösung Freud sein Leben widmete, war dunkel und unheimlich. Heute ist die Psychoanalyse, diese aus Magie und Urgesetzen gebraute Wissenschaft, bereits ein Begriff geworden. Freud hat die Welt in Brand gesteckt, indem er die Unterwelt entdeckte, vielmehr aufdeckte. In sein Gesicht ist ein unzerbrechlicher Wille gezeichnet, denn um zu heilen, muß er grausam sein. Was er von den Menschen fordert, hat etwas Unerbittliches, Schmerzhaftes.

Lange aber, ehe die Psychoanalyse das Erkennen der Seele und der Triebe als Lehre zusammengefaßt hat, hat Baudelaire ahnungsvoll, wie es nur ein so großer Dichter zu sein vermag, das Erlebnis der Analyse visionär offenbart:

»O Seigneur, donnez-moi la force et le courage
de contempler mon corps et mon cœur sans dégoût[1].«

Mme Paul Clemenceau, Paris

Liebste, du fragst mich, was mit Grete geschehen ist? Es liegen Monate zwischen Freuds Besuch bei uns, aber es zählen doch nur die Resultate. Und erst jetzt kann ich Dir mitteilen, daß Grete geheilt ist.

Freud hatte meinen Hinweis auf eine Großmutter Gretes, die pathologisch zerstreut war, also vielleicht an eine Vererbung denken ließ, kaum beachtet. »Hier«, sagte er, »spielen andere Momente eine Hauptrolle. Wahrscheinlich ein besonderes Schuldgefühl.«

»Vielleicht eine Liebesgeschichte?«

»Möglich.« Und Freud wandte sich an Emil. »Ich habe erst unlängst Gelegenheit genommen, mich über verschiedene Fragen und Vorwürfe zu äußern. Sie wissen ja, daß die Psychoanalyse die Liebesinstinkte als sexuelle Instinkte bezeichnet. Dadurch fühlen sich viele gebildete Moralisten beleidigt. Höhnisch werfen sie mir Pan-Sexualismus vor. Derjenige, der die Sexualität für etwas hält, das die menschliche Natur erniedrigt und ihr Schande macht, ist ja frei, sich höherer Ausdrücke zu bedienen: Eros zum Beispiel oder Erotik. Ich hätte dies leicht zu Beginn tun können, und es hätte mir viel Gegnerschaft erspart, aber wozu der Feigheit Konzessionen machen? Erst gibt man bei Worten nach, später im Wesentlichen. Ich verstehe nicht, wie man sich der Sexualität schämen kann. Das griechische Wort ›Eros‹, das diese Schande verhüllen soll, ist nichts anderes als die Übersetzung des Wortes ›Liebe‹.«

»Sie sollten Angriffe, die zu Beschimpfungen ausarten, energischer abwehren.«

»Nein«, erwiderte Freud. »Ich kann warten. Wer zu warten weiß, der hat es nicht nötig, Konzessionen zu machen.«

Offenbart sich in diesen Worten nicht die besessene Überzeugungskraft eines Propheten? Aus diesem Element ist Freuds Natur.

Nach sechs Monaten kam Freud eines Tages und teilte uns mit, daß er Grete geheilt habe. Er bezeichnet die Behandlung als schwierig, schon der sonderbaren Familie wegen. Noble Haltung vermengt sich dort mit lächerlichen, von Eitelkeiten herrührenden Schwächen, die alle Beziehungen beherrschen. Die Eltern sind Vorurteilen versklavt, die den Kindern eingeimpft werden. So wird Natur zur Unnatur. Deshalb hat es lange gedauert, bis Freud den Schutt wegzuräumen vermochte, um das vergrabene Gewissen freizulegen. Nach und nach erfuhr ich die Ursache des Seelenkonflikts. Diesem oberflächlichen Mädchen hätte ich solche Probleme nicht zugetraut.

Der Konflikt im Unterbewußtsein war ein Kampf divergierender Gefühle. Die Erzieherin – die Mutter ... Den ersten Schock verursachte eine Entlobung. Die Erzieherin, herrschsüchtig, raffiniert, suchte die Mutter, die oft sehr zerstreut ist, vor den Kindern lächerlich zu machen, doch wurde sie gleichzeitig der Mutter unentbehrlich. Die Kinder schlossen daraus, daß »Mademoiselle« der Mutter weit überlegen ist. Grete kam die Mutter oft lächerlich vor, dann wieder schämte sie sich solcher Regungen. Die zwei Schwestern vertrauten ihre Flirts bald nur noch »Mademoiselle« an. Es kam so weit, daß »Mademoiselle«, die für ihre Zöglinge die snobistischsten Heiratspläne hegte, einfach jeden Kandidaten eliminierte, der ihren hochfliegenden Plänen nicht entsprach. Ein ausgezeichneter junger Gelehrter interessierte sich für Grete, sie sich auch für ihn. Die Mutter war sehr einverstanden. So kam es, daß sich das junge Paar auf einem Kostümball verlobte. Glückstrahlend flüsterte dies Grete »Mademoiselle« zu. Diese beschloß sofort, die Verlobung rückgängig zu machen. Welches Intrigenspiel nun einsetzte, kann man sich vorstellen. Ich weiß nur soviel, daß der Antagonismus zwischen Mutter und »Mademoiselle« offen zutage trat und daß sich Grete, obwohl es doch die Mutter war, die für ihr Glück kämpfte, dennoch »Mademoiselle« vollkommen unterwarf.

Hier begann das Unterbewußtsein aufzubegehren. Das arme geängstigte Gewissen fühlte sich der Mutter gegenüber schuldig und verriet sich dennoch an »Mademoiselle«. Es war ein Kampf schrecklicher Art, Flucht in Schwermut, der einzige Ausweg: ein Abgleiten zum Todeswunsch.

Wie Freud in dieses verworrene Dunkel eingedrungen ist? Man weiß, daß ihm oft der gleichgültigste Satz, der von seinen Patienten ausgesprochen wird, eine Seele enthüllt; daß er eine Wahrheit blitzartig erkennt, eine Wahrheit, deren sich die Aussagenden gar nicht bewußt sind. Auch erzählte ihm Grete bald ihre Träume, und Freud las diese Hieroglyphen. Schonungslos enthüllte er den Antrieb, die Mutter der »Mademoiselle« zu opfern. Aber indem er diese Qualen bloßlegte, löschte er sie aus. Für gläubige Menschen ist die Beichte ein ähnlicher Vorgang.

»Mademoiselle« war von dem Unheil, das sie angerichtet hatte, so betroffen, daß dem jungen Gelehrten die Wiederkehr leicht gemacht wurde.

So, hier hast Du für Deine jungen Literaten, denen Du immer gern von Freud erzählst, einen frisch vom Baum der Psychoanalyse gepflückten Fall.

Ich umarme Dich.

Bertha.

KRAWALL UM ARNOLD SCHÖNBERG

Wien, Mai 1908

»Waren Sie gestern im Rosé-Quartett ... Ja? Ist es nicht schmachvoll gewesen, wie man Schönberg[1] und Rosé[2] behandelt hat?«

»Wenn brutales Benehmen anständige Menschen herausfordert, ist die Reaktion so stark, daß man seine Freude hat. Wie herrlich war es, als Mahler, eben erst aus New York zurück, plötzlich aufsprang, sich umwandte und rief: ›Ihr habt hier nichts zu suchen. Rempelt Leute auf der Gasse an, wenn ihr Lausbuben seid ... Hinaus!‹ Darauf bewies ein Beifallssturm den Stänkerern, daß im Publikum noch Begriffe des Anstands lebendig sind.«

»Einer von ihnen hat Mahler zugerufen: ›Wir pfeifen auch Ihre Symphonien aus!‹«

»Rosé und seine Musiker haben sich tapfer benommen. Dieses seltsam fesselnde Quartett ›Verklärte Nacht‹ ist für die Ausführenden von ungeheurer Schwierigkeit. Wie erst, wenn sie es dem Publikum verständlich machen müssen! Es liegt etwas Beruhigendes darin, daß ein schöpferischer Mensch doch immer jene Gefolgschaft findet, die eigentlich für das Werk entscheidend ist. Das empfand ich gestern abend während des Skandals als das Wesentliche.«

»Waren Sie gestern abend im Rosé-Quartett? ... Ja? Endlich hat man es dem Schwindler gezeigt, daß Wien sich noch zu wehren weiß, wenn man freche Originalitätskrämpfe heuchelt. Famos war das inszeniert, dieses Pfeifkonzert.«

»Wozu rufen Sie mich an, wenn Sie mir nichts Gescheiteres zu sagen haben?«

»Lassen Sie sich doch nicht ins Schlepptau nehmen von dieser Horde, die seit fünfzehn Jahren Wien zu einem Lachkabinett macht. Bahr – Klimt – Hofmannsthal – Schnitzler – Mahler – und was noch alles in diese Menagerie gehört ... Aber Schönberg ist der Gipfel. Höher geht es nicht mehr, und Gott sei Dank haben das gestern im Börsendorfersaal jene Wiener bewiesen, die sich ihren Verstand bewahrt haben. Das entsetzliche Machwerk ›Verklärte Nacht‹ ist eine Herausforderung sondergleichen. Diese Dissonanzenorgie! ... Da muß uns Gott erst neue Ohren schaffen!«

»Das wird er auch tun. Neue Ohren, neue Augen, neue Gehirnwindungen. Aber nicht jedem wird diese Gnade zuteil.«

Wien, Oktober 1909

»Es ist zwar nach Mitternacht, aber ich mußte Sie einfach anrufen. Die Gutheil-Schoder[3] hat sich inzwischen beruhigt. Ich war eben bei ihr, habe ihr Brom gegeben ... Unfaßbar, daß man diese große Künstlerin, die mutig und selbstvergessen einem Werk Bahn bricht, an das sie glaubt, so anpöbelt, ja beinahe bedroht!«

»Es wäre doch so einfach gewesen, als die Gutheil die erste Strophe des ›Pierrot lunaire‹ beendet hatte, aufzustehen und fortzugehen. Niemandem ist das verwehrt.«

»Sie ziehen die Psychose nicht in Rechnung, sie ist ansteckend wie die Pest. Ein einziger Stänkerer genügt, um die wütendste Gefolgschaft zu entfesseln. Was jetzt bei der Schönberg-Verfolgung systematisch in Szene gesetzt wird, ist eben die Revolte der Flachheit gegen den Geist.«

»Abgesehen von der Klimt-Affäre hat noch keine Opposition so häßliche Formen angenommen. Die Gutheil ist nicht so leicht aus der Fassung zu bringen, aber als sie von Schluchzen geschüttelt plötzlich abbrechen mußte, weil das Heulen und Pfeifen ihre Nervenkraft brach, da ist mir die Hoffnungslosigkeit bewußt geworden, die den Künstler oft lähmt.«

»Schönberg wird das Gesindel nicht lähmen, im Gegenteil.«

»Vielleicht ist für diesen Fanatiker die Atmosphäre eines chaotischen Ringens fruchtbar ... Jedenfalls ist er Anlaß, daß wir Wien wieder einmal lieben können, denn wo sonst auf der Welt findet man ein Quartett, das seine Existenz aufs Spiel setzt, da seine Abonnenten ja zum konservativsten Publikum gehören, eine große Opernsängerin, die ihre Popularität gefährdet, Kritiker, deren Eintreten für Schönberg sie der Gefahr der Entlassung aussetzt? Ich kenne solche Fälle. Manche der enthusiastischen Wiener Studenten sind vielleicht nicht so sehr Schönbergianer wie Verteidiger der Denk- und Kunstfreiheit im allgemeinen ... Da fühlt man, hier ist doch heiliger Boden, Talent in Hülle und Fülle, Mut, Aufopferung für eine Idee ...«

Skandal im Musikvereinssaal
(Ein Zeitungsbericht)

Das vom Akademischen Verein für Musik und Literatur arrangierte Mahler-Schönberg-Konzert gab gestern abend leider Anlaß zu wüsten Szenen. Es ist nicht zu verstehen, warum die Herren des Vereins Gustav Mahler, dessen Werke vor einigen Jahren noch Opposition erregten, heute aber bereits durchgedrungen sind, mit Herrn Schönberg gekoppelt haben. Mit einem entweder infantilen oder wissentlich Kunst-schändenden Neurotiker. Gustav Mahler hätte diese ihm wahrscheinlich aufgedrungene Gemeinschaft ablehnen sollen. Er hat es sich selbst zuzuschreiben, wenn er in Mitleidenschaft gezogen wurde.

Die Szenen, die sich während der Aufführung abspielten, sind nicht zu beschreiben. Da es seltsamerweise Schönbergianer zu geben scheint, die sich zur Wehr setzten, kam es zu Handgemengen und Prügeleien. Die Polizei mußte intervenieren. Das Konzert konnte nur unter ihrer Assistenz zu Ende geführt werden.

Die jungen Gründer des Akademischen Vereins scheinen es darauf abgesehen zu haben, Wien zu einem Zentrum barbarischen Unsinns zu machen.

Bahr: Ich erlaube mir, Ihnen Ludwig Ullmann[4] vorzustellen, den Präsidenten des Akademischen Vereins für Kunst und Literatur.

Ich: Ihre aktivistische Kunstpolitik kommt zur rechten Stunde.

Ullmann: Wir rechnen immer mit Skandalen. Ich mache jeden Theaterkrawall mit. Erbitterung ist in Kämpfen des Geistes ein unentbehrliches Element.

Ich: Ich bin neugierig auf Ihr Programm.

Ullmann: Unser Programm? Hier – in einem Satz: Ihre Aufgabe war FORDERN! Unsere ist: HERAUSFORDERN!

Ich: Jenen Teil der Wiener, deren Wahlspruch lautet: »Mei Ruh will i haben«, kann man nicht herausfordern.

Bahr: Richtig. An ihrem neunzigsten Geburtstag wird eine Magd aus Sesenheim befragt, ob sie den Namen Goethe kenne. Ja, sagt sie, es sei bisweilen ein junger Herr Goethe zu Fräulein Friederike gekommen, der sei sehr lieb gewesen. Aber eines Tages sei er ausgeblieben, und man habe nie wieder etwas von ihm gehört ... Dieses ›Nie‹ klingt dämonisch.

Ullmann: Wir wollen einer irrealen Welt den Weg bahnen, deshalb versuchen wir, Schönberg zu stützen, Kokoschka[5], Schiele[6]. Unlängst habe ich Wedekind[7] eingeladen. Die Vorlesung seiner »Franziska« war immerhin ein Erfolg. Die Intensität, die brutale Nacktheit, mit der Wedekind das neue Weltbild präsentiert – das ist eine Dosis Dynamit, die wir brauchen.

Ich: Erzählen Sie mir bitte von Schönberg.

Ullmann: Schönberg ist zwar noch Melodiker und kein absoluter Negierer des Klanglichen, aber er behandelt Melodien sozusagen rein geistig und nicht dynamisch wie Richard Strauss. Im Technischen ist er unerhört exakt. Ihm ist der Aufbau seiner Technik wichtiger als deren Brillanz. Er ist ein Mathematiker der Musik.

Bahr: Eigentlich sollten wir gegen unsere Zeitgenossen nicht zu streng sein. Wenn man die Musikgeschichte studiert, die Stilentwicklung und die Übergänge, das Auftauchen neuer Klangformen, was lernt man da? Daß selbst ein Haydn seinem Lehrer Boccherini Schrecken eingeflößt hat.

Ullmann: Und Mozart? Hat man ihm nicht vorgeworfen, daß seine Partituren nicht graziös genug seien? Daß er die schlanke Linie Händels und Glucks vergröbert hat? ... Joseph der Zweite hat zu Mozart nach der Erstaufführung des »Figaro« gnädig, doch tadelnd gesagt: »Sehr schön, aber, mein lieber Mozart – zu viele Noten.« Mozarts Antwort: »Keine einzige zuviel, Majestät.«

REINHARDT IN WIEN

1909

»Alfred Roller. Seit Mahler fort ist, ersticke ich in diesem Opernbetrieb. Jetzt ruft mich plötzlich Reinhardt[1], er macht in Wien den grandiosen Versuch, dem Theater tiefere, feierlichere Bedeutungen zu geben.«

»Das wollte Mahler auch.«

»Reinhardt ist frei von jedem offiziellen Zwang. Eine festliche Bühne, ein ungewöhnlicher Raum sollen der dramatischen Dichtung dienen, aber nur in gewissen Zeitabschnitten. Wollen Sie mit mir einer Probe beiwohnen?«

Um neun Uhr abends soll die Probe beginnen, um sieben sind Bahr und Roller bei mir.

»Gut, daß Sie den armen Roller ein wenig durchfüttern«, sagt Bahr. »Er hat einige Kilo abgenommen. Ja — Reinhardt-Proben — das ist die wirksamste Abmagerungskur. Dieser Nie-zu-Ermüdende wird zwei Dinge nie verstehen: Daß man hie und da auch schlafen gehen muß und wieso für seine künstlerischen Ideen nicht immer die reichsten finanziellen Mittel vorhanden sind.«

»Die sollen auch für ihn bereit sein. Nie werde ich den ›Sommernachtstraum‹ vergessen — damals im Theater an der Wien.« Er hat den Traum, er hat das Flüchtigste, Unfaßbare eingefangen.«

Roller: »Dazu war seine Erfindung der Drehbühne Voraussetzung. Mit ihr vermochte er Probleme zu lösen, die bis dahin unlösbar erschienen. Von der Drehbühne datiert eine neue Dynamik, ein intensiverer Ablauf der dramatischen Version. Wie haben wir uns unter Mahler plagen müssen, die öden Umbaupausen zu verkürzen!«

Bahr: »Die Drehbühne hat mit dem ordinären Begriff Ausstattung nichts zu tun. Das eben ist Reinhardts Größe, daß in seinem Theater die Maschine dem Geist hörig ist. ›Gleichzeitig auf verschiedenen Bühnen spielen können‹, hat er mir einmal gesagt. ›Eine Szene sollte in die andere greifen, ein Schauplatz lautlos mit dem nächsten wechseln, so daß der Eindruck der Simultanität beinahe erreicht wird. Dann gibt es nicht mehr das unerträgliche Abreißen einer Stimmung. Alles gleitet ineinander, taucht auf und verschwindet . . .‹«

Als er nach Berlin kam, dem Zentrum des Naturalismus, hatte Reinhardt, der Österreicher, Raimunds Märchenpoesie und Calderons Traumwelt in seiner Seele. Auch Grillparzer und Hofmannsthal fanden in Calderon das Traumspiel ihres Wesens. Und Raimund ... Wie reich war Österreich, daß ein Raimund als Vorstadtdichter galt. Interessant ist, daß Reinhardt uns die Synthese Calderon-Raimund in seiner Shakespeare-Auferstehung geschenkt hat. Und da sperrt sich unser von Franz Josephs Privatschatulle subventioniertes Burgtheater gegen einen solchen Sturm der Erneuerung! Als ich unlängst einer Vorstellung von Schillers »Wallenstein« beiwohnte und die Langeweile einer Regie hinnehmen mußte, die in Öldruck und im Wachsfigurenstil fleißig historische Szenen nachbildete, fiel mir ein Wort von Schwind ein, dem Freund Schuberts. Dieser Maler, der so naiv, so rein, so wahr österreichische Landschaft mit Märchenpoesie vereint, kommt nach München und besucht Piloty, einen damals berühmten, aber veralteten Historienmaler ... Schwind steht vor einer kilometerlangen Leinwand und fragt gemütlich-ironisch: »Was malen S' denn wieder für ein neues Malheur? ... Solche Malheurs sind die Burgtheater-Inszenierungen.«

Mme. Paul Clemenceau, Paris *Wien 1909*

Liebste,

mein Stillschweigen ist nicht das Eingeständnis von Leere, sondern ein Zeichen von Überfülle. Das größte Ereignis: Max Reinhardt. Du hast in Paris seine Pantomime »Sumurun« gesehen. Jetzt ist er weit darüber hinausgewachsen. Nach Art der Griechen, die ihre Festspiele nur zu gewissen Epochen den Dichtern widmeten, will Reinhardt gemeinsam mit Hofmannsthal eine neue Ära des Theaters inaugurieren. Auch die Zuschauer sollen in den Ablauf des Tragischen einbezogen werden. Um dies zu erproben, hat er in Wien den Zirkus Busch gemietet, installiert dort ein mächtiges Podium, entfernt Rampe, Souffleurkasten, Orchester, verbindet die Bühne durch zwei Brücken mit dem zweiten, tiefer gelegenen Raum, mit der Piste, die im Zirkus den Vorführungen — Reinhardt der Entfaltung von Volksszenen dient.

Du würdest über die zahllosen Einfälle staunen, durch die Reinhardt Bühne mit Bühne verbindet. Die unerwarteten Auftrittsüberraschungen der Volksszenen branden bis zu den Logenbrüstungen.

Auch Roller hat umgelernt. Reinhardt wollte eine Vereinfachung des Schauplatzes erzielen. Alles Malerische fällt zugunsten architektonischer Gliederung weg, und die Art der Beleuchtung, Du — die bedeutet einen Umsturz. Scheinwerfer rechts, links und von oben tauchen die Bühne in ein diffuses Licht, das die Schatten aufsaugt. Wie Reinhardt diese Sprache meistert, aus Hell und Dunkel Ekstase und Verzweiflung webt – eine Vision herzaubert und verlöschen läßt – könnte man dergleichen festhalten, entstünden Bilder wie von Rembrandt.

Roller hat Bahr und mich zu einer der letzten Proben mitgenommen. Wir sitzen in der ersten Reihe, dort wo sonst manchmal der Elefant seinen Rüssel hinstreckt oder ein Clown sich zum entzückten Schrecken der Kinder über die Brüstung schwingt. Roller steht neben uns, prüft den Aufbau des Palastes von Theben. Da kommt Moissi[2] leichten Schritts durch die Piste. Er ist Ödipus[3]. Ein glitzernder Panzer umschließt seine zarte, vornehme Gestalt. Darüber ist ein togaartiger Mantel geworfen. Moissi kommt direkt auf uns zu.

»Roller«, klagt er wie ein Kind, »mich drückt der Panzer. Hier – es tut so weh ... Ich kann nicht spielen.« Er dreht uns den Rücken, lehnt ungeduldig an der Brüstung, zerrt an dem Panzer. Roller ist einer der eigensinnigsten Menschen, und was seine Kostümentwürfe betrifft, von naturalistischer Unart nicht abzubringen. Daher erklärt er Moissi in streitlustigem Ton, der Panzer sei nicht zu eng, er müsse knapp anliegen.

»Aber«, entgegnet der sanfte Moissi, »ich vergesse den Text, wenn ich mich so beengt fühle und fortwährend denken muß: Wäre ich nur schon in meiner Garderobe! Wie soll ich mich da von dem Schmerz des geblendeten Ödipus überwältigen lassen?«

»Jedenfalls«, sagt Bahr, »ist für den Autor, den Darsteller und das Publikum die Erschütterung wichtiger als das von Ihnen, Roller, überschätzte Kostüm.«

»Überschätzt? Kostüm ist doch Verwandlung! Sie ist für die Szene unentbehrlich, denn die Gestalt des Darstellers beherrscht das Bühnenbild!«

»Aber nicht, wenn Sie ihr die Bewegungsfreiheit nehmen und den Atem, der sein kostbarster Besitz ist.

Auch die Mildenburg[4] hat sich bei mir beklagt, weil Sie ihr in der Walküre einen Helm aufgezwungen haben, der ihr das Hirn zusammenpreßt, und weil Sie die Felsenstufen, die Brünhilde singend heruntersteigen muß, für Götterschritte berechnet haben und nicht für eine Frau, die eine der schwierigsten Wagner-Partien singen muß. Sie leidet jedesmal Angstqualen.«

Offenbar beeindruckt, schneidet Roller dem geduldig wartenden Moissi den Panzer auf. Moissi wendet uns sein ausdrucksvolles Gesicht zu.

»Danke, Bahr. Ohne deine Hilfe wäre ich an Roller erstickt.«

Und mit einem Satz ist er weg, steht auf der Bühne, ist Ödipus, läßt erschütterndes Wehklagen hören. Dann tritt Ruhe ein, denn Reinhardt erscheint in Begleitung einer Sekretärin. Roller und der Einpauker der Ensembleszenen gehen gleich zu ihm. Ich habe noch nie einen so ruhigen, leisen und doch allmächtig wirkenden Anordner gesehen. Es entgeht ihm nicht das geringste, und doch fühlt man, wie er jeden Augenblick das Ganze überblickt. Jetzt probt er den Ansturm des wütenden Volkes, das von Ödipus Rettung von der Plage fordert. Es ist etwas noch nie Vernommenes, Erregendes, Mitreißendes, wie diese Stimmen, diese Körper und Gesichter zu einem Ganzen werden. Wie Gemurmel, Rufe, Schreie anschwellen, wie die Menge erbebt gleich einem Wald vor dem Sturm, endlich ein Orkan losbricht – das ist nur mit Musik vergleichbar. Es ist, als behandle Reinhardt die Statisten wie die Instrumente eines Orchesters. Jeder hat seinen Part, seinen Einsatz, sein Piano und Fortissimo. Es ist eine Symphonie, die Reinhardt komponiert und dirigiert: Im »Ödipus« eine Symphonie der entfesselten Leidenschaften.

Dann saß er am Regietisch auf der Bühne. Er ließ sich Szene um Szene vorspielen, ohne zu unterbrechen. Diese seltene Eigenschaft rechnen die Schauspieler Reinhardt hoch an, weil er sie nicht bei jeder Gelegenheit aus der Stimmung reißt. Erst nach einiger Zeit ruft Reinhardt einen Darsteller nach dem andern zu sich. Er hat manches notiert, und nun beginnt dieser geniale Regisseur jeden Darsteller magisch zu beeinflussen. Man kann es nicht anders nennen als Magie. Meist genügt eine Geste, eine Betonung, ein Blick, ein Zaudern, ein Lächeln, ein Sich-Abwenden, und es steht ein anderer Mensch da. Reinhardt entdeckt die Persönlichkeit des Darstellers vor diesem selbst, und er führt ihn zu diesem Selbst, führt ihn auch tief hinein in das Labyrinth seiner Rolle. Er weiß, was ein König ist, läßt es in einer Bewegung, in einem Blick erkennen. Er weiß, was ein Bettler ist, wie er demütig und doch haßerfüllt seine Hand ausstreckt. Er flüstert dem Schauspieler etwas zu, und schon wird der zum demütigen, haßerfüllten Bettler. Königinnen und Kurtisanen läßt er mit derselben intuitiven Witterung für seelische Nuancierung erstehen. Es sind Kabinettstücke tiefster Einsicht und zartester Details. Und wenn nach diesen Korrekturen die Szene wiederholt wird, so ist es, als ob eine flüchtig hingeworfene Skizze nun zum Bild geworden wäre, dem ein Meister die Ursprünglichkeit des ersten Einfalls bewahrt hat.

Die Inszenierung wurde einer jener blitzartigen Erfolge, wie sie nun doch nur in Wien möglich sind, wo die vierte Galerie an Kunstverständnis dem Parkett- und Logenpublikum nicht nachsteht. Die tiefe Verbundenheit des Österreichers mit dem geheimnisvollen Zauber des Theaters wird offenbar.

So gab es trotz des so Ungewohnten kein Befremden und kein Zaudern. Reinhardt wurde zugejubelt. Wien ehrte sich selbst durch sein spontanes Verständnis. Aber die Zeitungen sorgten auch diesmal für Unterhaltung. Eine wilde Pressefehde für und wider Reinhardt entbrannte. Da gibt es klassisch Gebildete unter den Kritikern, die es als ihre Mission ansehen, Sophokles gegen Hofmannsthal in Schutz zu nehmen. Sie erhoben ein Wutgeschrei gegen die Perversität dieses Ödipus, den sie als dekadent ablehnten, vergaßen dabei auch freilich, daß auch Goethe sich erlaubt hatte, antike Dramen und deren Probleme neu zu gestalten und daß sein Orest Hofmannsthals Ödipus an Zerrissenheit um nichts nachgibt. Doch blieb das alles in gewissen Grenzen journalistischen Anstands. Ein einziger Kritiker überschritt sie. Er veröffentlichte seine Besprechung in der Rubrik, die den Titel »Zirkus Varieté« trägt. Auf diese Weise behandelte er die Ödipus-Aufführung als Zirkusschau, um Reinhardts Tat dem Spott preiszugeben. Aber siehe da, diesmal fand der rohe Mißbrauch des Kritikeramts allgemeine Verurteilung, denn daß hier in Wien mit Reinhardt eine neue Ära des Theaters begonnen hatte, fühlte die theaterverwurzelte Stadt mit einer Art Andacht.

Bertha.

EGON FRIEDELL

1912

Ich lernte ihn anläßlich seines Carlyle-Vortrags kennen, dem ich beiwohnte, um die Kritik für die »Wiener Allgemeine Zeitung« zu schreiben.

Damals war er noch schlank. Die hünenhafte Gestalt bewegte sich beinahe behend, wenn er, wie es seine Gewohnheit war, im Gespräch hin und her ging. Meist näselte er nachlässig, konnte aber plötzlich schneidend scharf sprechen, sooft er einen imaginären Gegner niederstreckte.

Für ihn ist Diskussion Kampf, jeder Gedankenaustausch ein Turnier, in dem er oft auch mit geschlossenem Visier ficht, sozusagen maskiert.

Viele Masken trägt er, die des Zynikers, des Narren, des Gelehrten, des Dichters, am liebsten aber die Maske aller Masken, die des Schauspielers.

Das streng geschnittene Profil wurde, als seine »Kulturgeschichte der Neuzeit[1]« erschien, auf dem Titelblatt medaillonhaft abgebildet. Unter der hochgewölbten imponierenden Stirn sprang eine gebogene, überlange Nase hervor. Der Mund, wohlgeformt, spielte unzählige Stücke. Verächtlich verzogen sich die stark schwellenden Lippen; zärtlich quollen sie auf; boshaft, scherzend, eigensinnig preßten sie sich zum eigensinnigen Schlitz, um plötzlich in einem homerischen Gelächter, das unwiderstehlich mitriß, auseinanderzuklaffen.

Wenn aber Ernst und Ruhe das Gesicht beherrschten und die wasserblauen Augen, die so oft lustig tanzten, von den Menschen abzurücken schienen, um ins Unendliche zu gleiten (Friedell war Mystiker), da fielen alle Masken ab, und für einen Augenblick offenbarte sich Friedells tragische Seele. Der Freitod, durch den er sich der Hitler-Welt entzog, hat dies offenbart.

Den Carlyle-Vortrag hielt Friedell in einer geistig bewegten Zeit, die sich naiv als Beginn einer Renaissance betrachtete und das zwanzigste Jahrhundert stolz als Synthese des achtzehnten und neunzehnten betrachtete.

Vor Beginn des Vortrags tritt Friedell durch eine Seitentür ein. Er führt eine alte Dame am Arm, läßt vor die erste Reihe einen eigenen Fauteuil für sie hinstellen, dann verschwindet er, nicht ohne vorher einigen Honoratioren die Greisin als seine Tante vorgestellt zu haben.

Erst nach ihrem Tod, Jahre später, hat sich herausgestellt, daß sie seine

Kinderfrau gewesen war. Sie hatte ihn aufgezogen, nachdem seine Mutter die Familie verlassen hatte. Da er sie mit größter Ehrerbietung behandelt sehen wollte, hatte er die Verwandtschaft erfunden.

Nun steht er auf dem Podium. Obwohl sein Gedankengang in den Grundzügen festgelegt ist, improvisiert er sichtlich. Die zwanglose Art, sich mitzuteilen, verfehlt ihre elektrisierende Wirkung nicht. Das Publikum ist begeistert. Ich auch. Meine Kritik enthält den Satz: »Friedell hat mich hie und da an Mitterwurzer erinnert.«

Nun war Mitterwurzer nicht nur Deutschlands, sondern Europas größter Schauspieler gewesen. Als Friedell meine Kritik las, war er, wie er mir später gestand, starr vor Entzücken.

Er war schon ein Schriftsteller von Rang, als er sich noch immer nach einer Schauspielerkarriere sehnte. Das war eine Art fixer Idee. Er schnitt daher den Artikel aus und steckte ihn in seine Brieftasche. »Dort« – so schrieb er mir tags darauf in einem Brief, dem er herrliche rote Rosen beigab –, »dort an meinem Herzen ruhen Ihre Worte, und dort werden sie bis zu meinem Tode ruhen.«

Oft zog Friedell das vergilbte Blatt scherzhaft aus der Brieftasche, zuletzt acht Tage vor seinem Freitod, acht Tage vor dem Untergang Österreichs[2].

Diese Mischung von Gelehrtentum ohne Pose, Weisheit ohne Protzerei, Genialität, die sich nie wichtig nahm, naiver Kindlichkeit, Sarkasmus, der rücksichtslos traf, unwiderstehlichem Humor, all dies ergab das österreichische Wunder Egon Friedell.

Er hatte das Pech und das Glück, Österreicher zu sein. Pech, weil das österreichische Genie es nie verstanden hat, sich Geltung zu verschaffen. Glück, weil es für Originalität, für Einzigartigkeit, für das freie Wachstum eines ungehemmt pittoresken Wesens keinen reicheren Nährboden gegeben hat als Österreich.

So konnte Friedell sich ungehindert entfalten. Er war ungeheuer belesen und sammelte die Extrakte seines Wissens mit einem an Pedanterie reichenden Ordnungssinn in Registern und Zettelkatalogen. Aber dieses profunde Wissen war ihm nicht Selbstzweck, sondern das Fundament seiner Weltanschauung. Er gab der Geschichte der Völker neue Deutungen, versuchte sich daran, Althergebrachtes zu demolieren, bisweilen auf paradoxe Weise, und in Neuland vorzustoßen. In verhältnismäßig kurzer Zeit entstand seine »Kulturgeschichte der Neuzeit«. Das Buch wurde ein sensationeller Erfolg.

Aber es genügte Friedells vielseitigem Wissen nicht, sich ganz dieser Aufgabe hinzugeben. Von Jugend auf war er vom Theaterteufel besessen.

»Alles Wichtige wird, wenn man Probe hat oder am Abend spielt, vollkommen unwichtig«, pflegte er zu sagen. »Und alles Unwichtige nimmt, sowie man die Bühne betritt, eine erschütternde Bedeutung an.«

Auf den Brettern, die ihm eine bessere Welt bedeuteten, lebte sich das Naiv-Kindliche in Friedells Natur aus. Sein guter Stern führte ihn zu Max Reinhardt. Dieser Magier, dem keine Seele verschlossen, kein noch so verstecktes Talent verborgen bleibt, erriet Friedells quälende Sehnsucht nach jenem Scheinleben, das ihn für eine Weile von seinem unruhigen Geist erlösen sollte.

»Ich arbeite mit niemandem lieber und besser als mit einem talentierten Dilettanten«, sagte Reinhardt einmal, nachdem er Friedell eine Rolle anvertraut hatte.

Friedell hatte jedoch nicht nur schauspielerisches Talent, sobald er die Feder mit der Bühne vertauschte, erwachte in ihm jene Kleinlichkeit, die selbst dem besten Komödianten anhaftet. Er wurde eitel, neidisch, rollensüchtig. Da es seinem passiven Charakter widerstrebte, sich bei Direktoren um Rollen zu bewerben, hatte er mich, da er mir besondere Vermittlungskunst zutraute, ausersehen, sozusagen sein Impresario zu sein. Ich lachte wohl darüber, doch half ich ihm gern, besonders als Reinhardt 1924 das Theater in der Josefstadt zur hervorragenden Ensemblebühne erhob.

Egon Friedell, der gerade den ersten Band seiner Kulturgeschichte vollendet hatte, konnte es, wie immer nach einer Periode literarischer Arbeit kaum erwarten, in die Welt des Scheins zurückzukehren. Zu seiner Freude erhielt er eine Rolle in Hofmannsthals Komödie »Der Schwierige«.

Diese bezaubernde Komödie, dieser schöne Abschied von einem Teil Österreichs, von der österreichischen Aristokratie, ihrem Charme, ihrer Rückständigkeit, ihren perfekten Manieren und ihrer aus der Vielstämmigkeit der österreichischen Nation resultierenden Eigenart! Es war mehr als ein Abschied. Hofmannsthals Genie wandelte Abschied in Auferstehung. Die Vision des Dichters entriß diese Gesellschaft dem Vergessen.

Der Erfolg, den Friedell hier als Schauspieler errang, machte ihn glücklicher als die ihn preisenden Kritiken seiner Kulturgeschichte.

Egon Friedell: »Ihre Kritik hat mich größenwahnsinnig gemacht. Ein Zustand, der so gottvoll ist wie der, den ein paar Stamperln Sliwowitz in mir zu erzeugen pflegen.«

»Leider fehlt mir jede Vergleichsmöglichkeit.«

»Wieso? Kennen Sie nicht den Duft, die köstliche Wärme, das blitzartige Aufflammen der Phantasie, das Bewußtsein, über allem zu schweben, das uns allein die Sliwowitz-Magie spendet? Dafür gibt es nur einen Ersatz. Darf ich Sie einladen, das Kabarett ›Fledermaus‹ morgen zu beehren?«

Ich hatte mir schon vorgenommen, dieses von der Wiener Werkstätte begründete künstlerische Lachkabinett, diesen Zerrspiegel Wienerischer Rückständigkeit, wieder einmal zu besuchen. »Klimt und Hoffmann sind von Ihrer Nummer besonders entzückt«, sagte ich.

Es geschieht nicht alle Tage, daß ein Doktor der Philosophie zum Brettlartisten avanciert. Wolzogen[3] und Wedekind haben es allerdings auch nicht für unter ihrer Würde gehalten, Weisheit in Satire, Ironie in Paradoxa umzuwandeln. Das Kabarett ist der ideale Boden für aufrüttelnde Geistesgymnastik.

»Sie sollten sich ein Bild davon machen, ob meine Peter-Altenberg[4]-Anekdoten ihren Zweck erfüllen. Da wird ein Dichter nicht hundert Jahre nach seinem Tod ausgegraben, sondern von einem Zeitgenossen vorgeführt. Ich will, daß er schon zu Lebzeiten eine Legende wird. Zur Legende vom Troubadour, der die kleinen Madeln so süß besingt wie Walter von der Vogelweide.«

»Sie wollen also Altenbergs Eckermann sein?«

»Sehr richtig. Aber was hätte Goethe dafür gegeben, mich statt des staubtrockenen faden Registrators seiner Gedanken und Gespräche an seiner Seite zu haben! Ich hätte aus Goethe Aussprüche herausgeholt... Aussprüche!... Es hängt ja immer alles davon ab, zu wem man spricht. Was glauben Sie, zu welchen Bübereien ich Goethe angeregt hätte?!«

ÖSTERREICHISCHE MODE IN PARIS
1911–1912

Ich kam von einer internationalen Kunstausstellung auf einem der schönsten Hügel Roms.

Dem österreichischen Pavillon war durch Zuweisung des schönsten Bauplatzes eine große Auszeichnung zuteil geworden, ein Zeichen dafür, wie rasch die österreichische Zeitkunst und ihre imposante Stilbildung sich den ersten Platz in Europa errungen hatte. Joseph Hoffmann hatte dem Pavillon Harmonie und Ebenmaß gegeben. Der große Mittelsaal war Klimt gewidmet, war aber auch der Sammelpunkt von Erzeugnissen der Wiener Werkstätte, die in Vitrinen zur Schau gestellt waren.

Eine dieser Vitrinen betrachtete ich mit Rührung und Stolz. Sie enthielt Perlenhäkeleien, eine Kunstarbeit, wie es sie in dieser Art noch nicht gegeben hatte. Die Alt-Wiener gestrickten Perlenridicules mit ihren lieb-naiven Mustern sind die Vorläufer dieser Perlensymphonien, deren Farbenrausch der Klimtschen Palette verwandt ist. Es war eine alte Frau, die solch einzigartige, aus venezianischen Perlen gebildete Arabesken erfand.

Diese alte Dame war meine Mutter. Sie hatte sich den Zauber sanft-heiterer Kindhaftigkeit bewahrt. Als Frau des einflußreichen politischen Publizisten Moriz Szeps war sie Mittelpunkt eines der belebtesten Wiener Salons gewesen. Die Gemütlichkeit, die sie ihm gab, lockte Staatsmänner, Parlamentarier und Finanzgrößen ebenso an wie Dichter, Schauspieler, Aristokraten, Weltdamen und einfache Frauen. Hier war kein Raum für Snobismus und Arroganz. Dann aber starb mein Vater, wenige Monate später mein Bruder. Meine Mutter schien gebrochen. Stundenlang saß sie nur regungslos da. Eines Tages riet ihr der Arzt: ›Versuchen Sie zu häkeln. Wir haben die Erfahrung gemacht, daß Häkelarbeit die Nerven beruhigt.‹

So begann Mama automatisch aus schwarzer Seide Täschchen mit eingehäkelten Goldperlen anzufertigen, aber es half nicht viel.

Ein paar Tage Venedig waren damals für uns Österreicher die beliebteste Erholung, und so fuhren mein Mann und ich wieder einmal über den Canale Grande. Bei dieser Gelegenheit kam ich auch nach Murano, in die Heimat der Perlen. Wessen Phantasie ist dieser Traum, diese schaumgeborene Herrlichkeit nur entstiegen? Wer war der Glasbläser, der das Spiel erfand, den Regenbogen im gläsernen Seifenblasentanz einzufangen?

Da kam mir der Gedanke, Mama von diesen Schätzen etwas mitzubringen. Vielleicht konnte ich sie damit dem Leben wiedergeben?

Als sie später mit Muraner Perlen, Granaten, Amethysten und Bernstein ihre Taschen, Lampenschirme und Ketten schmückte, nannte man sie die »Perlenfee«. Sie erfand eine Technik, mit drei verschlungenen Fäden die Perlen einzufangen, und diese Technik wurde in allen europäischen Staaten und auch in Amerika patentiert.

Im Alter von fünfundsechzig Jahren begann sie ein neues Leben.

1911, während in Rom viele Menschen ihre Vitrine bewunderten, stürzte sie so unglücklich, daß sie beide Hände brach, kleine, runde, tapfere, erfindungsreiche Hände. Die Perlenfee ist 1912 gestorben. Sie hat es nicht erlebt, daß ihre Arbeiten von Poiret[1] angekauft, in Paris Sensation erregten.

»Paris ruft, bleiben Sie am Apparat!«

»Paul Poiret. Ich komme gerade aus Rom und bin ganz begeistert von Ihrem österreichischen Pavillon. Österreich ist dem übrigen Europa in der Entwicklung eines neuen Stils um mindestens zwanzig Jahre voraus. Alles wirkt zusammen: Architektur, Malerei, Bildhauerei und Kunstgewerbe verschmelzen zu einer natürlichen, völlig naiven und elementaren Einheit.«

»Darüber sollten wir uns ausführlich unterhalten, sobald ich nach Paris komme.«

»Nein ... Wir könnten in Wien darüber sprechen. Ich möchte in Wien einen Vortrag über die Frau und die Mode halten. Ich habe ihn schon auf einer Tournee gehalten. Ich werde eine Auswahl meiner Modelle und zehn meiner besten Mannequins mitbringen.«

»Damit haben Sie sicher einen Riesenerfolg. Ich werde mich um den Saal, das Datum und die Propaganda für die Veranstaltung kümmern. Der günstigste Zeitpunkt wäre Februar.«

»Ausgezeichnet! Dann bringe ich meine neue Frühjahrskollektion mit. Auf Wiedersehen!«

So begann das Jahr 1912 der österreichischen Mode in Paris, doch nicht nur der Mode allein. Es knüpften sich Fäden von Kunst zu Kunst. Klimt'sche Farbakkorde, Formen und Linien der Hoffmann'schen Innenkunst, phantasievolle Dekoreinfälle – reisten von der Donau an die Seine. Dort wurden sie heimisch, paßten sich dem französischen Empfinden an.

Es gibt Vorgänge, die der Registrierung durch die Kunstgeschichte entgehen. Sie sind ebenso verschleiert wie das Wissen um manche Episode der Weltgeschichte. Auch hier spielen zufällige Begegnungen eine Rolle.

Gestern ist Poiret angekommen. Er hat die Allüren eines vom Erfolg verwöhnten Eroberers, aber wenn man ihn näher kennt, wirkt er einfach: jede neu entdeckte Schönheit nimmt er ehrfürchtig in sich auf.

»Er ist ja nur ein Modekünstler!« wird man vielleicht einwenden. Nein – es gibt keine Rangklasse der Kunst. Hätte Poiret nicht gerade dieses Metier gewählt, so wäre er wahrscheinlich auf anderen Gebieten bahnbrechend geworden, heutzutage sicherlich im Film.

Er inszeniert die Frau. Sie ist ihm Göttin und Werkzeug in einem. Es genügt ihm nicht, unablässig Museen zu besuchen, um der Verwandlung des Frauenideals nachzuspüren, er sucht seine Vorbilder in Ägypten, Griechenland, Italien, und Frankreichs Kulturgeschichte bietet ihm unerschöpfliche Anregungen. Denn so aufreizend-modern Poirets Modediktat auch ist, es entbehrt doch nie der Tradition. In seiner Inszenierung der Frau folgt er Gesetzen der Logik, legt Wert auf Materialechtheit und spürt jener zarten Erotik nach, die aus der Seelenhaltung der Zeit entsteht.

Zu diesem Zweck hat er das Mannequin erfunden. Das Mannequin ist nicht zu verwechseln mit den armseligen Kleiderstecken, über die wahllos Modelle geworfen werden. Poiret stilisiert seine Mannequins. Er hat eine besondere Art zu schreiten entwickelt, Gesten und Attitüden.

Er kennt den Typ, der auf schlanken langen Beinen mit der Allüre einer »Grande Dame« langsam den Saal durchschreitet, mit unbewegtem, kameenhaftem Antlitz. Für sie entwirft er königliche Gewänder. Er weiß von dem Charme der graziösen Pariserin, die lächelnd Herzen pflückt, und er hat in Paulette, einer seiner Angestellten, die Inkarnation dieses verführerischen Typs erkannt. Für sie entwirft er nun Serien von Toiletten, die vom einfachen Trotteur bis zum naivsten und doch raffiniertesten Dekolleté des Soireekleids allen Nuancen der Verlockung Ausdruck geben.

Er weiß um die banale Salondame des Weltrepertoires und hat in Marguerite, der ehemaligen Frau eines Bankiers, den Typ der kühlen, konventionell tadellos, doch unpersönlich gekleideten Frau gefunden. Poiret hat eine Epoche eingeleitet, in der es gang und gäbe geworden ist, daß Großfürstinnen Mannequins werden und Mannequins Großfürstinnen.

Die Eroberung Wiens begann er mit einem regelrechten kleinen Skandal. Eine seiner Kreationen ist der Hosenrock. 1913 herrschte, obwohl das Fahrrad seit einem Jahrzehnt von Frauen benutzt wurde, noch das Vorurteil, daß es unmoralisch sei, hosenartige Kleidungsstücke zu tragen: eine unsittliche Angelegenheit. Poiret aber ignoriert als echter Künstler philiströse Heuchelei. So ließ er seine Mannequins auch in Hosenröcken auf die Straße gehen. In der Kärntnerstraße stockte der Verkehr, Polizei mußte eingreifen.

Es war ein Geben und Nehmen in allgemeiner Sympathie. Poirets Vortrag und die Modeschau gaben den Wiener Künstlern eine Fülle von Anregungen. Poiret aber suchte den ersten Eindruck, den er in Rom gewonnen hatte, zu vertiefen. Das Lehrsystem der Kunstgewerbeschule imponierte ihm, weil es die Jugend von den Fesseln des toten Akademismus befreite und ihr lebendige Lehren zuteil werden ließ. Er machte große Bestellungen, ja er engagierte die talentiertesten Schüler für sein Pariser Atelier.

Eines Tages geriet er in einen Saal, in dem fünf- bis zwölfjährige Kinder die verschiedenartigsten Dinge trieben. Sie zeichneten, kneteten Gips und Ton, schnitten Papier aus und bemalten Holz.

»Ist das ein Kindergarten?« fragte Poiret erstaunt.

»Nein«, antwortete ich, »das ist die Cziseksschule. Ein ganz neuartiges Lehrsystem, das Professor Czisek[2] erfunden hat, um dem Kind beizubringen, zu schauen und seinen naiven, unverdorbenen Eindrücken Gestalt zu geben. Aber hier sollen beileibe nicht Künstler herangebildet werden, sondern eine Generation, die bereits im zartesten Alter an künstlerische Arbeit gewöhnt wird, die lernen soll, anständige Werkarbeit jeder verlotterten Arbeit vorzuziehen. In diesen Wiener Kindern, deren Zeichnungen, Malereien und Dekorationsarbeiten Sie in Erstaunen setzen, wird nur geweckt, wird großgezogen, was wahrscheinlich in jedem Wesen schlummert: Liebe zur Schönheit, zu harmonischer Lebensanschauung. England hat bereits die Czisekmethode eingeführt, ebenso Belgien. Jetzt will auch Amerika Czisek für sich gewinnen.«

»Mehr und mehr beginne ich diese Homogenität des österreichischen Stils zu verstehen. Sie beruht auf einer geistig und künstlerisch vollkommen ausgewogenen Organisation des Unterrichts. Ihre Grundlage ist die Freude, die Freude zu schaffen. Der einfachste Arbeiter in Ihrem Land empfindet, wie ich feststellen konnte, diese Freude, seine Arbeit künstlerisch zu vollenden, selbst wenn er weiß, daß er nur ein Rädchen im großen Getriebe ist.«

»Sie sollten noch unsere Provinzen bereisen«, riet Hoffmann. »Dort finden Sie die Wurzeln unseres modernen Stils noch intakt, noch lebendig. Mähren besonders besitzt eine Volkskunst, die sich seit Jahrhunderten rein erhält. Sie werden Stickereien, Spitzen, Töpfereien, Holzschnitzereien von naivem Reiz sehen.«

Und so bereiste Poiret Ungarn, Mähren, Oberösterreich und brachte reiche Ernte nach Hause.

Paris. Es ist die erste Modenschau für die Freunde des Hauses, eine Art Firnistag. In der Halle des kleinen Palais', das Poiret besitzt, sind in der Runde

Fauteuils aufgestellt. Hinter jeder Dame steht, das Notizbuch in der Hand, eine Verkäuferin. Sie kennt den Geschmack ihrer Kundin, und wenn ein Modell kommt, das ihr als besonders geeignet erscheint, flüstert sie es der Kundin zu.

Eine breite Treppe führt von der Halle in den ersten Stock. Die Mannequins werden dort angekleidet. Eine Stimme ruft:

»Valse de Vienne!«

Das Mannequin, das diese Toilette trägt, erscheint hoch oben und schreitet nach dem ihr von Poiret einstudierten Rhythmus die Treppe herunter.

»Valse de Vienne« ist aus einem Wiener Werkstättenfoulard kombiniert. Ein duftiges Ensemble. Der aus Goldtressen gewundene Gürtel stammt aus der Kunstgewerbeschule. Das Kleid erregt Aufsehen, und ganz allgemein bildet sich rasch Verständnis für das österreichische Wesen heraus. Jede Toilette mit Stickereien, Bändern, Spitzen, Passementen, die aus dem Land der Phantasie stammt, wird akklamiert. Und die Farbenklänge, ein sonores Nachtblau, das Orange eines drohenden Gewitters, ein Rot, leidenschaftlich wie heißgeküßte Lippen: das sind Melodien von Klimts Palette.

Ein mir zu Ehren gegebenes Dinner vereint bei Poiret die interessantesten Künstler des Neo-Impressionismus. Der wundervoll gedeckte Tisch trägt manches in der Wiener Werkstätte erworbene Silbergerät. Auf meinem Gedeck liegt eine kleine Mappe, deren Einband das Datum von Poirets Wiener Besuch trägt. Ich schlage die Mappe auf. Sie enthält mir gewidmete Skizzen und Aquarelle, signiert von den stolzesten Namen der französischen Malerei. Auch diese Erinnerung an einen der liebenswürdigsten Beweise französisch-österreichischer Seelengemeinschaft wurde mir später wie alles, was ich besaß, entrissen.

FRANZ FERDINAND
Wien 1912

Die Künstlergruppe »Hagenbund[1]« hatte sich aufgetan, als die Klimt-Gruppe aus der Secession ausgetreten war. Junge Künstler, die wohl von Klimt die ersten Impulse erhalten hatten, schlossen sich zusammen, um ihrer Persönlichkeit unabhängig Ausdruck zu geben. Diese Generation war reich an Talenten, doch verband sie nichts Gemeinsames; einig waren sie nur darin, Lüge oder Leichtsinn zu verdammen, wo es um ihre Arbeit ging.

Die erste große Ausstellung dieser Gruppe fand 1912 im Hagenbund statt. Allen voran stand Kokoschkas Werk. Schon 1908 in der Kunstschau hatten seine kühnen Konzeptionen Aufsehen erregt. Jetzt trat er bewußt als Maler auf, dessen Palette mit keiner anderen zu vergleichen war. Seine Art zu malen hatte nichts Wirkliches, und doch ging von ihr eine Suggestion aus, die Menschen, Landschaft und Dingen quälende Wahrhaftigkeit gab.

Ganz anders war Faistauer[2], der halb bäuerische, fanatisch-gläubige Salzburger. In ihm wuchs ein Freskomeister heran. Und dann waren da noch Wiegeles[3] altmeisterliche Porträts.

Der Vorbesichtigung folgte die Eröffnung. Ich stand mit einigen jungen Künstlern im großen Mittelraum, als eine wellenartige Bewegung alle Offiziellen ergriff. Man sah plötzlich keine Gesichter mehr, sondern nur tiefgebeugte Rücken. Durch die Allee dieser Rücken schritt düster, aufgeblasen und gallig Franz Ferdinand[4], der Thronfolger.

Wo immer er eintrat, verbreitete er Mißmut, beinahe Schrecken. Es gab wohl keine unpopulärere Figur als diesen Habsburger. Mit dem Kronprinzen Rudolf war Österreichs Zukunft gestorben. Er war der Erbe all jener hohen Eigenschaften gewesen, die trotz so mancher Belastung seinem Geschlecht das Genie verliehen hatten, die Vision einer europäischen Völkervereinigung in die Welt zu setzen.

Seit 1889, dem Sterbejahr des Kronprinzen Rudolf, wartete Franz Ferdinand auf den Thron. Er und seine Gattin, Gräfin Chotek[5], die zur Herzogin von Hohenberg erhobene Gesellschaftsdame der Erzherzogin Isabella, warteten auf den Tod des Kaisers Franz Joseph.

»Will der Alte nicht endlich Platz machen?« Von dieser Frage widerhallten die Marmorwände des Belvedere. Herrschen! Die grausam geschwellten Lippen, die gläsern kalten Augen verrieten die Gefühle des Outsiders, der das Rennen beinahe gewonnen hatte, aber noch nicht ganz.

Niemand war imstande, einen der immer wiederkehrenden Wutausbrüche des Thronfolgers einzudämmen als die Frau, die er sich trotz schwerster Hindernisse errungen hatte. Die eher banal aussehende Gräfin Chotek übte von Anfang an einen rätselhaften Zauber auf Franz Ferdinand aus.

Als Franz Ferdinand einmal seine Tante Isabella in Preßburg besucht hatte, war er auffallend lange geblieben. Eine Woche später war er wiedergekommen. Großer Jubel im erzherzoglichen Palais: Welcher der zwei Töchter galt diese Auszeichnung? In Gedanken feierte man bereits Verlobung.

Wie immer war die Dienerschaft viel besser unterrichtet gewesen als die Herrschaft. Gesellschaftsdamen waren bei Kammerfrauen und Stubenmädchen nicht beliebt. So spionierten sie, fingen erst Blicke, dann Zettel, endlich Geschenke auf. Ein Ring! Mit einer Inschrift ... Die Chotek wurde entlassen. Zugleich hörten Franz Ferdinands Besuche auf. Was sich weiterhin begab, hätte sich ebenso in der kleinbürgerlichsten Familie begeben können. Des Skandals und des Getratsches war kein Ende. Schließlich aber hub der homerische Kampf um den Vortritt bei Hof an, und er dauerte so lange, bis der Tod den Vortritt erhielt.

Warum hatte Erzherzog Franz Ferdinand diese Ausstellung im Hagenbund besucht? Er interessierte sich sonst wenig für moderne Kunst. Der Ausdruck »Kulturbolschewismus« war damals noch nicht erfunden, aber irgendwie mußte Franz Ferdinands Aufmerksamkeit wohl darauf gelenkt worden sein, daß sich dort moralgefährdende Bestrebungen kundtaten.

In dieser Stimmung betrat er, vom Präsidenten der Vereinigung geleitet, den Hagenbund. Langsam musterte er Bild um Bild. Er sprach kein Wort, aber die Spannung, die von ihm ausging, teilte sich den Anwesenden mit.

Dann stand er in der Mitte des Saals und rief eiskalt und doch wutentbrannt: »Schweinerei!«

Er wandte sich direkt an die Gruppe der jungen Künstler und wiederholte noch gehässiger: »Schweinerei!«

Dann verließ er das Lokal ohne Gruß und ohne sich um den ihn hinausbegleitenden schlotternden Präsidenten zu kümmern. Der berichtete gleich darauf, der Thronfolger werde die Schließung der Ausstellung anordnen.

»Das kann er nicht!« rief einer der Maler aus. »Hier hängt kein Bild, das zu einer solchen Maßregel Anlaß gäbe. Da muß sofort etwas geschehen!«

»Es gibt nur ein Mittel«, sagte ich. »Der Kaiser muß darauf aufmerksam gemacht werden, daß die Konstitution verletzt wird, sobald der Thronfolger als Autokrat handelt. In dieser Hinsicht ist der Kaiser sehr empfindlich. Er wird nie dulden, daß der Mann, den er nur widerwillig als seinen Nachfolger erträgt, eigenmächtig handelt.«

»Aber wie kommt man zum Kaiser? Bis dahin ist die Ausstellung längst geschlossen.«

»Zum Kaiser kommt man am raschesten durch die Zeitung. Man muß ein so durchdringendes Geschrei erheben, daß Franz Ferdinand die Ohren gellen. Der Artikel muß ein Hilferuf, ein Appell an den Gerechtigkeitssinn des Kaisers sein.«

»Niemand wird sich trauen, einen solchen Artikel zu schreiben, und kein Chefredakteur wird ihn veröffentlichen.«

»Mein Chefredakteur hat nie gezögert, wenn es um die Verteidigung von Rechten ging. Jetzt ist es zwölf Uhr. Um sechs könnt ihr euch die Wiener Allgemeine Zeitung kaufen.«

Unter dem Titel »Schweinerei« veröffentlichte ich sachlich den Tatbestand. Kein Wort des Angriffs, nur die Frage, ob die Absicht, die Ausstellung zu schließen, ohne Billigung durch den Kaiser überhaupt durchführbar wäre; ein Appell an den Kaiser, die Freiheit seiner Bürger zu schützen und die Bitte, das Niveau der Ausstellung durch Sachverständige feststellen zu lassen.

Gerade durch seine gemäßigte Form schlug der Artikel ein wie eine Bombe. Es verlautete, Franz Ferdinand habe einen Tobsuchtsanfall bekommen; der Kaiser habe den ihm vorgelegten, rot angestrichenen Artikel zur Kenntnis genommen und die Schließung der Ausstellung hierauf untersagt.

KATHI SCHRATT
Wien 1916

Sie war das Töchterlein eines Bäckermeisters in Baden bei Wien, wo man die weltberühmten Schwefelquellen in der Biedermeierzeit mit einfachen, reizvollen Häuschen überdacht hatte. Die Wiener fuhren im Sommer gern dorthin, um sich für den Fasching im Winter die Walzerbeine gelenkiger zu machen.

Auch der Kaiser besaß dort in einem schönen Blumengarten dicht am Wald ein einfaches, langgestrecktes, weißes Haus mit grünen Läden.

Jeden Morgen trippelte die kleine Kathi mit einem Korb in die Weilburg und brachte dem Koch die reschen, goldgelben, so wohlschmeckenden Brötchen, die in Wien »Kaisersemmeln« genannt werden. Kathis Vater, der Bäckermeister, hatte sie für Majestät besonders resch gebacken.

Zehn Jahre später. Im vierten Stock eines Wiener Zinshauses. An der Wohnungstür steht ein junges Mädchen, bürgerlich-nett gekleidet. Dichte blonde Zöpfe fallen ihr in den Nacken. Sie zögert. Endlich läutet sie. »Herr Direktor Laube[1] hat mich herbestellt«, sagt sie schüchtern zu dem Dienstmädchen. Dann steht sie einem bärbeißig aussehenden alten Herrn gegenüber, dessen helle, durchdringende Augen dennoch freundlich blicken.

Der alte Laube war einer der größten Theaterleiter seiner Zeit. Viele Jahre war er Direktor des K. K. Burgtheaters, das er zum ersten Theater des deutschen Sprachraums machte. Dann stürzte er als Opfer einer Hofintrige. Der stolze, aufrechte Mann ließ sich durch die kaiserliche Ungnade jedoch nicht beugen. Er gründete mit der Finanzhilfe der besten bürgerlichen Kreise Wiens das Stadttheater, das ganz offen und herausfordernd dem Burgtheater Konkurrenz machte; Jahre hindurch hatte dieses neue Theater glänzende Erfolge.

Kathi wurde des alten Laube sorgsam gehütetes Pflänzchen, eine Naive, wie man sie um 1878 dem Zeitgeschmack entsprechend als Idealfigur des jungen Mädchens auf der Bühne sehen wollte. Laube erzog die junge Schauspielerin zu ernster, künstlerischer Arbeit. Kathi war eine Mischung aus dem zwanzig Jahre später von Schnitzler geschaffenen Typ des »Süßen Mädels« und von jenem heiteren Typ der charmanten Wienerin, der in der ganzen Welt durch seine Anmut und Natürlichkeit berühmt geworden ist.

Damals entdeckten die leidenschaftlichen Theaternarren Wiens einen ganz jungen Komiker, dessen liedhafter Tenor ins Blut ging. Alexander Girardi war wohl italienischer Herkunft[2] – schon seine feurigen Augen zeugten davon. Und bald hatten sich Kathis blaue und Girardis schwarze Augen ineinander verschaut.

Eigentlich war es nur der intensive Flirt zweier junger Menschen, die nichts so liebten, als Spaß zu machen und sich totzulachen. Schließlich verlobten sie sich miteinander.

Liebe aber war es wahrscheinlich nur von seiten Girardis. Kathi sollte erst erfahren, was Liebe ist.

Jeden Abend fand sie in ihrer Garderobe prachtvolle Blumen, und der Spender war, wie die Visitenkarte zeigte, immer derselbe: Baron Kisz, ein junger ungarischer Aristokrat, dessen Vater seiner Verschwendungssucht wegen berühmt war. Daher auch hinterließ er seinem Sohn nur wenig Geld, dafür vererbte er ihm seine leichte Hand.

Eines Tages sagte Kathi ihrem Girardi ganz verweint, sie werde einen anderen heiraten, er solle nicht bös sein. Girardi nahm es hin, kam aber lange nicht darüber hinweg.

Die Baronin Kisz gebar ein Jahr darauf einen Sohn. Danach spielte sie wieder und immer besser ihre Naiven. Auf der Bühne hatte sie Glück, nicht so in der Ehe. Bald verflog die Liebe, und die Sorge stellte sich ein. Der junge Baron verstand nichts von Geld, und darin glich ihm die Schratt. Es kam so weit, daß eines Tages die Wohnung gepfändet wurde. Alles wurde versiegelt. Auch die Liebe. Das Ende war die Scheidung.

Damals, ich erinnere mich, obwohl ich beinahe noch ein Kind war, gaben meine Eltern eine Soiree. Viele Künstler waren geladen, darunter die Schratt, die meiner Mutter jedoch absagte. »Ich kann leider nicht kommen«, schrieb sie ganz aufrichtig, »weil alle meine Kleider gepfändet sind und ich kein Geld habe, mir andere zu kaufen.«

Meine Mutter fuhr daraufhin zur Schratt, mit ihr zur Schneiderin, und die Schratt erschien bei uns in einem schwarzen Taftkleid, das gut zu ihren blonden Locken paßte.

Es sollte ganz anders kommen. Am nächsten Tag erhielt die Schratt einen Engagementsantrag der K. K. Burgtheaterdirektion.

Seit 150 Jahren schrieb die Hofetikette vor, daß jedes neuengagierte Mitglied der Hoftheater vierzehn Tage nach Abschluß des Engagements in Audienz beim Kaiser zu erscheinen hatte.

Die Schratt war außer sich. »Maria und Joseph!« jammerte sie, »das bring' ich nicht zustand'! Ich fürcht' mich. Da geh' ich lieber zum Zahnarzt.«

Eine der originellsten Figuren des an Originalen so reichen Österreich, der Hofrat Paul Schulz, war mit Kathi befreundet. Sein kaustischer Witz, seine große Unverschämtheit, die er besonders in noblen Salons zur Schau trug, sicherten ihm gerade dort eine bevorzugte Stellung.

»Wenn Sie soviel Angst haben, so werden wir eine Generalprobe abhalten.«

Er stellte sich in der Pose, die der Kaiser bei der Audienz einnahm, an den Schreibtisch. »So, jetzt treten Sie ein und machen die Hofreverenz.« – Das gelingt der routinierten Schauspielerin selbstverständlich. »Dann warten Sie, bis Majestät Sie anspricht. Sie erwidern: ›Majestät, so viel Gnade . . .‹ Majestät entläßt Sie, indem er fast unmerklich nickt. Und nun – passen Sie auf –, jetzt dürfen Sie sich um Himmels willen ja nicht umdrehen! Niemand darf dem Kaiser den Rücken kehren. Sie müssen rücklings zur Tür gehen, Schritt für Schritt. An der Tür neuerliche Reverenz. Die Tür springt von selbst auf. Ein Lakai besorgt das.«

»Mit der Schleppe – rücklings gehen – nein, da geschieht ein Malheur. Ich fall' bestimmt hin!« weint die Schratt.

Dann steht sie wirklich vor dem Kaiser. Sie hat ihr Taftkleid an und einen schwarzen Schleier über den blonden Locken. Die tiefe Reverenz ist gelungen. Der Kaiser – in England nennt man ihn den vollendetsten Gentleman Europas – sagt freundlich, distanziert: »Es freut mich, Frau Schratt, Sie kennenzulernen. Hoffentlich werden Sie sich in meinem Theater wohlfühlen. Wie gefällt es Ihnen?«

»Majestät, es gefällt mir sehr. Nur ist alles so vornehm wie sonst in keinem Theater. Die Kollegen sind so nobel, wie wir es beim Theater nicht gewohnt sind. Soviel Etikette. Jedem gebührt dies oder jenes. Selbst der Souffleur schaut aus wie ein Graf.«

Die Audienz dauert fünf Minuten länger als üblich, bei der beinahe neurotischen Überpünktlichkeit des Kaisers ein Umstand, der die Kämmerer im Vorsaal in Bestürzung versetzt. Leider war der Abschluß der Audienz etwas unzeremoniell. Als der Kaiser, der sich offenbar amüsiert hatte, das Zeichen zur Entlassung gab, machte die Schratt, die sich an die Generalprobe erinnerte, einen Schritt rückwärts. Plötzlich schrie sie auf: »Majestät – bitte zu verzeihen. Ich kann das nicht, ich bring's nicht zusammen . . .« Sie kehrte Majestät den Rücken und rannte hinaus.

Was Stendhal über die Kristallation der Liebe und den ersten bestimmenden Schock sagt, erwies sich in diesem Fall als wahr. Kaiser Franz Joseph saß zwei Tage darauf in der Hofloge und wohnte Kathi Schratts Antrittsvorstellung bei.

Alles Weitere ergab sich nach den Regeln der Erfolgsanbetung. Der Hof, die Bürokratie, die Aristokratie und selbst fremde Monarchen, die den Kaiser besuchten, umschwärmten dessen Freundin. Aber sie ließ sich nicht den Kopf verdrehen. Sie bewohnte nun im Winter ihr Ringstraßenpalais, im Frühjahr und Herbst eine Alt-Wiener Villa bei Schönbrunn, im Sommer in Ischl ein schönes Bauernhaus in der Nähe der Kaiservilla. Es machte ihr keinen besonderen Eindruck, sozusagen eine offizielle Persönlichkeit zu sein. Sie blieb, wie sie gewesen war, freimütig, urwüchsig, eigensinnig, Freunden gegenüber gütig und hilfreich; gegen Menschen, die sie nicht mochte, ungerecht; freigebig bis zur Verschwendung, am unrechten Ort oft geizig, weil launenhaft und unberechenbar. Sie war das Urbild des Weiblichen; daher die Unmittelbarkeit ihrer Wirkung, ihr stets überraschendes Wesen.

Zu jedem Geburtstag und auch zu Weihnachten erhielt sie von Franz-Joseph sorgfältig ausgewählten Schmuck. Ihre Leidenschaft waren Diamanten, Rubine, Smaragde, Saphire; Perlen fürchtete sie abergläubisch. Nach und nach nahm diese Juwelensammlung solche Dimensionen an, daß eines Tages der neugierigste, schlaueste, intriganteste Souverän Europas, Ferdinand von Coburg, König von Bulgarien, die Schratt bat, ihm ihren gesamten Schmuck zu zeigen. Meine Nichte war eine Art Vertraute der Schratt. Sie erzählte mir, daß der große Salon damals ausgeräumt und vier Tische darin aufgestellt wurden – ein Einfall der Schratt. Sie wollte einen Diamanten-, einen Rubin-, einen Smaragd- und einen Saphirtisch decken. Ferdinand von Coburg erklärte, er habe eine so vollendete Sammlung noch selten gesehen.

»Ich tu' dem Coburger gern den Gefallen«, sagte Kathi, »gerade weil ich ihm andere Wünsche nicht erfüllen kann. Er möchte immer, ich soll dem Kaiser die politischen Ratschläge vermitteln, die er mir souffliert. Aber von Politik will ich nichts wissen. Ich kann doch dem Kaiser die Ruhe, die er bei mir sucht, nicht vergällen. Mir tut er so leid. Er soll bei mir vergessen, daß er regieren muß.«

Und sie blieb bis zum Ende dem Entschluß treu, den Kaiser nie mit Fragen der Politik zu behelligen. Sie bot ihm etwas anderes, Ungewohntes: Entspannung, gesellschaftlichen Tratsch, heitere Geschichten, die in Wien kursierten, Intimes aus Hofkreisen. Sie hielt sich zu diesem Zweck eine Schar eifriger Anekdotensammler. Auserwählte durften sogar hie und da mit Majestät dejeunieren, so der Witzbold Paul Schulz und der weltmännische Bankdirektor Palmer, für den die seelischen und materiellen Safes der Wiener Gesellschaft keine Geheimnisse hatten.

Öfter erschien der Kaiser unangemeldet. Er ging einfach seinen Adjutanten durch. Da er von Jugend an gewohnt war, daß sich alle Türen stets magisch vor ihm öffneten, hatte er es nie nötig gehabt, an Türen zu läuten.

Als er einmal vor der Eingangstür der Schrattvilla stand, fand er sie versperrt. Unschlüssig harrte er eine Weile. Da sich nichts rührte, fiel ihm ein, er könne versuchen, auf den Knopf an der Tür zu drücken. Er tat dies, es läutete, und das gefiel Majestät so gut, daß er den Taster nicht mehr losließ und Sturm läutete. Alles stürzte heraus. Der Kaiser sagte ganz entzückt: »Ich habe zum erstenmal in meinem Leben an einem Tor geläutet. Das ist wirklich hübsch!«

Alljährlich erbat sich die Schratt zu Ostern Urlaub, um nach Monte Carlo zu fahren. Roulette und Baccarat waren ihre Leidenschaft. Der Kaiser erhob nie Einspruch, obwohl er wußte, was ihm bevorstand. Fast jedesmal verlor Kathi ein Vermögen. Hie und da begab sich der Kaiser auch an die Riviera, aber nur, um Kaiserin Elisabeth zu besuchen.

Und so begegneten sich einmal die Kaiserin und die Schratt. Niemand hat das Geheimnis enträtselt, das die zwischen den beiden Frauen rasch geschlossene Freundschaft umgab. Fühlte die einsame Kaiserin, die fern vom Hof ihrem Freiheitsdrang lebte, leise Reue, den Gatten so allein gelassen zu haben? War sie der Frau dankbar, die einen Schimmer von Lebensfreude in das einförmige Grau des Hoflebens brachte?

Es kam der Tag, da Kaiserin Elisabeth die Freundin rufen ließ, um dem Kaiser die furchtbare Botschaft zu überbringen: Sein einziger Sohn, der Thronfolger, hatte seinem Leben ein Ende gemacht. Und neun Jahre später, als die Ermordung der Kaiserin Elisabeth dem Kaiser den Schmerzensschrei entriß: »Mir bleibt nichts erspart!« war es wieder Kathi Schratt, die ihm tröstend zur Seite stand.

Mehr denn je benötigte der Kaiser die Atmosphäre der geselligen Zerstreuung, die ihm allein das Heim der Freundin bot. Aus diesem Haus war nicht nur die Politik verbannt, sondern gewissermaßen auch der Geist. Die heroischen Kämpfe um eine neue Kultur, deren Schauplatz Wien war, die Erneuerung der Dichtung, der bildenden Künste, der Musik wurden in der Schrattvilla einfach ignoriert.

Und wieder kam ein Tag des Grauens für das Geschlecht der Habsburger: der Tag von Sarajewo. Diesmal hatte es Kathi Schratt nicht so schwer mit dem Kaiser. Es war 1914 in Ischl, während des kaiserlichen Sommer-Séjours. Graf Paar, der Oberkämmerer, erstattete dem Kaiser Meldung.

Als er die Nachricht von der Ermordung des Erzherzogs Franz Ferdinand überbracht hatte, verließ er – so wußte es sofort ganz Ischl – lächelnd und beflügelten Schritts die Kaiservilla und eilte zur Schratt, um auch ihr die Trauerkunde zu überbringen.

Mit ihrer oft grausamen Rücksichtslosigkeit, die selbst ein dreißigjähriges Wissen um höfische Sitte nicht zu mildern vermocht hatte, nahm die Schratt

11 Gustav Klimt

12 Alma Mahler-Werfel 13 Max Burckhard

14 Gustav Mahler 15 Franz Werfel

Stellung: »Jetzt wird er ihn nicht mehr quälen können. Es war ja schon nicht mehr zum Aushalten! Erbarmungslos hat er dem alten Herrn Szenen gemacht. Und als der Leibarzt Dr. Kerzl gebeten hat, man solle ihn nicht aufregen, hat es der Thronfolger justament darauf ankommen lassen. Damit den Kaiser der Schlag trifft. Glauben Sie, Graf Paar, ich wüßte nicht, daß, so oft der Kaiser einen Schnupfen gehabt hat, die Herrschaften oben im Belvedere Bittmessen haben lesen lassen – daß er nicht gesund wird?«

Abends kam der Kaiser zum Diner, gut gelaunt, verjüngt. Niemand ahnte, daß diese vermeintliche Befreiung von einem Alpdruck das Vorspiel zu Österreichs Untergang war.

Vergreist, erschöpft, der Welt kaum mehr gewahr, starb Kaiser Franz Joseph 1916. Ein junger, unerfahrener, nie zum Herrscheramt erzogener Offizier wurde sein Nachfolger[3]. Dem Armen war eine unerträgliche Last aufgebürdet: er sollte gutmachen, was andere versäumt hatten. Er sollte Völker versöhnen, die längst entzweit waren. Selbst einem Genie wäre das nie gelungen. Kaiser Karl war ein strebsamer, braver, ehrlicher Mensch. Und gütig. Als die versammelte kaiserliche Familie das Bett des toten Kaisers umstand, trat Kaiser Karl ein und führte Frau Schratt am Arm. Sie nahm von ihrem Kaiser Abschied, als wäre sie ein Familienmitglied. Und niemand hätte gewagt, diesen letzten Gruß der Frau Schratt als ungebührlich zu bezeichnen.

SCHWEIZER TAGEBUCHBRIEFE
1917/18

Mme. Paul Clemenceau, Paris

Liebste! Diese Aufzeichnungen werden vielleicht nicht so bald in Deine Hand gelangen, obwohl wir nicht weit voneinander entfernt sind. Aber der Krieg wandelt ja Grenzen in Abgründe.

Immerhin: Auch die Macht des Krieges ist begrenzt. Die Harmonie verwandter Geister vermag er nicht zu zerstören. Wir sind wenigstens so weit, daß Freunde unseren Briefwechsel ermöglichen. Freilich können auch wir uns nur durch Anspielungen in einer Art Chiffresprache über das Notwendigste verständigen. Was aber den Reiz spontaner und konstanter Fühlungnahme ausmacht, Schilderungen von Menschen und Begegnungen, muß unausgesprochen, vielmehr ungelesen bleiben. Aber nicht ungeschrieben.

Denn ich habe mir vorgenommen, meine Schweizer Eindrücke für Dich festzuhalten.

Wer hätte gedacht, daß ich nach unserem letzten Zusammensein im Mai 1913 in Paris den Grafen Harry Kessler[1] als deutschen Offizier in Zürich wiedersehen würde? Ihn, den bedeutenden und kultivierten Kosmopoliten, der seine Jugend in Frankreich und England verbracht hat. Ihn – den mütterlicherseits enge verwandtschaftliche Beziehungen mit beiden Ländern verbinden. Seine von ihm so geliebte Schwester ist mit dem Marquis de Brion verheiratet. Viele Eurer Freunde kannten ihn kaum als Deutschen.

Ich kam Anfang Januar 1917 in Zürich an und stieg im Hotel Baur au Lac ab. Bald erhielt ich den Besuch des Dirigenten Oskar Fried[2]. Ich hatte ihn seinerzeit bei Dir in Paris kennengelernt. Er ist ein Sonderling, ein genialischer Mensch, dem aber zum Genie das Entscheidende fehlt.

»Ich komme als Abgesandter von Graf Kessler«, sagte er. »Sind Sie zu müde, heute abend mit ihm zu dinieren? Er ist, wie Sie wissen, zum Chef der deutschen Kunstpropaganda in der Schweiz ernannt und hat nun erfahren, daß Sie seine österreichische Kollegin sind.«

»Ja. Doch werde ich dies auf meine Art tun, und ich sage offen, daß sie nicht sehr kollegial sein wird. Es mag für den Krieg notwendig sein, Schulter an Schulter zu kämpfen ... Aber ich erachte es für Österreichs geistige

Unabhängigkeit als unabweislich, seine eigene geistige Kultur energisch zu betonen.«

»Verbündete können sich bekanntlich selten ausstehen. Wie ich Kessler kenne, werden Sie ihm als Konkurrentin nur interessanter sein. Darf ich Sie Punkt sieben Uhr abholen? Ich mache Sie allerdings darauf aufmerksam, daß dieses Diner streng geheim bleiben muß. Kessler wird von beiden Seiten überwacht. Wir treffen ihn daher ganz unauffällig im Restaurant.«

Ich kannte Kessler seit Jahren. Was uns verband, war das gemeinsame Erlebnis der Moderne, deren enthusiastischer Förderer er war, und unsere gemeinsamen Pariser Freunde. Ein Interview, das ich im Mai 1914 mit ihm machte, galt der Erstaufführung der »Josephslegende«, die er gemeinsam mit Hofmannsthal für Richard Strauss[3] geschrieben hatte. Diaghilew[4] und das herrliche russische Ballett in der Pariser Oper ... Richard Strauss am Dirigentenpult. Kessler hatte mich zu einer Hauptprobe mitgenommen, die ungemütlich verlief.

Es war, als habe ein herbstlicher Schauer die schöne Stimmung internationaler Kunstsolidarität angeweht. Schuld daran trug Richard Strauss. Er war mit dem Orchester nicht zufrieden, klopfte alle paar Takte ab. Seine Nervosität teilte sich den Musikern mit. Plötzlich brach Richard Strauss mitten in einem Takt ab und rief zornig:

»Vous jouez comme des cochons!«

Totenstille. Kessler und Hofmannsthal waren außer sich. Diaghilew, als Diplomat ebenso groß wie als Künstler, holte Richard Strauss vom Pult, verschwand mit ihm, kehrte bald darauf zurück und überbrachte eine Entschuldigung von Strauss. Er bewog die tief gekränkten Musiker, die Probe fortzusetzen. Ich aber hörte einen Primgeiger zu seinem Nachbarn sagen:

»On lui revaudra cela. Un de ces jours. Quand les canons seront l' orchestre qu' il ne dirigera pas cette fois-ci[5].«

Das mir angegebene Restaurant ist der Rendezvous-Ort der internationalen Gesellschaft, die jetzt aus der Schweiz das Zentrum des diplomatischen Krieges macht. Ich bin noch ein Neuling in dieser Unterwelt der Überlistung, der Spionage und Angeberei.

»Begrüßen Sie Kessler nicht sofort«, rät Fried, dem es offenbar kindische Freude macht, diese Conan-Doyle-Atmosphäre zu atmen. »Warten Sie, bis er Ihnen ein Erkennungszeichen gibt.«

Mein Blick gleitet über viele unbekannte Gesichter und bleibt an einem Tisch haften, der sich von allen anderen unterscheidet. Er ist mit herrlichen roten Rosen geradezu übersät. Nur noch die Gedecke sind dazwischen zu sehen. Just von diesem auffälligen Tisch erhebt sich Graf Kessler und begrüßt mich herzlich. Aller Augen sind auf uns gerichtet.

»Ich dachte«, sagte ich lachend, »daß unsere Begegnung streng geheim bleiben soll? Und nun empfangen Sie mich in so auffallender Art?«

»Wenn mir die Auszeichnung zuteil wird, einen besonderen Gast zu begrüßen, jage ich alle Vorsicht zum Teufel. Blumen sind die Sprache meiner Diplomatie. Diese Rosen drücken den Wunsch nach einer kameradschaftlichen Zusammenarbeit aus.«

Am nächsten Tag fuhr ich nach Bern; dort will ich ja vor allem Fuß fassen; die Botschafter residieren in Bern, und von hier aus flattern alle geheimen Berichte in die Metropolen der kriegführenden Mächte. Meine Tarnung ist gut gewählt, denn mein Ruf als Kunstkritikerin hat ja die österreichischen Behörden dazu bestimmt, mir die Kunstpropaganda anzuvertrauen. Vorläufig ahnt niemand, daß ich diesen Vorwand um einer ganz anderen Aufgabe willen gewählt habe.

Los von Deutschland! ist der Gedanke, dem ich zum Durchbruch verhelfen will. Denn nicht nur mir, vielen echten Österreichern ist nach drei Jahren gemeinsamen Kampfes klar, daß, ob nun Deutschland siegen oder unterliegen wird, ein dem Reich versklavtes Österreich ins Verderben stürzen wird. Du machst Dir keine Vorstellung von der brutalen Arroganz, mit der diese von imaginärer Größe trunkene Nation das österreichische Volk, seine Armee, seine Leistungen offen verhöhnt. In der Schweiz wird ein Österreicher überall mit demonstrativer Herzlichkeit empfangen; die gezwungene Höflichkeit den Deutschen gegenüber steht dazu in krassem Gegensatz.

Los von Deutschland! So lange noch Zeit ist. Mit diesem heimlichen Vorsatz habe ich gestern in Bern die österreichische Botschaft betreten. Ich gab Empfehlungsschreiben ab und wurde vom ersten Legationsrat empfangen: er war höflich, aber uninteressiert. Kunstpropaganda gilt als quantité négligeable. Nur politische Agenten spielen eine Rolle.

Mir ist es sehr recht, gering eingeschätzt zu werden, denn der Militärattaché, ein gestrenger Herr, wacht darüber, daß ja kein Österreicher, der die Schweiz betritt, Friedenswillen kundgibt. Aber wie immer kann man auf die Blindheit der offiziellen Diplomatie vertrauen.

Einige Tage später.

Diese für mich bequeme Anonymität ist leider gestern bedroht worden. Ich sitze mit Jeanne, meiner Gesellschafterin, im Restaurant. Mein Tisch steht am Fenster, sodaß ich die Straße überblicken kann. Plötzlich sehe ich unseren ersten Legationsrat in Windeseile und sichtlich erregt über den Platz kommen. Schon steht er vor mir: ein ganz anderer als neulich.

Er verbeugt sich und flüstert mir zu: »Gnädige Frau! Ich habe die Ehre, Ihnen ein Schreiben zu überbringen ... Ein Schreiben mit dem großen Staatssiegel.«

Nur ein persönlicher Brief des Außenministers trägt dieses Siegel.

Ich öffne das Schreiben. Es enthält die Mitteilung, daß ich berechtigt bin, meine Briefe unzensuriert an meinen Bruder nach Wien zu senden. Selbst der Botschafter – so heißt es – hat in meine Korrespondenz nicht Einsicht zu nehmen. Nun kann ich ungehindert mit meiner Arbeit beginnen.

Jetzt bin ich schon vier Wochen in Bern. Meine schönste Begegnung ist die mit Annette Kolb[6]. Du liebst ja auch ihren seltsamen und bedeutenden Roman »Das Exemplar« ... Eine Frau, die mit so viel zarter Einsicht nicht nur Seelen entschleiert, sondern auch jene Eigenheiten, die den Begriff »Volk« prägen, ist gerade jetzt dazu berufen, in Erscheinung zu treten!

Auf die Gefahr hin, indiskret zu sein, habe ich ihr geschrieben. Es kam keine Antwort. Sie kam selbst.

Sie hat die Allüren einer Grande-Dame. Eine lange, hagere, vornehme Gestalt. Ein knochiges, wie von einem Holzschnitzer des Mittelalters geformtes, ungewöhnliches und kühnes Gesicht! Dabei eine legere Art, die vorgeschriebene gesellschaftliche Riten verachtet.

Wir sind Leidensgenossinnen. Sie allerdings ist noch unmittelbarer betroffen als ich. Ich bin nur die Schwägerin eines Franzosen, sie ist Tochter einer Französin. Ihr Vater ist Deutscher, ihre Schwester mit einem Iren verheiratet.

Bis 1914 lebte Annette in München, Paris und London. Ihre Arbeit bindet sie an die deutsche Sprache. Dessen wurde sie, die Kosmopolitin, sich erst bewußt, als der Krieg an die Menschen die Forderung stellte, ihre Blutkörperchen zu zählen, ob nicht einige fremdländischen Ursprungs wären.

Es ist der Kolb ins wahrhaftige, strenge Gesicht gemeißelt, daß sie zu den Unnachgiebigen zählt.

Sie hat das Kriegsgesetz mit Füßen getreten. Ihre Aufgabe ist vorgezeichnet. Während Deutsche und Franzosen einander töten, arbeitet sie schon an der Versöhnung der Völker.

Die erste Gelegenheit hierzu ergriff Annette in Dresden. Ich glaube, es war 1915. Damals wohnte sie einer vaterländischen Versammlung bei. Als einer der Redner die »Lügenkampagne« der feindlichen Presse als charakteristisch für die französische Wesensart bezeichnete, stand Annette auf, bestieg die Tribüne und begann zu sprechen. Auch sie beschuldigte die Presse, mit ihrer Hetzpropaganda unendlichen Schaden anzurichten. Der Schluß ihrer Rede lautet:

»Ich kann es nicht hinnehmen, daß allein die französische Presse gebrandmarkt wird, denn die deutschen Zeitungen gehören genauso auf die Anklagebank. Auch sie predigen Haß; auch sie verzerren die Wahrheit, um unsere Vernunft noch mehr zu verwirren.«

Sie hörte wohl Unruhe, aber sie hielt bis zum Schluß stand. Dann stürmte die Menge in sinnloser Wut die Tribüne. Die mutige Frau war in Gefahr. Freunde retteten sie. Jetzt ist sie in Bayern, sammelt Gleichgesinnte um sich, schreibt im »Journal de Genève« und sagt dort zugleich Franzosen und Deutschen die Wahrheit.

Einer ihrer Freunde, der ihre Kampfmethoden nicht billigt, sagte mir gestern: »Schließlich wird die Ärmste zwischen zwei Stühlen sitzen.« Der Gute scheint nicht zu fühlen, daß es in gewissen Situationen keine größere Ehre gibt, als zwischen zwei Stühlen zu sitzen.

Wir sehen uns beinahe täglich, wenn sie oder ich nicht für einige Tage den Ort wechseln. Oft fährt eine von uns nach Zürich, Genf, Basel ... Begegnen wir uns wieder, so stellen wir einander keine Fragen. Es ist ein ungeschriebenes Gesetz der in der Schweiz wirkenden Friedensfreunde, daß jeder für sich allein seinem Ziel zustrebt; es ist ja nicht ungefährlich. Annette liebt es ganz besonders, sich in Geheimnisse zu hüllen, nur spielt ihre sprichwörtliche Zerstreutheit ihr so manchen Streich.

Gestern rief sie mich an, nachdem sie von einer Reise heimgekehrt war, und sagte:

»Guten Tag, Bertha. Bist du gut zurückgekommen ...? Ah, nein ... Ich bin ja zurückgekommen!«

Denk Dir ein Gegenstück zu Romain Rolland[7], zu diesem mutigen Kämpfer, der es auf sich genommen hat, sein Land zu verlassen, weil er den Krieg verdammt, den Begriff »Feind« leugnet. Romain Rolland, den ich nächstens in Genf treffen werde, schien mir bisher der einzige große Dichter, der sich in dieser Zeit seines hohen Amts bewußt ist.

Und plötzlich steht ein Deutscher neben ihm: Neben Romain Rolland – Fritz von Unruh[8].

Kessler hatte mich gebeten, den eben dem Schützengraben entronnenen jungen Dichter, der hier in einer Klinik liegt, zu besuchen. »Denn«, so sagte er, »sein Schicksal ist tragisch. Ich will Ihnen von ihm erzählen.«

Ich erfuhr folgendes: Die Familie Unruh ist ein Junkergeschlecht. Unruhs Vater war General und erzog seine Söhne im Geist Friedrich des Großen.

Fritz von Unruh wurde als Junge der Spielkamerad des deutschen Kronprinzen. Er wuchs in spartanisch strenger militärischer Zucht auf. Doch wie aus Zöglingen von Jesuitenschulen Verkünder revolutionärer Ideen hervorgehen, so entzündete sich auch in Unruhs Seele die Abwehr gegen das Erbe des Junkertums.

Aus solchen inneren Kämpfen entstand sein Erstlingswerk, das Drama »Offiziere«. Es enthüllt Verbrechen, begangen an Eingeborenen, denen der sogenannte Segen der Kolonisation aufgezwungen werden soll. Sadismus, das ungewohnte tropische Klima und diktatorischer Größenwahn bringen die Deutschen zu unbeherrschter Grausamkeit. Unruh hat hier Gestalten von erschütternder Eindringlichkeit geschaffen.

Dann aber kam der Krieg. Der natürlichen Reaktion eines ritterlichen jungen Menschen, der sein Vaterland liebt, entsprach sein spontaner lyrischer Patriotismus. Unruh wurde als wiederaufgestandener Kleist gepriesen. Als er den Krieg jedoch nicht mehr »dachte«, sondern erlebte, als er sah, wie das gegenseitige Morden als tägliches Geschäft abgewickelt wurde, als er den Gegner nicht mehr zu hassen vermochte, schrieb er im Schützengraben das Epos »Vor der Entscheidung«. Die dramatischen Szenen gipfeln in der Begegnung des »Weißen Dragoners« (Unruh) mit Kleist. Schauplatz ist die Gruft der Hohenzollern. Und der weiße Dragoner, den man übereilig als Nachfolger von Kleist begrüßt hatte, enthüllt sich ihm als unerbittlicher Gegner. »In Staub mit allen Feinden Brandenburgs!« Dieser nationalistisch-imperialistische Schrei ist nach Unruhs Weltanschauung eine Gefahr für sein Land.

Verräterische Hände übergaben das Manuskript dem General. Unruh schien verloren. Da griff der Kronprinz, der sich des einstigen Gefährten erinnerte, ein, und daß Unruh mit eiternden Wunden im Feldspital lag, erleichterte die Rettungsaktion. Der Schwerkranke wurde in die Schweiz gebracht.

Wohin ist der Alltag entschwunden, dessen Verlauf wir uns vorzuschreiben pflegten, die Sicherheit, über jede Stunde nach eigenem Ermessen verfügen zu können? Es gibt keinen Alltag mehr.

Und doch kann ich es nicht lassen, einen Plan für den nächsten Tag in mein Notizbuch einzutragen.

So überflog ich auch gestern beim Frühstück dieses mein Tagesprogramm. Vormittags werde ich in unsere Botschaft gehen, um mir den Diplomatentratsch anzuhören. Danach Déjeuner mit Annette Kolb, also eine erfreuliche Stunde. Nachmittags habe ich einige Journalisten zum Tee. Der Abend aber gehört mir. Für einen Augenblick vergesse ich das Ungewöhnliche, das vielleicht auf mich lauert ... Und schon klingelt das Telefon. Anruf aus Thun. Die Gräfin B., die ein wundervolles Schloß am Thunersee bewohnt, Eure gute Freundin, will mich sprechen.

»Ich erwarte Sie. Es ist Post gekommen, von der Schneiderin aus Genf.«

Die Schneiderin aus Genf ist das Chiffrewort, das Dich bezeichnet, also heißt es, Annette absagen. Ich lasse die österreichische Botschaft fallen, denn der Zug geht um elf Uhr. Den Tee sage ich ab ... Eins nur bleibt mir: der Abend.

Ein wundervoller Tag. Vom Altan des Schlosses blickt man über den See, auf die herrliche Gletscherkette des Mont-Blanc-Massivs. Dort sitze ich und lese Deine guten Zeilen. Sie atmen Zuversicht, und wieder sind mir die Tage gegenwärtig, die wir unlängst heimlich miteinander in Vevey verbracht haben. Es ist mir jetzt möglich, mich mit ein bißchen Phantasie ganz in die Situation zu versetzen, die Du mir geschildert hast. Wie schön von der Gräfin Greffulhe, mit Euch im Bund die österreichische Friedensaktion zu unterstützen! Nie werde ich es Painlevé[9] vergessen, daß er ungeachtet seiner exponierten Stellung als Kriegsminister an Euren Zusammenkünften teilnimmt und daß es ihm gelungen ist, Ministerpräsident Ribot von der Notwendigkeit seiner Politik zu überzeugen, deren Ziel es ist, Österreich von Deutschland zu lösen.

In mir ist jetzt eine Stille, eine Zuversicht, eine reine Hoffnung, wie sie meine pessimistische Natur selten kennt.

Eben werde ich zum Telefon gerufen. Eine unbekannte Männerstimme, die korrekt französisch spricht, doch mit Akzent. Er stellt sich als Mitarbeiter der Wiener Werkstätte vor und ersucht um einen Termin.

Ich antworte, daß ich um sechs Uhr im Hotel sein werde. Ein leichtes Zögern; dann die seltsame Bitte, ob er nicht erst nach dem Diner kommen dürfe. Die Wahl der ungewöhnlichen Stunde würde er mir dann erklären.

Natürlich wirft das die letzte Nummer meines Programms um. Der schöne stille Abend!

Ich warte bis halb zehn Uhr. »Nein«, sage ich zu Jeanne, »jetzt gehe ich schlafen. Sagen Sie dem Portier, daß ich nicht mehr empfange.«

Im selben Augenblick fährt der Lift herauf. Jeanne öffnet die Tür, um zu sehen, ob es uns gilt. Ich erblicke einen hochgewachsenen Mann mit Schlapphut und weitem Mantel, dessen Kragen aufgestellt ist. Erst nachdem er eingetreten ist, nimmt der fremde Herr den Hut ab und verbeugt sich. Es ist der deutsche Botschafter.

Ich kenne ihn nur vom Sehen. Manchmal haben wir im Hotel Bellevue, er am deutschen, ich am österreichischen Diplomatentisch, gegessen. Nun merke ich, daß der Botschafter zu der sehr seltenen Spezies des schüchternen, unsicheren Deutschen gehört, nicht zu der arroganten Art. Zögernd beginnt Graf Romberg zu sprechen!

»Darf ich Sie bitten, meinen Besuch als streng vertraulich zu betrachten? Ich unternehme diesen Schritt nicht als Botschafter, sondern als Privatmann und in vollem Vertrauen zu Ihnen, da mir Ihre Verläßlichkeit gerühmt wird.«

»Es ist wohl Graf Kessler, Exzellenz, der seiner österreichischen Kollegin dieses gute Zeugnis ausstellt?«

»Gnädige Frau, wir sind doch Bundesgenossen! Eine Aussprache könnte manches klären. Von einer befreundeten Dame habe ich gehört, daß Sie in Ouchy – daß Sie mit einer Verwandten, die aus Paris – daß Sie im gleichen Hotel gewohnt haben.«

»Trägt diese Dame nicht einen blonden Vollbart? Hat sie nicht Hosen an? Ich erinnere mich an einen Hotelgast, der jedem geübten Auge sofort als Detektiv auffällt. Ich kenne den Herrn recht gut, er verläßt mich selten.«

Der Botschafter ist humorlos. Anstatt mein Lächeln zu erwidern, sieht er bestürzt drein. »Ich habe es nicht gewußt ...«

»Es ist auch gleichgültig. Das gehört nun einmal dazu.«

»Gnädige Frau ... So wie Sie, gehöre auch ich der Friedenspartei an. Sie hat augenblicklich Erfolge zu verzeichnen. Denn auch die führenden Kreise in Deutschland ...«

»Ich weiß ... Michaelis soll ernannt werden.«

»Morgen fahre ich nach Berlin. Ich soll berichten, ob drüben in Frankreich eine gleichartige Friedenswelle wahrzunehmen ist. Nicht alle Mitteilungen unserer Agenten fließen aus ganz verläßlichen Quellen. Niemand war so wie Sie imstande, einer Persönlichkeit nahezukommen, die gewiß vom Friedenswillen beseelt ist.«

»Exzellenz, Sie werden verstehen, daß kein Laut über meine Lippen käme, selbst wenn ich irgendwie über Frankreichs Friedenswillen unterrichtet wäre, was nicht der Fall ist.«

»Sie mißverstehen mich. Ich frage nicht nach Tatsachen. Was ich erhoffte, war, Genaueres von dem seelischen Klima zu erfahren; ob dort führende Kreise die Atmosphäre vorbereiten, deren man bedarf, um dem Volk klarzumachen, daß für Frankreich nur ein Kompromißfriede möglich ist.«

»Wäre es nicht wichtiger, Exzellenz, wenn Sie sich vorher über das seelische Klima bei Ihnen zu Hause informieren würden? Was würde das deutsche Volk zum Abbruch eines Krieges sagen, dessen Endsieg doch allen so sicher scheint?«

»Allen? Nein. Ich scheue mich nicht zu gestehen, daß ich seit dem Eintritt der Amerikaner in den Krieg schwere Sorgen habe. Deshalb suche ich eine Verständigung in die Wege zu leiten. Ich bin ermächtigt, gewisse Vorschläge zu übermitteln. Sie leisten der Welt einen Dienst, wenn ...«

»Ich bin nicht in der Lage, Ihnen die geringsten Andeutungen zu machen. Meine Begegnung war rein familiärer Art.«

Der Botschafter schwieg sichtlich betroffen.

»Ist nicht bisher jede Friedensoffensive gescheitert?« fragte ich. »Darf ich ganz aufrichtig sein? Liegt das nicht an dem unüberwindlichen Mißtrauen, das jede Friedensgeste Deutschlands dem Gegner einflößt? Solange Ludendorff auch die Richtlinien der Politik bestimmt, wird jeder Annäherungsversuch als List gedeutet werden.«

»Eben deshalb wäre Österreich der ideale Vermittler. Schon wegen jener nationalen Eigenschaften, die ...«

»...die uns als liebenswürdiges, leichtfertiges Volk von Musikanten und Komödianten den Preußen verächtlich machen!«

»Wie ungerecht Sie sind! Uns kann man Loyalität nicht absprechen! Dagegen die heimlichen Zusammenkünfte in Freiburg ... Sie kennen gewiß den Grafen Erdödy?«

Ich zuckte nicht mit der Wimper und konnte wahrheitsgetreu antworten: »Einen Grafen Erdödy kenne ich nicht.« Daß Du mir schon in Ouchy erzählt hast, der Bruder der Kaiserin Zita, Prinz Sixtus, der in der französischen Armee dient, suche parallel zu unseren Bestrebungen einen österreichischen Separatfrieden in die Wege zu leiten und daß Erdödy vermittle – das ging den Botschafter wirklich nichts an.

Jetzt verstand ich auch seinen Besuch. Er hatte geglaubt, ich sei mit Sixtus-Erdödy im Bund. Es war die Angst vor einem österreichischen Separatfrieden!

UNTERGANG UND NEUBEGINN

12. November 1918 bis 1928

Ungefähr 50 Personen sind keuchend die Treppe heraufgekommen, drängen sich nun in meinem Vorzimmer. Frauen kreischen, einige fallen in Ohnmacht. Sie alle sind, als das Café gestürmt wurde, durch eine Hintertür in unser Treppenhaus entwischt und in den vierten Stock hinaufgeeilt, um sich weit genug von dem Straßentumult zu entfernen. So gut wie möglich mache ich Platz.

Dann aber, als die Leute ruhiger werden, kann ich mich trotz der tragischen Situation eines Lächelns nicht erwehren. Es sieht aus, als seien wir auf einem Volksball in der Vorstadt.

Baron H. ist kaum zu erkennen. Er trägt einen löchrigen Radmantel, einen verbogenen Jägerhut und zerfetztes Schuhwerk. Eine Dame der Hochfinanz, eine der elegantesten Frauen Wiens, ähnelt einer jener Grazien, die das Entree fürs WC einzukassieren pflegen. Wo hat sie nur so rasch die zerrissene Bluse und das schmutzige Kopftuch her? Ganz zu Haus in einem Lodenmantel fühlt sich nur der populäre Komiker. Er ist es, der mit immer bereitem Humor die Situation charakterisiert:

»Gut haben wir uns getarnt. A Baron bringt's zustand, wie ein Wasserer auszuschauen. Ich möcht den Wasserer sehen, der mir nix Dir nix an Baron vorstellen kann.«

»Ministerium des Äußeren . . .«

»Baron Wiesner. Gnädige Frau, es ist angesichts der Lage gerade in Ihrem Viertel ein seltsames Ansuchen, das ich an Sie stelle. Würden Sie es wagen, in einer Stunde die kurze Strecke bis zum Ballhausplatz zurückzulegen? Ein Polizist würde Sie begleiten.«

»Wenn es sein muß. Ist es unaufschiebbar?«

»Ja, es geht um das Schicksal Wiens.«

»Ich komme, auch ohne Polizisten.«

In meinem Buch »Fünfzig Jahre Weltgeschichte« habe ich diese Episode gestreift und von dem Brief erzählt, den ich an Metternichs Schreibtisch Georges Clemenceau schreiben mußte. Der letzte kaiserliche Kurier ging um

Mitternacht in die Schweiz. Er sollte den Brief, der Wiens verzweifelte Lage schilderte, nach Bern bringen, um ihn dem französischen Botschafter Dutasta zu übergeben.

Dieser Brief war nur die Einleitung einer intensiven Kampagne, denn als sich die Sozialisten am Ballhausplatz eingerichtet hatten, baten sie mich, weiter mit Clemenceau in Verbindung zu bleiben, um Frankreichs Hilfe zu erlangen. Die verhungernde Stadt wäre sonst unweigerlich dem Bolschewismus ausgeliefert gewesen.

In den folgenden Monaten gelang es der republikanischen Regierung jedoch, den in Budapest und München bereits aufflammenden Bolschewismus von Wien fernzuhalten.

Ignaz Seipel[1] habe ich in einem für Österreich entscheidenden Augenblick kennengelernt. Ich habe ihn an der Arbeit gesehen und die Kälte seines überlegenen Wesens teils bewundert, teils mit innerer Abwehr empfunden.

Nichts Mönchisches verwischte die harten Konturen seines Gesichts. Eiserne Ruhe, hinter der versteckte Wachsamkeit lauerte, offenbarte den in geistlicher Zucht groß gewordenen Diener Roms. Denn der große Patriot war vor allem »Römer«. Dies mag auch der Grund für seine Unpopularität gewesen sein. Das Volk anerkannte den aufopferungsvollen Willen des Bundeskanzlers, Österreich in Bahnen des Gedeihens zu führen, aber es blieb ihm im Innersten fremd.

Ignaz Seipel besaß in hohem Maß die hervorragendste Eigenschaft eines großen Politikers: Instinktsicherheit. Dadurch war es ihm gegeben, sich in dem Chaos des Nachkriegs-Europa zurechtzufinden. Sein Leitgedanke war: abwarten! Das vorsichtige Wägen, die genaueste Abschätzung aller in Betracht kommenden Kräfte. Das Konstante an ihm war die unerschütterliche Weltanschauung: antiliberal, antikapitalistisch und, wenn auch vorsichtig verhüllt, habsburgisch.

Das alte Österreich in neuer Form auferstehen zu lassen, durch die Wiederanknüpfung zerissener Bande mit Böhmen und Ungarn das wirtschaftliche Gleichgewicht herzustellen – dies waren die Richtlinien der Seipel'schen Politik.

Gottfried Kunwald[2] besaß die gründlichste Weltkenntnis und war doch in mancher Hinsicht weltfremd. Er beherrschte alle finanziellen Probleme der europäischen wie der überseeischen Märkte. Die Kenntnis dieser Materien wurde durch eine beinahe romantische, reiche Phantasie besonders produktiv. Seine Kombinationen gingen weit über die Grenzen seiner Tätigkeit als Anwalt hinaus und gewannen, wie sich nach Österreichs Katastrophe herausstellte, europäische Bedeutung. Allein ein physisches Gebrechen engte diese vulkanische Natur ein.

Als ich ihn auf seine Bitte das erstemal besuchte, ließ man mich in einem etwas verwahrlosten Vorraum warten. Er enthielt ein zerschlissenes Sofa, einen tintenfleckigen Schreibtisch und einen mächtigen Telefonschrank, vor dem der diensthabende Sekretär saß. Plötzlich ertönten zwei schrille Signale. Wie von der Tarantel gestochen fuhr der Diensthabende auf. Grüne und rote Lichter zuckten, der Sekretär lauschte, dann stellte er eine Verbindung her.

Tiefes Schweigen. Der Diensthabende sank in seine Regungslosigkeit zurück. Dann läutete es wieder. Diesmal waren es drei schrille Zeichen. Das bedeutete: eintreten lassen!

Ich hatte zwanzig Minuten auf dem zerschlissenen Ledersofa gewartet und war recht ärgerlich. Damals fehlte mir noch die Erfahrung, die selbst hochgestellte Persönlichkeiten machen mußten, wenn sie mit Kunwald Rendezvous hatten, denn ein Übermaß an Arbeit führte dauernd zu Verschiebungen in seiner Tageseinteilung.

Er saß am Ende eines langen Tischs. Seinen überaus kräftigen Oberkörper umhüllte ein schwarzer Talar. Aus dem kurzen Hals wuchs der mächtige Kopf. Das unschöne, aber imponierende Gesicht umrahmte ein Franz-Josephs-Bart.

»Ich kann Sie nur sitzend empfangen, ich bin ein Krüppel«, sagte Kunwald jovial, ohne jede Wehleidigkeit.

Bis zu seinem dreißigsten Jahr war er, obwohl die kurzen Beine stets im Mißverhältnis zu dem schweren Oberkörper standen, Bergsteiger gewesen. Er liebte das Wandern über alles. Aber für seine Wirbelsäule war das zuviel. Eines Tages mußten die Beine in Schienen gesteckt werden, Krücken unterstützten die schwankenden Schritte, und bald folgte vollständiges Versagen.

Man könnte meinen, daß sich von nun an das Leben dieses Gelähmten in klösterlicher Einsamkeit abgespielt hätte, doch Kunwald riß das Leben kühn an sich.

Er wurde Anwalt von internationalem Ruf. Er stand mit allen Ständen, Berufen, Nationen, mit allen politischen Parteien in engem Kontakt, und in seiner herrischen, keinen Widerspruch duldenden Art betrachtete er die Welt als ein großes Schachspiel, das er als Meister beherrschte. Manche Partien hatte Kunwald so gewonnen, manche verloren — die letzte gegen Hitler. Und da machte er, der stolze, fanatische Österreicher, seinem Leben ein Ende.

Weltkundig und doch weltfremd. In diesen Gegensätzen lag die Tragik dieses weitwirkenden und doch oft an der Schwelle der Erfüllung versagenden Genies beschlossen. Die physische Beeinträchtigung erschwerte trotz übermenschlicher Willenskraft die Beziehungen zur Außenwelt. Kunwalds Diener und Chauffeur waren dazu abgerichtet, den schweren Körper in einem Tragsessel treppauf, treppab zu tragen und ins Auto zu schieben. Auch im strengsten Winter war es ein offenes Auto. Darin fuhr Kunwald barhäuptig zu den Sitzungen der Nationalbank, deren Beirat er war. Er war eine der populärsten Figuren Wiens. Stets umlagerten Neugierige das Auto, wenn Kunwald von seinem Diener in den Tragsessel gehoben wurde. Stoisch, mit gleichgültiger Miene, als sei das alles ein natürlicher Vorgang, kommandierte er: »Vorwärts, hopp . . .!« Und gleich einem Fürsten entschwand er hocherhobenen Hauptes den Blicken der Menge.

Als Seipel 1919 von Salzburg an die Wiener Universität berufen wurde, erweckten nationalökonomische Schriften Kunwalds des Gelehrten Interesse. Bald nach dem Sturz der Koalitions-Regierung wurde Seipel Bundeskanzler. Damit begann Kunwalds lang geheimgehaltener Einfluß auf den neuen Machthaber. Eine mystische Verbundenheit einte nun diese zwei Männer, deren Ziel die Rettung Österreichs war. Später, als nicht mehr verborgen bleiben konnte, daß der Politiker im Priestergewand viele Abende bei seinem gelähmten Ratgeber verbrachte, nannte man Kunwald nur mehr Seipels graue Eminenz.

»Die letzte Szene der Tragikomödie, die Seipel und ich gedichtet haben«, erzählte mir Kunwald, »hat ein Happy-End. Aber es war ein langer Weg. Sie sollen hören, wie wir im letzten Augenblick ein Vabanquespiel riskiert haben.

Österreich kann nur durch eine Bindung an Frankreich gerettet werden. Gelingt es, französisches Kapital für große Investitionen in Österreich zu gewinnen, kann unser Miniaturstaat zu einer Art Schweiz werden, wozu er durch seine geographische Lage, seine herrlich bunte Landschaft und seine kulturelle Genialität prädestiniert ist.

Seipel hat dieses Problem, das ich aufgeworfen habe, lange studiert, schließlich meine Ansicht geteilt. Diese finanzielle Injektion wäre auch die stärkste Waffe gegen die Anschlußpropaganda.«

»Der ist nicht so leicht beizukommen.«

»O ja! Der materielle Aufstieg Österreichs hängt von der Beseitigung der Arbeitslosigkeit ab. Frankreich hat sich durch die Zertrümmerung Österreichs in die größte Gefahr begeben. Falls nämlich der Anschluß zustande käme, wäre dies eine mächtige Stärkung Deutschlands. Dies ist für Frankreich der Augenblick, seinen Fehler wiedergutzumachen, indem es Österreich finanzieren hilft. Es liegt in der menschlichen Natur, die darin der des Hundes gleicht, daß ein Knochen, der achtlos weggeworfen und von niemandem aufgelesen wird, plötzlich aber doch einen Anwärter findet, der ihn benagen will, Objekt des Interesses wird. Alle bisher Gleichgültigen stürzen sich auf diesen Knochen. Weil einer ihn aufgelesen hat, wollen ihn die anderen nun auch ... Mir ist während eines Gesprächs mit Seipel dieses Gleichnis eingefallen. Und da wußte ich auf einmal, was zu tun war.

›Sie müssen, Exzellenz‹, sagte ich, ›Frankreich aus seiner Lethargie wekken und darum versuchen, Frankreichs Konkurrenten zu interessieren: Italien ...!‹ Diese hingeworfene Idee hat gezündet. Schon am nächsten Tag kam Seipel mit einem fertigen Plan. ›Ich werde mich hüten‹, meinte er, ›durch Botschafter zu verhandeln. Das führt nur zu Verschleppung und Versandung. Es muß ein Theatercoup sein. Ein Bombenwurf, der Europa aufschreckt. Tiefstes Geheimnis ist die Gewähr des Erfolgs. Ich habe einen Brief konzipiert, den ich dem italienischen Minister des Äußeren per Kurier sende. Nicht einmal mein Sekretär bekommt ihn in die Hand ... Ich biete an, nach Italien zu kommen und den Minister an einem ihm genehmen Ort zu treffen.‹ – ›Exzellenz‹, sagte ich, ›nichts wird Italien erwünschter sein, als das verhaßte und vielbeneidete Frankreich, dessen Sieg es nur zähneknirschend hinnimmt, zu überflügeln ...‹ Und so kam es, daß eines Tages in der Weltpresse die Nachricht einschlug: Der österreichische Bundeskanzler Seipel ist in Verona eingetroffen und führt dort Gespräche mit dem italienischen Minister des Äußeren ... Das Weitere wissen Sie. Acht Tage später beantragte Frankreich in Genf eine Völkerbundanleihe zur Stützung der österreichischen Staatsfinanzen, und sie wurde bewilligt. Damit ist der Inflation Einhalt geboten.«

»Kunwald hat verschiedene Projekte ausgearbeitet«, sagte der Bundeskanzler, »die für die französische Hochfinanz von Interesse sein könnten. Dazu ist zunächst eine wohlwollende Empfehlung der französischen Regierung notwendig, hauptsächlich des Finanzministeriums. Österreich besitzt noch Industrien von großem Wert.«

»Besonders für Frankreich«, fügte Kunwald hinzu. »Ich habe bereits einige Optionen in Händen.«

»Ich kenne den jetzigen Finanzminister nicht«, erwiderte ich. »Und mit Briand[3] stehe ich kaum in Kontakt. Allerdings wäre es mir leicht, eingeführt zu werden, aber das ist nicht dasselbe ...«

»... Wie bei Ihrem Freund Painlevé. Er hat uns bereits viele Zeichen seiner Sympathie gegeben.«

»Ich glaube, es wäre besser abzuwarten, ehe ich nach Paris fahre ...«

»Abwarten!« rief Kunwald ungeduldig. »Glauben Sie, daß Optionen auf Abwarten eingerichtet sind? Entweder Sie fahren jetzt, oder wir lassen unsere Pläne fallen!«

Zwei Tage später fuhr ich über den Arlberg.

Paris, 1925

Lieber Freund Kunwald!

Wie recht Sie hatten, mich anzuschreien, als ich »abwarten« wollte! Ich bin gerade im richtigen Augenblick gekommen. Das Ministerium Briand ist gestürzt. Painlevé wurde eben ins Elysée gerufen. Wenn es ihm gelingt, ein Kabinett zu bilden, so wird er morgen die Regierung übernehmen.

Dies schrieb ich Ihnen am Vormittag. Der Brief geht nun mit der wichtigsten Nachschrift ab.

Gegen Abend kam Painlevé zu meiner Schwester und meinem Schwager Clemenceau. Das Kabinett ist beinahe komplett, allerdings fehlt noch der wichtigste Mann, der Finanzminister. Plötzlich sagt Painlevé in seiner impulsiven Art: »Wissen Sie, wen ich vorschlagen werde? Caillaux[4]!«

Selbst mein Schwager, der selten seine Ruhe verliert, ist sichtlich frappiert. »Was? Caillaux?«

»Ja! Caillaux, den Ihr Bruder wegen Verrats vor den Obersten Gerichtshof bringen wollte! Caillaux, dem er einen Schandprozeß gemacht hat! Caillaux, der trotz völliger Rehabilitierung sein Exil in Manery nicht verläßt ... Caillaux ist der Mann, den ich brauche. Ein Finanzgenie, ein überlegter, kühler Kopf, ein brillanter Redner, ein Mann mit eisernem Willen.«

»Wird er einwilligen?« fragt meine Schwester, die im Prozeß gegen ihre Freundin Anne de Noailles den Mut gehabt hat, für Caillaux auszusagen.

»Sicher! Seinerzeit hat Clemenceau Piquard zum Kriegsminister ernannt, um das Unrecht an dem Mann, der Dreyfuß verteidigt hatte, wiedergutzumachen. Und ich möchte Caillaux von dem Druck befreien, der so lange auf ihm gelastet hat. Ich fahre selbst nach Manery!«

Noch diesen Abend fuhr Painlevé nach Manery und holte Caillaux. Das Kabinett wird sich morgen der Kammer vorstellen. Für uns, für Seipel und für Ihre Pläne ist es, als hätte eine Fee das alles arrangiert.

Zehn Tage sind um. Die ersten Abstimmungen in der Kammer brachten Painlevé eine starke Majorität. Caillaux wurde, als er, von Painlevé geleitet, auf der Ministerbank Platz nahm, stürmisch akklamiert. Jetzt, da Clemenceau nicht mehr der gefürchtete Diktator ist, sondern als enttäuschter alter Philosoph seine Rosen in der Vendée züchtet, jetzt begrüßt man den einst Verfolgten, mit dem man plötzlich wieder rechnen muß, aufs herzlichste.

16 Egon Friedell 17 Hermann Bahr

18 Otto Wagner 19 Josef Hoffmann

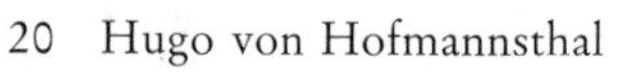

20 Hugo von Hofmannsthal 21 Stefan Zweig

22 Max Reinhardt 23 Maurice Ravel

Caillaux ist weiß wie die Wand. Er verneigt sich kalt, gemessen. Wer ihn kennt, weiß, daß er bereits jeden einzelnen, an dem er sich rächen wird, ins Auge gefaßt hat. Laberrie ist sein Kabinettschef geworden. Das ist der zweite Glücksfall für uns, Laberrie ist oft bei meinem Schwager. So habe ich bald Gelegenheit, meinen Wunsch, von Caillaux empfangen zu werden, vorzubringen.

Rue de Rivoli. Die mächtige Masse des Louvre. Mein Auto rollt durch das Tor des Flügels, in dem das Finanzministerium seinen Sitz hat.

Eine gerade ansteigende monumentale Treppe. Mein Herz klopft, aber nicht etwa, weil ich zu einem Minister gehe. Was meine schüchterne Natur schreckt, ist der Huissier: der mit der prangenden Silberkette geschmückte, autoritär und streng blickende Mann, der mächtiger ist als alle Chefs, denn sie kommen und gehen, er aber bleibt. Er weiß wie niemand anderer, wer respektvoll und wer abweisend zu empfangen ist. Er allein entscheidet darüber, ob man zehn Minuten zu warten hat oder eine Stunde. Weil Huissiers mir heillose Angst einflößen – und auch aus angeborenem Leichtsinn –, versuche ich, dem Huissier immer eine Zwanzigfrancsnote in die Hand gleiten zu lassen. Nicht einmal ein Schauspieler der Comédie Française erreicht die Grandezza, mit der dieser Silberbehängte seinen Obulus in Empfang nimmt. Niemals sieht man ihn in der Tasche verschwinden. Er zerstäubt sozusagen in der Luft, und nur an dem plötzlich beschwingten Schritt, mit dem er die Visitenkarte in das Heiligtum trägt, an dem vertraulichen Lächeln und den geflüsterten Worten: »Une petite minute, Madame...« ist die Wirkung der Injektion zu bemerken.

Caillaux kommt mir mit ausgestreckten Händen entgegen.

»Es ist mir ein Vergnügen, gnädige Frau! Sagen Sie bitte Ihrer Frau Schwester, daß ich ihre noble Haltung in meinem Prozeß nie vergessen werde. Dabei hat sie mich nicht einmal gekannt... Ich stehe Ihnen zur Verfügung, gnädige Frau.«

Ich lege Ihr Exposé auf den Schreibtisch, hinter dem Caillaux Platz nimmt. Ich sitze ihm gegenüber. Ein schmales, heftig gerötetes Gesicht. Der kahle Kopf, die nervös zuckenden Gesten wirken unsympathisch. Ein starrer Dünkel, dessen Ursache eiskalte Sicherheit ist, charakterisieren den seltsamen Mann, dessen Schicksal solche Höhen und Tiefen kennt.

»Ich werde das Exposé lesen. Vorläufig bitte ich Sie, mir kurz zu schildern, was Ihr Bundeskanzler von uns erwartet.«

Meine Antwort ist klar. Ich beherrsche ja das Thema. Caillaux macht sich Notizen, während ich spreche.

»Lassen Sie mir Zeit. Der Gedanke, daß ein von Frankreich finanziell unterstütztes Österreich die beste Abwehr gegen die Anschlußbewegung sein könnte, ist logisch. Es scheint mir möglich, ihn zu verwirklichen. Die Sympathien, deren sich Österreich auch jetzt noch erfreut, werden mir die Aufgabe erleichtern.«

Die Unterredung scheint zu Ende. Doch gelingt es mir, rasch noch hinzuzufügen: »Solche Worte des französischen Finanzministers dürfen auch in weiteren Kreisen nicht unbekannt bleiben. Um eine günstige Atmosphäre zu schaffen, möchte ich um die Erlaubnis bitten, Ihre Worte in Form eines Interviews in Wien zu veröffentlichen.«

Acht Tage später war mein Interview der Aufmacher des Neuen Wiener Journals. Unmittelbare Folge war Kunwalds Reise nach Paris. Ich führte ihn bei Caillaux ein, und der Finanzminister hatte die Ritterlichkeit, den unbeweglichen, verkrüppelten Mann, der von Dienern aus dem Auto gehoben wurde, unten an der Treppe zu empfangen und selbst hinaufzugeleiten.

Solche Gegensätze im Wesen eines harten, verschlossenen Charakters lassen den Ausspruch eines seiner besten Freunde verstehen:

»Niemand kennt Caillaux wirklich.«

Paris 1925

Lieber Freund Kunwald!

Nun sind Sie nach Ihrem Besuch in Paris wieder in Wien. Ich aber bleibe noch, weil mich unpolitische Dinge beschäftigen. Frankreich hat die Nationen zum friedlichen Wettstreit aufgerufen: Seit einem Monat macht die internationale Kunstgewerbeausstellung Paris zum Brennpunkt edlerer Interessen als rein materieller.

Zwischen den Champs-Elysées und dem Trocadéro bis zum Pont Alexandre entrollt sich an beiden Ufern der Seine eine Musterkarte der Kulturen und Zivilisationen. Sieben Jahre nach dem Weltkrieg bietet sich ein stolzes Bild menschlicher Regenerationskraft. Und das stolzeste Bild bietet — wer hätte dies für möglich gehalten? — das grausam amputierte, von seinen Produktionsquellen abgeschnittene Österreich.

Eine ritterliche Geste der Ausstellungskommission hat unser armes Land bei der Platzanweisung bevorzugt. Die Lage am Seine-Ufer gab dem Erbauer des österreichischen Pavillons, Professor Hoffmann, die Möglichkeit, sein besonderes Talent der Zusammenfassung in Erscheinung treten zu lassen. Schon in Rom, in Dresden, in Köln waren es Einheitlichkeit und Harmonie gewesen, die Österreich den ersten Preis einbrachten.

So kam es, daß sich das Publikum instinktiv zum österreichischen Pavillon hingezogen fühlte. Bald ist er zum beliebten Rendezvous-Ort geworden.

Ministerpräsident Painlevé und die Comtesse de Noailles halten hier Cercle. Alle Wienkenner unter den französischen Autoren fühlen sich nirgendwo wohler als hier. Für uns ist dieser Sturm der Sympathie bewegend. Vielleicht nicht ganz neidlose, aber anständige Gesinnung bekunden die großen und kleinen Nationen des umgestalteten Europa. Es gilt als selbstverständlich, Österreich die Palme zu reichen. Und – Sie werden staunen, die überraschendste Anerkennung kommt von seiten der Tschechoslowakei.

Vor einigen Tagen kam der Erbauer des tschechischen Pavillons, begleitet von ausstellenden Künstlern, zu Besuch.

»Wir sind noch immer vom Einfluß der Wiener Kunstgewerbeschule abhängig«, sagten sie. »Von ihr haben so viele von uns ihre Ausbildung erhalten. Wir bleiben dankbar. Wir vergessen die Stätte unserer Anfänge nicht. Und was Ihr Österreicher hier geleistet habt, ist einfach unübertroffen.«

EMIL ZUCKERKANDL
In memoriam

1888 wurde der junge Professor Emil Zuckerkandl aus Graz als Professor der Anatomie nach Wien berufen. Mit seinen 35 Jahren wurde er Nachfolger des berühmten Hyrtl.

Eines Tages verlangte ihn der Unterrichtsminister am Telefon zu sprechen. »Guten Tag, Herr Professor. Ich muß Ihnen leider etwas Unangenehmes sagen. Bei Ihrer Antrittsvorlesung scheinen Sie nicht sehr vorsichtig gewesen zu sein.«

»Nicht vorsichtig? Ich habe einen rein wissenschaftlichen Vortrag gehalten.«

»Ich weiß. Auch in der Wissenschaft liegen Gefahren; auf politischem Gebiet. Sie wissen, daß *ich* Ihre Ernennung beantragt habe, weil Ihr Ruf als Gelehrter mich dazu bewog. Doch jetzt bringen Sie mich wirklich in Verlegenheit. Österreich ist ein streng katholisches Land.«

»Ich bin meines Wissens niemals der katholischen Kirche zu nahe getreten. So etwas liegt mir völlig fern.«

»Gewiß, doch der Klerus muß auch bei den fernliegendsten Dingen berücksichtigt werden. Sie aber haben in Ihrer Antrittsvorlesung auf die Theorie von Darwin hingewiesen, daß der Mensch vom Affen abstamme. Das beleidigt das Dogma der Kirche auf das äußerste. Die konservative Zeitung verlangt Ihre Absetzung.«

»Exzellenz, wozu wird dann in einem Land wie Österreich ein anatomischer Lehrstuhl errichtet? Da hätte man doch lieber noch eine Kirche bauen sollen. Sollen die Herren beschließen, was ihnen paßt. Ich werde lehren und forschen, wie ich es für richtig halte! Ich empfehle mich, Exzellenz!«

Dieser Zwischenfall wurde bekannt. Aber seine Popularität selbst bei der antiliberalen Studentenschaft war so groß, daß jede Opposition bald verstummen mußte.

Als Student war er von überschäumendem Temperament. Auf Kneipen und im Fechtsaal spielte er die erste Rolle. Seine Affären wegen nächtlichen Schabernacks mit der Polizei, sein unwiderstehlicher Humor erregten Mißbilligung und Bewunderung. Seine erste medizinische Tat war die Entdekkung eines kleinen Zwischenknochens, der in die Fachliteratur als »Os Zuckerkandl« eingegangen ist. Mit 29 Jahren wurde er Professor, ohne jemals Dozent gewesen zu sein. Das hatte es noch nie zuvor gegeben.

Emil Zuckerkandl hat oft geäußert: »Ein Forscher, ein Wissenschaftler, wird niemals vollkommen produktiv sein, wenn nicht auch ein künstlerisches Element in ihm lebt. Vor allem braucht er Phantasie; er muß sich aber auch über Dogmen der Wissenschaft hinwegsetzen können.«

Diese Überzeugung hängt wohl damit zusammen, daß er bis zu seinem 16. Lebensjahr für eine künstlerische Laufbahn bestimmt zu sein schien. Er wollte Violinvirtuose werden, spürte dann aber plötzlich den heftigen Drang in sich, die Geheimnisse der Natur zum Wohle der Menschheit zu erforschen. So entstand sein Lebenswerk, das zu den fruchtbarsten der Wissenschaft zählt. Er widerlegte die allgemeine Annahme, daß es am menschlichen Körper nichts mehr zu erforschen gebe, und eroberte der Medizin durch seine anatomischen Forschungen ganz neue Gebiete. Arbeiten über die Gehirnwindungen, über anatomische Probleme des Kiefers, der Zähne, des Kehlkopfs wurden richtungweisend für die Zahnheilkunde, für die Hals-, Nasen-, Ohrenspezialisten. Seine Entdeckung einer Nebendrüse der Nieren und deren blutdruckregelnde Funktion krönte sein Lebenswerk.

Auf Anregung Gustav Klimts pflegte mein Mann wissenschaftliche Vorträge vor Künstlern zu halten. Das weitläufige, in der Währingerstraße gelegene Anatomische Institut war an einem dieser Abende von einer Stimmung erfüllt, wie sie sonst nur bei sensationellen Theaterpremieren anzutreffen ist. Der Vortragssaal war dicht gefüllt. Maler, Schriftsteller und Musiker hatten Repräsentanten entsandt.

Hinter dem Podium war eine weiße Leinwand aufgestellt. In der letzten Reihe des Saales stand ein Projektionsapparat. Emil Zuckerkandl erschien im schwarzen Talar.

»Ich will Ihnen, meine Damen und Herren, Kunstformen in der Natur vorführen. Sie werden mit Erstaunen wahrnehmen, daß die Natur Ihre künstlerische Phantasie weit übertrifft. Man muß ihr allerdings ein wenig nachhelfen, und das habe ich getan. Wohlausgeklügelte Färbungen von Gefäßen, von einem Stückchen Epidermis, einer Arterie, einem Blutstropfen, ein wenig Gehirnsubstanz – werden Sie alle in eine Märchenwelt versetzen.«

Es wurde dunkel. Auf der Leinwand entstanden drohende Urwaldbilder, unterseeische Abenteuer von Ungeheuern, von Nixengestalten; Himmelszeichen leuchteten auf, es tanzten Sonnenlicht, Mondenschimmer und Sterne. Entzückt gab man sich dieser farbenprächtigen Welt hin, die Zuckerkandls Phantasie hervorgezaubert hatte.

Gerade Klimts Palette ist von diesem Anreiz der Sinne bereichert und beeinflußt worden. Auch die dekorative Kunst, die Ornamentik der Wiener Werkstätte schöpften aus dem reichen Schatz der Natur.

Nach dem frühen Tod meines Mannes wurde mir ein schöner Beweis der Treue zuteil, mit der sich Amerika hervorragender Männer erinnert. Der amerikanische Arzt Dr. Asch, der 1920 einige Monate in Wien weilte, teilte mir mit, in Amerika hätten Schüler und Verehrer Emil Zuckerkandls eine Summe gesammelt, um dem Meister ein Denkmal zu setzen. Lebensgroß steht die in Bronze gegossene Gestalt im Ehrenhof der Universität Wien.

UNZERSTÖRBARES
Salzburg 1920

Schloß Birglstein. Bahr stand am Tor. Seine hochgewachsene Gestalt in Salzburger Tracht, der mächtige Schädel, das vorzeitig gealterte, gefurchte Gesicht und ein bis zum Leib reichender weißer Bart erinnerten an eine barocke Apostelfigur.

»Ich bin lieber mit einem Ruck alt geworden, als so nach und nach und widerwillig«, sagte er.

»Man kann auch alt werden, ohne so ein Aufsehen damit zu machen wie Sie mit Ihrem ellenlangen weißen Bart.«

»Gerade der ist mein Stolz. Und auch sozusagen mein mahnendes Gewissen. Jedesmal wenn ich mich bei einem allzu jugendlichen Aufbegehren ertappe, schaue ich auf den Bart des Weisen hinunter und hab' mich wieder in der Gewalt. Vor zwei Jahren, knapp vor seinem Tod, habe ich Ihren Freund, den dämonischen Spaßmacher Girardi getroffen. ›Herr von Bahr‹, hat er gesagt, ›mit dem Bart, und wenn S' ein gutes Auftrittscouplet haben, ist's ein sicherer Erfolg.‹«

Nach Tisch auf der Terrasse.

»Man will also Salzburg symbolische Bedeutung geben?« fragte ich. »Als Festspielstadt eines Österreich, das seinen geistigen und künstlerischen Besitz unversehrt bewahrt hat?«

»Ich muß weit zurückgreifen, um Ihnen die Hauptakteure dieses Unternehmens vorzuführen. Hofmannsthal – den haben Sie ja von Anfang an miterlebt. Ihm bleibt das Schicksal des österreichischen Dichters nicht erspart. Er ist berühmt geworden und dennoch unerkannt und einsam.

Auch Reinhardt, der seine Glanzjahre in Berlin verbrachte, sozusagen ins Exil ging, hat durch die Zerstörung Österreichs seine Heimat verloren. Berlin ist sie niemals gewesen. Berlin war nur seine imposante Versuchsstation. Und Wien – wir müssen aufrichtig sein ... Wien verhindert die Entwicklung der Geschöpfe, die es in die Welt setzt.

Reinhardt, dieser Hellseher, war sich dieser unsichtbaren Barrieren bewußt, als er die Wiener Bühnenrenaissance nach Berlin verpflanzte. Ja, die berühmte Berliner Theaterblüte von 1900 ungefähr bis 1914, die, wie sich zeigt, noch nach dem Krieg die europäischen Bühnen revolutioniert, ist das

Werk eines Österreichers. Schon vor Jahren wurde Reinhardt der Berliner Boden immer fremder. Nun hielt er hier in Salzburg Umschau nach einer neuen Heimstätte. Er hat das verfallene Schloß Leopoldskron entdeckt. Inzwischen hat er das Schloß erworben, und bald wird es zu seinen genialsten Inszenierungen zählen. Wir haben ihn Prospero getauft, diesen shakespearischen Geist, der Geistern gebietet, dessen Zauberstab selbst totes Gestein in blühendes Leben zu wandeln vermag. Prospero, der Kalibans und Ariels entstehen läßt.

Es war mir sofort klar, daß ein Reinhardt auch Salzburg, das brav provinzlerische, verschlafene und verfressene Touristenstädtchen, irgendwie verzaubern wird; daß er diese Dichtung, aus Kunst und Natur gewoben, diese mysteriöse Vermischung deutscher und südlicher Kultur im tiefsten erfühlen muß.

Auch der dritte Akteur ist Österreicher. Alexander Moissi hatte im Wiener Burgtheater als Statist begonnen. Schon damals wollte er höher hinaus, aber die Prüfungskommission lehnte ihn als vollkommen talentlos ab. Nur Kainz fiel, als er eines Abends den ›Cyrano‹ spielte, der Blick des jungen Statisten auf ... ›Ich habe‹, sagte er, ›Augen entdeckt, die Ungewöhnliches verraten.‹

Reinhardt weiß um die Kräfte, die dem Schauspieler selbst verborgen sind. Das Entzünden solcher Flammen ist für Reinhardt Lebensinhalt. So wurde Moissi ein Vierteljahrhundert hindurch die Idealfigur des Romeo, des Hamlet. Mit ihm hat Reinhardt den romantischen Schauspieler wieder auf die Bühne gestellt.

Entscheidend aber war die Begegnung zwischen Hofmannsthal und Reinhardt. Hofmannsthal hat den Gestalter seines dramatischen Werks gefunden, das Bühnengenie, das den Abglanz all dessen zeigt, was einmal auf dem Theater lebendig gewesen ist. Und Reinhardt dankt Hofmannsthal die großen Etappen seiner Entwicklung zum festlichen Theater ...«

Später zeigte Bahr mir einen Brief Hofmannsthals. Er war von großartiger Demut.

»Ich schrieb heute die letzten Zeilen am Welttheater. Ich habe meine ganze Kraft zusammengehalten. Unendlich begierig bin ich, ob es Sie befriedigen wird. Es geht ja da nicht um Talent, überhaupt nicht ums Individuum, sondern um etwas anderes: Ob ein Theater möglich ist, das in seinen Intentionen hinter das ganze Neunzehnte, ja hinter das Achtzehnte zurückgeht, unmittelbar an das anknüpft, was einmal war, was weder volkstümlich noch kunstmäßig, sondern beides in einem war, auch Oper und Schauspiel in einem – individuell gefragt: Ob der ›Jedermann‹ als ein von mir Gedichtetes, ein Zufall oder eine Notwendigkeit war?«

»Die Salzburger Festspiele«, sagte Bahr, »werden Antwort auf diese Frage geben, die mich so erschüttert, weil sie die Gewissensqual eines echten Dichters enthüllt. Hofmannsthal hat die Tragödie des armen reichen Mannes ungefähr um 1908 geschrieben, in einer Epoche, der das großartige Gleichnis noch fremd blieb. Erst der Zusammenbruch machte die Menschen reif für die Legende vom reichen Mann, der die Nichtigkeit allen Besitzes erlebt und als Büßer in den Tod geht ... Wie ein Posaunenstoß des Jüngsten Gerichts ziehen Leben und Tod, Gott und Teufel, Sünde und Tugend an uns vorüber.

Reinhardt war vor einigen Wochen hier. Er beaufsichtigte die Renovierungsarbeiten in Leopoldskron. Hofmannsthal kam von Aussee. Ich hatte gerade meine tägliche Bergpartie auf den Untersberg absolviert und traf die beiden im Café Bazar. Wir sprachen über Salzburg, gingen von Mozart aus und kamen zur grandiosen Barockwelt der Erzbischöfe, zu ihrem Traum von Kunst, Liebe und Gebet.

Reinhardt, der große Schweiger, hatte, wie es seine Art ist, nur hier und da eine Bemerkung eingeflochten. Aber der eindringliche Blick seiner blauen Augen, die jede Schattierung des Empfindens auszudrücken vermögen, die befehlen, zürnen, abweisen und schmeichelnd strahlen, glitt hinüber zu den Türmen von Fischer von Erlachs Kollegienkirche, hinauf zu Hohen-Salzburg, umfaßte das Gewirr von Brücken, Engen, Plätzen – es war ein Feldherrnblick.

Wir brachen auf. Langsam gingen wir hinüber zum äußeren Domplatz, durchschritten die Bogen, die brückenartig die Kirche mit dem Erzbischöflichen Palais verbinden, traten vor den Dom. Er war von der Sonne bestrahlt, die mächtigen Figuren der Apostel schienen aus seinem Heiligsten herauszutreten. Der weite Platz, eingesäumt von schmucklosen, aber wohlproportionierten Gebäuden, ist ja der ideale Rahmen und Hintergrund für das herrliche Gotteshaus.

Da sagte Reinhardt leise und bestimmt: ›Das ist der Raum. Hier vor dem großartigen Dom – und nur hier soll das Jedermann-Spiel vor sich gehen.‹

Mit wenigen Worten skizzierte er seinen Plan: Unmittelbar vor den zum Domportal führenden Stufen wird sich das aus rohen Brettern gezimmerte Podest erheben. Von beiden Seiten, rechts und links, durch die Torbogen, sollten die Massenauftritte erfolgen.

›Und von hier‹ – Reinhardts Stimme hatte etwas Feierliches, als er auf das Domportal deutete –, ›von hier kommen die Gestalten, die Boten Gottes: aus dem Gotteshaus.‹

Hofmannsthal wandte ein: ›Aber – die Kirche? Sie wird ein Spiel, und ist es noch so gottesfürchtig, kaum hier vor dem Dom dulden.‹

›Warum nicht? Wie war es denn im Mittelalter? Die geistlichen Spiele sind ja auch vor den Kirchen aufgeführt worden.‹

›Gewiß‹, antwortete ich Reinhardt, ›da handelte es sich aber um Szenen aus der Heiligen Schrift. „Jedermann' ist ein weltliches Spiel. Gegen den Klerikalismus läßt sich euer Plan nicht durchsetzen. Es sei denn . . ., daß der Erzbischof von Salzburg für diese Idee gewonnen werden kann. Erkennt er die ungeheure Wirkung, die von dem Jedermann-Spiel ausgehen muß, und den moralischen Gewinn, den die Kirche damit erzielen kann, dann ist dieser großartige Mann größer als die gesamte Klerisei.‹

Reinhardt hörte weiteren Erwägungen nicht mehr zu. Ihm ging es nur darum, die Dichtung lebendig zu machen. Sein Auge erspähte bereits die räumliche Anordnung, sein Ohr vernahm den Rhythmus der Verse, der Musik. Es war, als lausche er mystischen Rufen.

›Und die Glocken‹, sagte er überwältigt, ›müssen auch mitspielen. Mit dem Abendsegen werden sie Jedermanns Erlösung verkünden.‹

Lange blieben wir auf dem Domplatz. Hofmannsthal fand als erster zur Realität zurück.

›Wie aber die Finanzierung eines Unternehmens durchführen, das doch auf Kontinuität bedacht sein muß? Wir werden uns an den armen Staat wenden müssen. Eine schwierige Aufgabe.‹

Reinhardt steht Fragen der Finanzierung vollkommen gleichgültig gegenüber. ›Irgendwie wird sich das Geld schon finden, das ist Nebensache‹, sagte er mit seiner nasalen, vibrierenden, suggestiven Stimme. ›Ich denke jetzt vor allem an die Schätze, die wir bereits besitzen. Eine großartige Dichtung, einen Schauplatz, wie er auf der Welt nicht noch einmal zu finden ist. Einen Darsteller des Jedermann – so ideal, so vollkommen – ich sehe Moissi schon vor dem Dom knien.‹«

DER ERSTE »JEDERMANN« IN SALZBURG
Salzburg 1920

Salzburg ist heute die großartige Kulisse, die Kathedrale der feierliche Hintergrund, vor dem sich das Spiel des armen reichen Mannes ereignet. Es ist das Verdienst Max Reinhardts, den großen österreichischen Dichter Hugo von Hofmannsthal nach Salzburg gebracht zu haben.

Die erste Aufführung des Jedermann[1] war noch eine intime Angelegenheit. Erst allmählich wurde im Ausland für Salzburg geworben. Das Publikum setzte sich aus Vertretern des öffentlichen und kirchlichen Lebens zusammen, der Elite der Gesellschaft. Auch die Einheimischen sah man und ganz vereinzelt Kritiker aus England, Amerika und Frankreich.

Man hätte fürchten können, daß der Salzburger Regen diese erste Freilichtaufführung unter Wasser setzen würde. Aber der liebe Gott stand einem so christlichen Spiel wohlwollend gegenüber. Die Sonne strahlte vom Himmel. Langsam füllten sich die amphitheatralisch angeordneten Reihen. Das Neuartige einer Bretterbühne vor dem Dom, das Seltene dieses Schauspiels verbreitete Beklemmung über die herbeiströmende Menge.

Vor der ersten Reihe waren drei Sessel aufgestellt. Reinhardt und Hofmannsthal, in ihrer Mitte ein Gast im Lodenmantel, die Kapuze über den Kopf gezogen, nahmen Platz. Ich saß genau hinter ihnen. Fanfarenstöße verkündeten den Beginn. Der »Gute Geselle« erschien, der Freund Jedermanns. Kaum stand er auf den Brettern, als der geheimnisvolle Mann im Lodenmantel sich erhob, den Umhang von den Schultern warf und mit einem Satz auf das Podium sprang. Es war Moissi, der Jedermann, der auf diese überraschende Art erschien. Und wie er hin und her schreitend zu sprechen anfing, das rhythmische Gefühl, mit dem er die Verse rezitierte, das leitete die Jedermann-Legende einzigartig ein.

Es herrscht tiefe Andacht. Die letzten Strahlen der untergehenden Sonne senkten sich über den Domplatz, als die letzten Worte der Dichtung tönten. Der Klang der Domglocken mischte sich mit dem helleren Geläute der Franziskanerkirche.

Wir erwarten Moissi in der »Traube«, seinem Lieblingsgasthaus, wo er sich gern von Proben und Spiel erholte. Er kam zu Fuß vom Domplatz herüber, hinter ihm her eine Schar junger Männer und Mädchen mit Autogrammalben und gezückten Bleistiften. Immer wieder stockte der Zug, wenn Moissi wieder seinen Namen schreiben mußte. Seine Frau und ich nahmen ihn endlich in unsere Mitte und schoben ihn ins Restaurant. »Kinder«, sagte Moissi mit seinem sanften Lächeln, »diese Prüfung des armen Jedermann ist die schwerste. Weder Tod noch Teufel sind imstande, der Autogrammpest ein Ende zu machen.«

Nach kurzer Rast mußten wir uns für den Abend umziehen. Reinhardt gab, wie von nun an alljährlich zu Beginn der Festspielwochen, einen Empfang in Leopoldskron[2]. Die schmiedeeisernen Tore des Schlosses standen weit offen, der alte Portier, der noch in kaiserlichen Diensten gestanden hatte, wies uns den Weg. Ein zweiter livrierter Diener öffnete die massive Eingangstür. Die hochgewölbte Eingangshalle, die in der Breite das ganze Schloß einnimmt, war hell erleuchtet. In dem riesigen Barockkamin prasselten die Scheite. Davor standen Max Reinhardt und seine Frau Helene Thimig[3] und empfingen die Gäste.

Heute abend galt der Empfang den Honoratioren, vor allem dem Erzbischof. Dieser kluge, gütige Mann war ein echter Nachfahr der legendären Salzburger Erzbischöfe. Er wirkte schlicht und vornehm. Sein Gewand paßte wunderbar zu dem hierarchischen Stil des stolzen Barockschlosses. Diener servierten einen Apéritif. Reinhardt, schweigsam wie immer, dirigierte mit seinem Blick die verstreuten Gruppen.

Noch war Leopoldskron nicht vollkommen restauriert. Der originelle Spiegelsalon, die herrliche Bibliothek waren erst im Werden. Aber das Meisterwerk Fischer von Erlachs, der Festsaal, strahlte in vollem Glanz. Der Raum ist von einzigartiger Harmonie, wie sie sonst nur Mozarts Musik hervorbringt.

Am runden Tisch wird das Souper serviert. Wie schön sahen die Frauen aus in dem von tausend Kerzen erleuchteten Saal. Reinhardt hatte wohl in der Decke unsichtbar Glühlampen anbringen lassen, die aber nur eine Hilfsfunktion hatten. Das sanfte, reine Kerzenlicht hielt dieser Meister der Inszenierung eines Fischer von Erlach allein für würdig.

Nach dem Souper machten wir einen Rundgang. Unterdessen verschwanden die Tische; die Diener stellten vier altväterliche Pulte in die Mitte des Saales, rückten Kanapees und Fauteuils für die Damen zurecht. Dann verfinsterte sich der Raum. An den Pulten angebrachte Kerzen flackerten im Halbdunkel. Das Rosé-Quartett spielte unnachahmlich Mozart. So leitete Reinhardt eine achtzehn Jahre währende Tradition seiner einzigartigen Feste ein.

Ich hatte mir das Ziel gesetzt, während des Krieges jede Möglichkeit einer Verständigung zwischen den verfeindeten Nationen wahrzunehmen. Der Zufall spielte mir 1918 in Bern das Stück eines noch vor kurzem unbekannten französischen Autors in die Hände. Er war über Nacht in die vorderste Reihe der neuen literarischen Generation getreten. Ich beschloß, Paul Géraldys[4] Schauspiel »Les Noces d'Argent« zu übersetzen. Hermann Bahr, der damalige Leiter des Burgtheaters, nahm das Stück ohne Rücksicht auf das Geschrei einiger Chauvinisten an.

So fuhr eines Tages Géraldy in seinem kleinen Auto über den Arlberg zu mir ins Salzkammergut. Er war einer der ersten prominenten Ausländer, auf die man in der Festspielstadt lauerte. Ich erinnere mich an das freudestrahlende Gesicht Hofmannsthals, wenn im »Österreichischen Hof« der eine oder andere europäische Name auftauchte. Allzubald sollte die Völkerwanderung nach Salzburg einsetzen.

Mit Géraldy verbindet mich eine enge Freundschaft. Seine Liebe zu Österreich, sein Verständnis für dessen Eigenart ist gerade für einen Franzosen selten. Ich will daher Géraldys Aufzeichnungen über seine erste Begegnung mit Hofmannsthal hier einbeziehen.

»Ich erwartete ihn also am nächsten Tag in meinem Zimmer mit den verblichenen Baumwollvorhängen und dem alten Kachelofen. Pünktlich um vier Uhr klopfte es dreimal. Ich öffnete. Draußen stand, unbeweglich und mit ernstem Gesicht, ein Mann. Er war nicht sehr groß, gut aussehend, doch weder sein Blick noch seine Züge ließen den Dichter vermuten. Etwas Kühles, Steifes, beinahe Hartes ging von ihm aus.

›Ich könnte nicht sagen, daß ich nicht bewegt bin, Monsieur. Sie sind der erste Franzose, dem ich nach dem Krieg die Hand gebe ... Frankreich hat unsere Frauen und Kinder hungern lassen.‹

Die Österreicher hatten mich bisher immer sehr herzlich empfangen. Auf ein solches Gespräch war ich daher nicht vorbereitet.

Ich antwortete so kühl wie möglich: ›Ihre Unterseeboote haben es sich nicht entgehen lassen, völlig harmlose Passagierdampfer zu versenken.‹ Wir tauschten noch einige unfreundliche Bemerkungen aus. Plötzlich sagte er: ›Nun haben wir diesem Thema drei Minuten gewidmet. Das genügt!‹ Er kam herein, schüttelte mir die Hand, umarmte mich und sagte ganz ohne Übergang: ›Ich möchte, daß wir uns so gut wie möglich kennenlernen. Glauben Sie nicht auch, daß wir dies am besten erreichen könnten, wenn wir uns gegenseitig unsere nächsten Stücke erzählen?‹

Begeistert stimmte ich zu und bat ihn, den Anfang zu machen. Es ist für einen Dramatiker schwierig, sein Stück zu erzählen. Es ist natürlich in den Details noch unklar, und man erzählt es, um sich selbst darüber klarzuwerden. Ich glaube, dies ist die beste Art, daran zu arbeiten. Hofmannsthal begann zu erzählen. Manchmal fiel ihm etwas Neues ein, und er erprobte es sogleich an mir, indem er meine Reaktion genau beobachtete.«

Einige Jahre später sprach Hofmannsthal wieder mit Géraldy über das mittlerweile fertiggestellte Schauspiel. Es war ›Der Schwierige‹. Hofmannsthal sagte:

›Ich habe versucht, die Atmosphäre der Wiener Aristokratie einzufangen. Die Hauptfigur des Stücks werden Sie vielleicht wiedererkennen.‹ Dies fiel mir nicht schwer, nachdem ich eine Aufführung des ›Schwierigen‹ gesehen hatte. Dieser schwache und unentschlossene Mensch sagt aus Scham der Frau, die er liebt, daß er sie nicht liebe, und aus Zartgefühl der Frau, die er nicht liebt, daß er sie liebe. Das ist Hofmannsthal, schüchtern, ängstlich, unfähig zu handeln, weil er zu intelligent ist. Er verkörpert eine sterbende Welt.«

ERINNERUNGEN AN MAURICE RAVEL

Vor dem Krieg 1914 kannte ich ihn nur flüchtig. Er kam oft zu meiner Schwester, bei der viel Musik gemacht wurde. Wenn ich nach Paris kam, traf ich auch Fauré[1], der bei ihr gern am Klavier seine Lieder summte oder eine Sängerin begleitete. Obwohl Ravel[2] heiter und liebenswürdig war, zeigte er sich solchem Musizieren gegenüber seltsam unzugänglich und verschlossen.

Sein übergroßer Kopf stand in merkwürdigem Kontrast zu seiner kleinen schlanken Gestalt. Scharf geschnittene Züge spiegelten den reinsten, baskischen Typus. Seine hochgewölbte Stirn, die aristokratisch vorspringende Nase, der Mund verrieten sinnliche Weichheit, unbändigen Willen und gütige Ironie. In manchen Augenblicken erinnerten Ravels Züge an Mozart, falls sich ein Salzburger und ein Baske überhaupt ähneln können.

Ravel war auffallend mager. Ein Freund meiner Schwester pflegte ihm zu raten, er solle Jockei werden. »Jedes Derby, jeden Grand Prix würden Sie unfehlbar gewinnen«, sagte er. Mit seiner elfenartigen Erscheinung – wir nannten ihn Ariel – schien er, als der Krieg ausbrach, der Musterungskommission für das Militär völlig ungeeignet. Doch Ravel gab nicht auf, bis es ihm endlich gelang, in ein Regiment, das an die Front ging, aufgenommen zu werden; und er wurde ein tüchtiger Soldat. Aber keinen Augenblick verfiel er der Kriegspsychose, die ihren Haß auf Gebiete ausdehnte, die mit den Streitigkeiten der Völker nichts zu tun hatten. Saint-Saëns machte für diesen Wahnsinn sogar noch Propaganda. Er verfaßte ein Manifest, in dem er forderte, die deutsche Musik für alle Zeiten aus Frankreich zu verbannen. Mit vielen Unterschriften versehen, sandte er es auch an Ravel, der es ihm, in zwei Stücke zerrissen, zurückschickte. »Kommen Sie her und verteidigen Sie die französische Musik hier, wo *ich* bin – in den Schützengräben!«

Erst nach dem Krieg lernte ich Ravel näher kennen. Seine ritterliche Haltung den aus Feindesland stammenden Künstlern gegenüber ließ ihn mir als den auserwählten Mittler zwischen den verfeindeten Völkern erscheinen.

Meine Schwester und ich hatten während der langen Kriegsjahre den Augenblick ersehnt und vorbereitet, wo wieder Mensch zu Mensch, Kunst zu Kunst sprechen konnten. Wir beschlossen, durch eine große Aktion die Barrikaden wegzufegen, die zwei Jahre nach dem sogenannten Friedensschluß noch immer die Welt des Geistes trennten.

Von jeher war es Österreichs stolzestes Bekenntnis gewesen, weltoffener zu sein als andere Nationen. Auch das zerschlagene Österreich blieb dieser Mission treu. Als ich den Behörden meinen Plan unterbreitete, als ich mit dem Konzerthaus und seinem Orchester Fühlung aufnahm, fand ich so viel Verständnis und Enthusiasmus, daß alles andere leicht war. Ravel wartete seinerseits nur auf die Gelegenheit, seine Opposition gegen den engstirnigen Patriotismus der Sieger zu bekunden. Als ich ihn durch meine Schwester fragen ließ, ob er gewillt sei, seine Werke von einem erstklassigen Dirigenten und einem ausgezeichneten Orchester in Wien aufführen zu lassen, und ob er diesen zwei Konzerten persönlich beiwohnen würde, da antwortete er: »Ich habe auf die Gelegenheit gewartet, diesen sinnlosen Haß zu bekämpfen, der den Krieg immer weiterleben läßt. Ich stehe Ihnen zur Verfügung.« So wurde Österreich wieder einmal zum Vermittler zwischen Nationen und Rassen. So zogen als erste zwei der populärsten französischen Künstler in Wien ein. Der eine war Paul Géraldy, der junge Dichter, dessen Lyrik einen so neuen, reizvoll intimen und echten Ton erklingen ließ. Seine leicht hingeworfenen und doch leidenschaftlich verhaltenen Gedichte »Toi et moi« hatten ein stürmisches Echo gefunden. Ihm folgte nun Ravel. Er konnte es kaum fassen, daß sein Werk in Wien so heimisch war, und dies nicht nur bei Kennern und Musikern, sondern auch in kleinbürgerlichen Kreisen, in die er in seinem Vaterland nie gedrungen war.

Ravel wohnte eine Zeitlang bei mir und dann bei Alma, der Witwe Gustav Mahlers. Ganz selig kam er eines Tages nach Hause.

»Ich habe eine erstaunliche Geschichte erlebt. Sie haben mir gestern die Adresse eines Lederwarengeschäfts, weit draußen in einem Vorort, gegeben. Ich bin dort gewesen und habe zwei hübsche kleine Taschen ausgesucht. Da ich sie nicht mitnehmen wollte, habe ich der Dame an der Kasse meine Adresse gegeben. Es war die Chefin. Als sie meinen Namen las, zerriß sie die Rechnung und rief: ›Sie sind Maurice Ravel, der Komponist der ‚Fontaines' und der ‚Odine'? Oh, welche Ehre für unser Haus! Ich erlaube nicht, daß Sie diese Taschen bezahlen. Bitte betrachten Sie sie als Andenken an Wien!‹ Was sagen Sie dazu? 100 Jahre könnte ich in Paris wohnen, ohne jemals so bekannt und beliebt zu werden.«

Und Ravel, der trotz seines Genius kindlich geblieben war, rief immer wieder: »Es ist wie ein Märchen!«

Ein märchenhafter Erfolg wurden auch die Konzerte. Das Orchester beteiligte sich an den Ovationen, die Logen, Parkett und Galerien dem Meister darbrachten. Es schien, als wäre ein vereister Strom aufgetaut.

Es war gar nicht so leicht, Ravel zu Gast zu haben. Er vereinte die Versunkenheit des Musikers mit angeborener Zerstreutheit und einem gewissen Egoismus, den sein Bruder, der für ihn sorgte, noch gefördert hatte. So richtete er oft schreckliche Verwirrungen an, weil er Einladungen vergaß oder verwechselte. Was die Pflege seiner Kleider und Schuhe betraf, war er von übertriebener Peinlichkeit. Meine besondere Aufgabe war es, ihm die Krawatte so zu knüpfen, wie er es in Paris gewohnt war. Doch was tat man nicht gern für diesen originellen, geheimnisvollen Mann, der nie ganz zu enträtseln war! Seine Freunde wußten, daß er nach monatelanger asketischer Arbeit plötzlich verschwand – wohin, das konnte keiner je in Erfahrung bringen.

Am Ende seines Besuches gaben wir ihm ein Fest, das so wienerisch wie möglich sein sollte. Es wurde die Parole ausgegeben: ein Heuriger, Ravel zu Ehren, beim Rockenbauer in Döbling. Obwohl Ende Oktober die Nächte kühl sind, kamen wohl hundert Gäste und saßen im Gartenhof auf den Holzbänken, und als Ravel erschien, wurde er mit einem Tusch empfangen. Es war richtige Heurigenstimmung, die Ravel erlebte. Die gesamte Künstlerschaft war erschienen, nicht nur Musiker, auch Maler, Schriftsteller und viele schöne Wienerinnen. Bald fiedelten die Geigen ganz nahe bei Ravel und spielten, was er immer wieder begehrte: »Spielen Sie die Walzer von Johann Strauß!« Er konnte sich nicht satthören. Zündete damals der Funke, der seine Phantasie entfachte, als er die »Variations de Valses Viennoises« schrieb? Der Wein tat seine Schuldigkeit. Ravel stimmte in den lustigen Chor ein, er umarmte rechts und links hübsche Wienerinnen. »Ich werde niemals euren Heurigen vergessen und Wien, diese reine Quelle unerschöpflicher Musikalität.«

Ich wollte bald wieder nach Paris fahren. Ravel machte mir den Vorschlag, mit ihm gemeinsam zu reisen. Die strahlende Geberlaune, mit der Ravel Wien bezaubert hatte, war verflogen. Man könnte diese Expedition humoristisch »Ein Genius auf Reisen« betiteln. Bald sah ich ein, daß ich die Sache in die Hand nehmen mußte. Ich besorgte die Hotelzimmer, die Fahrkarten, und es gelang mir sogar, obwohl es 1922 noch wenig Reisekomfort gab, ein Halbcoupé für zwei Personen zu ergattern; hier konnte sich nur einer bequem ausstrecken, der andere aber mußte sich bescheiden in die Ecke drücken. Selbstverständlich bettete ich Ravel, der schläfrig war und verloren dasaß wie ein kleines Kind. Er hatte nur einen leichten Überzieher mit. Meine Warnung, er würde frieren, wies er lachend zurück. »Ich friere nie!« Nun, zwei Stunden später wachte er frierend auf. »Ich hole mir eine Bronchitis«, klagte er. So breitete ich meinen Pelz über ihn. Nach einer Weile seufzte er, er habe Halsschmerzen. Ich trennte mich von meinem Wollschal und wickelte ihn darin ein. Nun schlief er wohlig, und ich saß frierend und nachdenklich da. Wie herrlich, mit einem Genie befreundet zu sein, aber wie unbequem!

Montfort-L'Amaury war ein romantisches Städtchen, eine Stunde vor Paris auf einem Hügel gelegen. Dort hatte Ravel ein kleines, von Blumen umgebenes Häuschen erworben. Hier schien alles seiner Gestalt angepaßt zu sein. Die winzige Treppe führte in winzige Zimmer, in denen winzige, geschmackvoll ausgewählte Möbel standen. Kleine Vitrinen enthielten winzige Bibelots, die Ravel sammelte, meist aus der romantischen Zeit um 1830. Nur das Klavier und ein großer Grammophonkasten fielen aus der Harmonie dieses Sieben-Zwerge-Heims. Dort besuchten wir ihn oft, das letztemal nach jener Aufführung des »Bolero« in der Oper, die Toscanini dirigierte. Es war zu einem Konflikt zwischen Toscanini und Ravel gekommen. Ravel protestierte gegen das von Toscanini genommene Tempo. Toscanini aber – so erzählte uns Ravel – erwiderte, daß er die Tempi so spiele, wie sie seiner Auffassung entsprächen. »Nein – ich spreche selbst dem genialsten Orchesterchef das Recht ab, die Tempi nach seinem Gutdünken zu verändern. Dadurch verfälscht er das Werk des Komponisten.«

Und um uns die Meinungsverschiedenheit mit Toscanini überzeugend zu demonstrieren, zog Ravel das Grammophon auf und spielte eine Platte des »Bolero«. »So habe ich das Stück komponiert, und so dirigiere ich es selbst. Und nun werde ich euch den Toscaninischen Rhythmus vorspielen!« Er setzte sich ans Klavier und spielte den Bolero jetzt wie irgendeinen spanischen Tanz. »Der Konflikt zwischen Komponisten und Interpreten ist eines der schwierigsten Probleme. Ich bin in diesem Punkt unnachgiebig.«

Wieder kam Ravel nach Wien, diesmal zur Uraufführung seiner und der Colette[3] seltsamer, phantastischer Oper »Das Kind und der Zauberspuk«. Es war kein lauter Erfolg, denn wie alles Einzigartige erst geraume Zeit braucht, um in seiner Größe erkannt zu werden, so erging es auch diesem kleinen Meisterwerk.

DAS SALZBURGER GROSSE WELTTHEATER

Hofmannsthal trat ein, beinahe ohne Begrüßung. Wir hatten eben miteinander telefoniert, und so war es, als würde er das Gespräch fortsetzen. Auf die gleiche Weise nahm er ja auch Abschied. Das ging so vor sich: Er stand auf, lief zur Tür, hastete ins Vorzimmer, murmelte ein kurzes Adieu, und schon war er weg. Er haßte Formalitäten, obwohl es kaum einen vollendeteren Gentleman gab als ihn.

Auch in seinen Briefen, die zu den schönsten der Weltliteratur gehören, ist dieses Eilige, Unberechenbare für ihn charakteristisch.

Sein blasses Gesicht wirkte noch immer jugendlich. Sein schlanker Körper zeigte noch keinerlei Fettansatz. Hofmannsthals Geist prägte sich in seinem Wesen aus. Er schien aus einer seiner genialen Dichtungen hervorzutreten.

Was ihn zu mir geführt hatte, war der Vorschlag, bei mir seine Neufassung von Calderons »Großem Welttheater[1]« vorzulesen, um es vor einem Publikum zu erproben. Es war schwierig, seinen Vorschlag reibungslos durchzuführen. Unter den Geladenen durfte keiner sein, der die beinahe krankhafte Empfindsamkeit des Dichters reizen konnte. Hofmannsthal stellte eine Liste auf, ich fügte noch einige Namen hinzu. Schließlich hatten wir hundert Gäste beisammen. In der Ecke der Bibliothek saß Hofmannsthal, um ihn blieb ein weiter Raum frei. Die Zuhörer drängten sich bis an die hintere Wand des zweiten Zimmers. Ganz vorn saßen die Freunde: Hermann Bahr, Beer-Hofmann, Arthur Schnitzler, Felix Salten.

Hofmannsthal war bleich und sichtlich erregt. Er begann zu lesen. Mein Genuß war nicht ganz ungetrübt. Immer hatte ich Angst, es könnte ihn irgend etwas stören. Doch alles ging gut, bis zur zweiten Hälfte: Plötzlich stockte Hofmannsthal, wurde leichenblaß, stand auf und flüsterte: »Ich fühle mich nicht wohl.«

Seine Frau bettete den halb Ohnmächtigen auf den Teppich in meinem Schlafzimmer, den Kopf so tief wie möglich gelagert. Nach ein paar bangen Minuten war das Unwohlsein vorüber. Trotz aller Bitten, sich zu schonen, las er zu Ende.

»Mit besonderer Erlaubnis des hohen Erzbischöflichen Ordinariats wird das ›Große Welttheater‹ in der Kollegienkirche aufgeführt.«
Der ungewöhnliche Entschluß, den Raum einer Kirche für eine dramatische Darbietung freizugeben, war dem Erzbischof zu danken. Der große Eindruck, den »Jedermann« vor dem Dom hinterlassen hatte, ließ den Widerstand der Kleriker verstummen.

Ich verbrachte unvergeßliche Stunden in der Kollegienkirche. Unbeschäftigte durften zwar den Proben nicht beiwohnen, aber ich fand viele Helfer, die mich die steilen Stiegen zu meinem Versteck hinaufführten. Dort konnte mich Reinhardt nicht entdecken.

Das grandiose Schiff war in purpurroten Samt gehüllt, ein imposanter Hintergrund für die bleiche Welt der Ungeborenen und die farbige der Lebenden.

Reinhardt war überall. Eben noch sah man ihn bei den Engeln, plötzlich stand er unten auf den purpurnen Stufen und zeigte dem Tod, der geigend voranzieht, um die Verstorbenen zum Jüngsten Gericht zu geleiten, einen Tanzschritt. Immer wieder nimmt ihm Reinhardt die Geige aus der Hand, bis endlich der Rhythmus so herauskommt, wie er ihn haben will. Jetzt tritt Moissi auf. Er spielt die Rolle des Bettlers, der sich gegen Gott auflehnt, der sein Los nicht hinnehmen will, der von der Welt verstoßen wird. Schon hebt er die Hacke zum Mord.

Diese Stelle wird stundenlang geprobt. Es gelingt Moissi nicht, die plötzliche Bekehrung des Geopferten, der die Hacke fallen läßt, um von Gottes Gnade erleuchtet, sein Schicksal demutsvoll auf sich zu nehmen, überzeugend darzustellen. Der Grund hierfür mag in einer Schwäche der dichterischen Gestaltung liegen.

Reinhardt ist ebenso geduldig wie Moissi und Hofmannsthal. Sie beraten, ob man Worte einfügen solle, um Moissi die Darstellung zu erleichtern. Doch plötzlich ist der Augenblick da. Moissi erfühlt die Vision des Dichters. Wie vom Blitz getroffen läßt er die Hacke fallen und sinkt in die Knie.

DIE SCHAUSPIELER DER JOSEFSTADT UNTER FÜHRUNG VON MAX REINHARDT

1924

»Die Wiener sollen wieder empfinden, was die Harmonie eines Ensembles bedeutet. Sie ist wie vollendete Kammermusik. Ein Zusammenspiel geistig und seelisch verbundener Schauspieler, das zum Erlebnis wird.«

Diese Worte sprach Reinhardt, als wir eines Abends das Burgtheater verließen. Das marmorne Gebäude mit seiner protzig-leeren Architektur hatte schon vor Jahrzehnten das alte, schlichte Theater mit seiner intimen Akustik ersetzt.

»Wien«, sagte Reinhardt unvermittelt, »besitzt ein altes Theater, das wie eine Stradivarius-Geige das Geheimnis birgt, den Ton zu veredeln[1].«

»Ja«, sagt Helene Thimig, »es ist ein Wunder, wenn man auf dieser Bühne steht. Ich habe es einmal erfahren. Dieses Wunder wirkt bis in die letzte Reihe der vierten Galerie. Jedes Lächeln, jede Erregung findet ein Echo – es ist wunderbar.«

So begann Reinhardt wieder einmal einen seiner Feldzüge.

Infolge der herrschenden Wohnungsnot und auch, weil Max Reinhardt mit der Gründung des Theaters in der Josefstadt Wien neue Anziehungskraft gab, bot die Regierung ihm Räume in der Hofburg.

Reinhardts angeborener Sinn für alles Großartige und Luxuriöse ist von seinem Werk nicht zu trennen. Er ist im höchsten Maß Barockkünstler, das heißt: Er konnte nicht anders, als auch im Alltag in Glanz und Schönheit verschwenderisch leben. So nahm Reinhardt ganz selbstverständlich Besitz von den historisch bedeutenden Räumen.

Dort hielt er nun seine einzigartigen Proben ab. Wenn ihn komplizierte psychologische Probleme oder ein raffinierter Dialog reizten, dann entzog er solche besonderen Werke dem brutalen Probenbetrieb und befaßte sich eingehend mit ihnen.

Als Übersetzerin von Paul Géraldys Schauspiel »Aimer« durfte ich bei den Hofburg-Proben dabeisein. Dieses Schauspiel war gerade für das Ensemble der Josefstadt ideal, und es schien, als hätte Géraldy an Helene Thimig gedacht, als er die Gestalt der scheuen, untreuen jungen Gattin schuf.

Für Géraldy waren diese Proben faszinierend.

»Wissen Sie«, schrieb er, »wen die österreichische Regierung nach Kriegsende in dem großartigen Gebäude der ehemaligen kaiserlichen Residenz untergebracht hat? Max Reinhardt, einen Theatermann. Wem stünde ein so prächtiger Rahmen besser an als einem großen Wiener Regisseur? Die Proben fanden in den durch Paravents sehr geschickt aufgeteilten Sälen statt. Später schob man die Paravents zur Seite und setzte sich an einen fürstlich gedeckten Tisch. Nach dem Essen führte uns Reinhardt durch weite Höfe und über mächtige Stiegen, öffnete ein schweres Eisengitter, und ich fand mich auf dem zu dieser nächtlichen Stunde wenig belebten Michaelerplatz. Alt-Wien schlief. Ich konnte Traum und Wirklichkeit nicht mehr unterscheiden.«

So kündete sich eine neue Ära in der Schauspielkunst an.

Mit Goldonis »Ein Diener zweier Herren« eröffnete Reinhardt die Josefstadt. Die Hauptakteure sind die Thimigs[2]. In der Geschichte des Theaters spielen große Schauspielerfamilien oft eine bedeutende Rolle. Hier ist es der Vater, Hugo Thimig. Er begann im Burgtheater als zwanzigjähriger Komiker und machte eine erstaunliche Entwicklung durch, bis zur Figur des Georges Dandin und des alten Musikus Miller, der er tragische Wirkung gab. Hermann und Hans Thimig führten jeder in seiner Art die väterliche Tradition zu neuem Glanz. Als Reinhardt die junge Helene Thimig in Berlin sah, erkannte er in ihr den Typus der neuen Zeit. Die zarte, madonnenhafte Gestalt wuchs unter Reinhardts Führung zu tragischer Größe.

Uraufführung von Hofmannsthals »Der Schwierige«. Der Tragiker, der Lyriker wandelt sich in den graziösen Komödiendichter. Mit tiefem Verständnis schildert er eine besondere Gesellschaftsklasse, die, ihrer Basis beraubt, zum Aussterben verurteilt ist. Es ist eine unwiederholbare Mischung jener Rassengemeinschaft, die das Österreich der Habsburger darstellt. Hofmannsthal verkehrte viel in diesen Kreisen. Trotz ihrer Schwächen, ja manchmal Lächerlichkeit, liebte er sie sehr wegen ihrer Anmut und Leichtigkeit. Eine Komödie großen Stils wie die von Hofmannsthal hängt stets von der gesellschaftlichen Konvention ihrer Epoche ab. »Der Schwierige« wäre nicht eine Komödie, die den Stempel des Genies trägt, wenn nicht zwei Gestalten jenem Reich entstammten: der Schwierige und das Mädchen, das er liebt.

Noch ein anderer Name machte diese Aufführung zu einem Markstein des österreichischen Theaters: Oskar Strnad[3]. Ihm war die Erleuchtung des Visionärs gegeben. – Von Beruf Architekt, hatte Strnad in der Kunstgewerbeschule eine neue Klasse geschaffen, die er die »Formenlehre« nannte. Der Schüler mußte aus genauen Zweckangaben einem Gegenstand die logische Form geben. Als eines der überzeugendsten Beispiele zeigte mir Strnad eine Violine, die der Schüler aus den ihm angegebenen Gesetzen einwandfrei konstruiert hatte.

Dann kam Strnad zur Bühne. Er begann als Expressionist, entfernte sich von Form und Material. Als er Reinhardt begegnete, wurde aus dem Andeuter ein Deuter. Er schuf allmählich architektonische, materialgerechte Bühnenbilder, die die traumhafte Unwirklichkeit gespielten Lebens wiedergeben.

Es war ein seltener Genuß, mit Strnad über den geistigen Inhalt eines von ihm gestalteten Werks zu sprechen. Eine seiner besten Schöpfungen war seine Gestaltung der »Zauberflöte« in Salzburg. In diesem Symbol der Reinheit spiegelt sich Strnads Seele ganz.

Als er kaum fünfzigjährig starb, verlor Reinhardt seinen besten Helfer.

MOLIÈRE IN LEOPOLDSKRON

Dieses Jahr steht nur der »Jedermann« auf dem Programm. Aber im nächsten Jahr sollen die Festspiele auch Musik, vor allem Opern, bringen.

Wie könnte man diesmal die Anziehung neu beleben? Schon regt sich Amerikas und Englands Interesse. Fortwährend kommen Anfragen.

Reinhardt besitzt ein zauberhaftes Schloß, einen wunderbaren Festsaal. Warum nicht, ohne mit den Behörden zu diskutieren, auf eigenem Boden einen reizenden Einfall verwirklichen?

Es werden Einladungen in alle Welt versandt. Reinhardt geht ans Werk.

Eine Bühne gibt es nicht. Vor dem monumentalen Kamin des Festsaals, in dem das Feuer prasselt, stehen einige Stühle. Ein großer Rokokofauteuil für den Kranken und ein mit Medizin beladener Tisch – das ist alles.

Géraldy ist aus Paris gekommen. Die Gäste warten im Salon auf den Augenblick, gerufen zu werden. Pallenberg[1], dem Hauptdarsteller des »Eingebildeten Kranken«, fällt die Aufgabe zu, uns in den Festsaal zu geleiten. Gleich ist der Festsaal bis zum letzten Winkel gefüllt.

Drei Klopfzeichen melden den Beginn.

Géraldy notiert sich auch an diesem Abend seine Eindrücke:

»Die Harmonie der Farben, des Feuers im Kamin, der Tapisserien der Wände, des alten Porzellans und der Kostüme war ein Wunder.

Man wurde an ein Bild Watteaus oder Chardins erinnert. Friedell spielte mit seiner Rundlichkeit und seiner Gutmütigkeit den Diafeirus wunderbar.

Er hatte die Rolle nicht ohne Schwierigkeiten bekommen. Reinhardt, ein unerbittlicher Diktator, hatte zuerst strikt abgelehnt. Aber eines Abends, als Reinhardt vor der Masse seiner Verehrerinnen geflüchtet war und allein am Ufer des Sees spazierenging, hörte er ein lautes Geplätscher im Wasser. Erstaunt wandte er den Kopf. Das Schilf bewegte sich. Ein großer nackter Mann stieg aus dem Wasser.

Neptun ...

Es war Friedell. Er hatte – als ausgezeichneter Schwimmer – den See überquert, tauchte nun aus dem Schilf auf und deklamierte in herrlichen Alexandrinern:

»J'ai traversé le lac, les Dieux m'ont assisté,
Si je n'ai demain (et je suis entêté)
le rôle qui m'est due dans la piece nouvelle,
tu connaîtras des Dieux la vengeance immortelle[2].«

Am nächsten Tag bekam Friedell natürlich die Rolle.

Der »Eingebildete Kranke« wurde von dem großen Pallenberg gespielt. Er spielte ihn so, daß seine Kollegen im französischen Theater einigermaßen erstaunt gewesen wären. In der Szene etwa, in der Beline ihren Gatten totglaubt und sich schon als lustige Witwe sieht, beschimpft sie Argan enttäuscht und wütend, auf eine dramatische Art, die sich allzuweit vom Ton der Komödie entfernt. Dennoch war ich von vielen hinreißenden Regieeinfällen begeistert und wünschte, solche Einfälle würden unsere Theatertradition bereichern.

Am zufriedensten mit sich selbst, am stolzesten auf seinen Erfolg war Friedell, der Philosoph. Der Autor des großen Werks über die Kulturgeschichte der Neuzeit hatte in seiner Rolle des Diafeirus spontane Einfälle von einer Ursprünglichkeit, die mich entzückten. Ich stieß Max Reinhardt an.

»Warum gefällt er mir so gut?« fragte ich ihn.

»Ich wüßte keinen besseren Schauspieler als einen genialischen Amateur.« Diese Antwort umschließt das Wesen der gesamten österreichischen Kunst. Sie sind alle genialische Amateure, diese Leute, aber vollkommen.

Die Lichter verlöschen. Die letzten Gäste verlassen Leopoldskron. Dies ist immer das Zeichen für die engsten Freunde, daß nun die Nachtwache beginnt.

Man versammelt sich um Reinhardt, der seine Havanna raucht und schweigend das Spiel in sich nachwirken läßt, sich neuen Phantasien hingibt.

Wehe denen, die es gewagt hätten, vor der vierten Morgenstunde den für Reinhardt erst angefangenen Abend abzubrechen.

»Sie werden doch nicht?« sagte er ironisch und ein wenig verächtlich. »Wir haben kaum zu leben begonnen.«

Und der Schläfrige setzt sich beschämt nieder und wartet auf den ersten Hahnenschrei.

SALZBURGER KALEIDOSKOP
1927 und später

Der Salzburger Bahnhof. »Europe«, »Bristol«, »Österreichischer Hof«! rufen die Portiers und sammeln ihre Gäste. Ich werde von meinem alten Freund, dem Hausdiener des Österreichischen Hofs, abgeholt. Alle lächeln mir Willkommen zu. Der Portier begrüßt mich wie ein Familienmitglied. »Ihr Zimmer ist bereit.« Und ich frage gar nicht, welches Zimmer. Ich weiß, es ist immer dasselbe, seit Jahren.

Ich bin nicht reich genug, um die wundervolle Aussicht auf Fluß und Festung zu bezahlen, zu nervös, um den Straßenlärm der Front zu vertragen. Mein Zimmer ist seitlich gelegen und still. Brav haben sich die Hausdiener gemerkt, daß ein Paravent Bett und Waschtisch verhüllen soll, daß Diwan, Schreibtisch, Fauteuils einen Salonersatz bilden sollen. Denn hier wird der Umgang mit Freunden noch rapideren Rhythmus annehmen als in Wien.

Wenn ich die Aussicht genießen will, steige ich in den dritten Stock. Dort bewohnen Moissis die Eckzimmer, an denen Balkons hängen wie Nester. Der erste Weg führt mich zu ihnen. Nirgends ist es so gemütlich wie bei Johanna Terwin-Moissi[1]. Dort sitzen wir auf dem Diwan, dem Bett oder auch auf dem Boden herum, Kollegen gehen aus und ein. Es wird herrlich getratscht . . .

Hofmannsthals wohnen im allerletzten Stock. Eine Art Mansardenraum, weitläufig, luftig, fern vom Hotelgetriebe. Dort finde ich eine Atmosphäre gedämpfter Emotionen. Hofmannsthal liebt die Salzburger Wochen leidenschaftlich, aber er verträgt sie schlecht. Diese fiebernde Spiegelwelt ist ihm irgendwie willkommen, denn er braucht das Theater, über das er Bahr einmal schrieb: »Ich hänge doch sehr an dieser unreinen Kunstform.« Daß sich aber seine körperliche Natur dagegen wehrt, das ist sein ewiger Konflikt.

Heute jedoch finde ich ihn in schönem Gleichgewicht. Er freut sich, daß ich gerade zum »Jedermann« zurechtkomme, der endlich einmal bei strahlendem Wetter vor sich gehen wird, freut sich auf den »Sommernachtstraum« im Festspielhaus und auf die »Fidelio«-Aufführung zur Feier des hundertjährigen Todestags Beethovens.

In meinem Zimmer wartet schon Strnad auf mich.

»Ein Glück«, sagt er, »daß die Bühne des Festspielhauses und überhaupt der ganze Komplex umgebaut werden konnte. Jetzt ist die Bühne brauchbar, und angesichts der einzigartigen Lage des Theaters, das wie der Legende dieser Stadt entstiegen scheint, nimmt man selbst Unbequemlichkeiten gern hin.«

Es war einer der glücklichsten Einfälle der Festspielmacher, die aus dem 17. Jahrhundert stammenden Reitschulen, von Erzbischof Ernest Thun erbaut, in Festräume umzuwandeln. Sie waren in die Felswände des Mönchsbergs eingebaut: eine offene und eine geschlossene Reitschule, die später nur mehr als Baracken wirkten und beinahe verfielen, ehe sie für die Festspiele wiederentdeckt wurden. Der neu hergestellte Festsaal dient dem Theater als Foyer. Von hier aus gelangt man in die einstige offene Reitschule. Hier bereitet Reinhardt Festaufführungen großen Stils vor.

»Faistauers Fresken, die die Eingangshalle schmücken«, meint Strnad, »sind eine Leistung von hohem Rang. Der geniale junge Künstler hat die Tradition der Frührenaissance, die Giotto-Tradition, neu erfühlt. Dem Barock ist das Dekorative alles, der Mensch Nebensache. Faistauer findet wieder zurück zu den Heiligen, die unsere Zeitgenossen sind. Wir erkennen uns in schlichten Legenden.«

Danach kam Strnad auf Reinhardt zu sprechen.

»Diesmal hat er eine Vision des ›Sommernachtstraums‹ heraufbeschworen, die szenisch zu gestalten mir zuerst unmöglich schien. Er forderte einen geradezu wirbelnden Ablauf. Sie werden ja morgen die Generalprobe sehen und können selbst beurteilen, ob es mir gelungen ist, das Flüchtige einzufangen.«

Die »Fidelio«-Probe hat bis drei Uhr nachts gedauert. Langsam ging ich mit meiner Freundin und ihrem Gatten Richard Mayr über die Salzach-Brücke; wir waren müde, aber das Glücksgefühl über die erlebten Augenblicke der Vollendung hielt uns wach.

Der unvergleichliche Richard Mayr[2] hat den Rocco noch mit Gustav Mahler studiert.

Mahler sagte mir einmal: »Es gibt nur wenige, die wie Richard Mayr eine herrliche Stimme mit der edelsten Musikalität verbinden, mit leidenschaftlichem Empfinden und absoluter Gewissenhaftigkeit.«

Wir blieben stehen. »Erinnern Sie sich«, fragte ich, »an eine Probe des ›Fidelio‹, bei der Mahler den Übergang aus Kerkernacht zum strahlenden Tag der Vergeltung wohl zwanzigmal mit Ihnen probte, weil ihm das flakkernde Laternenlicht, das Sie emporhoben, um den Weg zu finden, so wichtig für die von ihm gesuchte Stimmung war?«

»Gewiß erinnere ich mich, denn diese Gewissenhaftigkeit, auch wenn es sich nur um eine geringfügige Nuance handelte, hat doch der Wiener Oper unter Mahler die unwiederholbare Qualität verliehen ... Und ich freue mich, daß Franz Schalk[3] mit so großer Ehrfurcht Mahlers Erbe verwaltet.«

»Ja. Er hat heute grandios dirigiert, feurig wie ein Jüngling, abgeklärt wie ein Meister! Als ich ihm gratulierte, hat er gemeint: »Mit diesem Orchester, diesen Sängern, dieser Leonore ...«

»Ja, die Lotte Lehmann[4]!« Hinter uns war Arnold Rosé herangekommen.

»Sie hat heute so unvergleichlich gesungen, wie es nur ganz wenigen großen Künstlern gegeben ist.«

Lotte Lehmann! Auch wenn ihr Name nun weltberühmt geworden war, kehrte sie immer wieder gern an die Wiener Oper zurück.

Sie hatte so gar nichts von einem Star an sich. Jede Eitelkeit war ihr fremd, auch beschränkte sie sich nicht auf die Interessen der Stimmpflege und der Karriere. Sie las, dachte viel und betätigte sich gern schriftstellerisch. Der Grundzug ihres Wesens war Aufrichtigkeit. Die Worte »Konzession« und »Opportunismus« kannte sie nicht.

Wenn die Lehmann einen ihrer Liederabende gab, war sie in ihrem eigentlichen Element. Oft gestand sie: »Ich entferne mich immer mehr von der Bühne. Der Widerstand gegen die ganze Opernsingerei wächst in mir. Es ist soviel Schminke nötig. Aber das Lied ist der wahrhaftigste Spiegel des Gemüts. Es verlangt auch technisch das Höchste vom Sänger. In der Oper kann man notfalls schwindeln, beim Lied niemals. Da muß die Kunst des Atmens, der Intonierung, der Diktion vollkommen sein. Ich glaube, ich werde in ein paar Jahren so weit sein, daß sich mein größter Wunsch erfüllt: mich ganz dem Lied zu widmen.«

Jede Kunstepoche hat ihre gesetzmäßige Entwicklung. Auch den Salzburger Festspielen wird eine Hochblüte und Spätzeit beschieden sein. Vorläufig genoß man die Entfaltung der frühlingshaften Stimmung. Eine internationale Elite begann bereits ihre Pilgerschaft, aber noch hatte die Mode nicht ihr Quartier aufgeschlagen, und die Flut der Gäste überschwemmte noch nicht die Hotels, staute sich noch nicht vor Domplatz und Festspielhaus.

Das Frühstück im Café Bazar! Der »Ober« servierte väterlich den Schlagoberskaffee. Dieser »Ober«, wie man den regierenden Herrscher unter der Kellnerschar nannte, war zu einer Figur geworden. Er spielte seine Rolle in der Festspielstadt, war mit jedem Prominenten vertraut, hatte seine Lieblinge und ließ sich da weder von Trinkgeld noch Titeln bestechen. Er reservierte einem Pärchen, dessen Flirt ihn interessierte, trotz des Andrangs einen Tisch, er verschwieg einem eifersüchtigen Ehemann, wohin sich seine bessere Hälfte begeben hatte, und das nicht unbegleitet. Er kannte Geheimnisse aus den Festspielkomitees, Absagen und Zusagen, lange vor den sensationshungrigen Journalisten. In seiner Brieftasche fanden sich Karten für eine ausverkaufte Vorstellung, die er Auserwählten zukommen ließ. Er war eine Art moderner Figaro.

Ich saß beim Frühstück und schaute aus dem Fenster. Moissi ging vorüber: »Komm mit«, ruft er mir zu.

»Wohin?«

»Zum Dom. Ich schau mir den ›Jedermann‹ an. Frag nicht. Du wirst gleich alles wissen.«

Neugierig begleitete ich Moissi. Dort oben auf den Brettern spielten Kinder den »Jedermann«. Sie hatten von Dächern und anderen Verstecken aus dem Spiel oft zugesehen. Ganze Szenen kannten sie auswendig. Ihr Eifer, ihre Geschicklichkeit, ihr Ernst, die Freude am Spiel hatten etwas Rührendes. Sie ließen sich nicht stören. Die Anwesenheit von Moissi schien sie eher zu ermuntern. Der zehnjährige Jedermann warf ab und zu einen Blick auf seinen großen Kollegen, als wollte er sagen: Siehst du, das kann ich auch!

»Für Hofmannsthal«, sagte Moissi, »ist das die schönste Bestätigung, daß sein Werk eine echte Volksdichtung ist. Auch Bauern führen in vielen Dörfern das heilige Stück auf.«

In »Romeo und Julia« sendet die Familie Capulet ihre Einladungen zu einem Fest durch einen Boten. Die Sitte, Freunde schriftlich zu bitten, war zu jener Zeit noch unbekannt. Reinhardt war zu der Renaissancesitte zurückgekehrt. Es war ein gewohnter Anblick, am Vormittag zwischen »Österreichischem Hof« und »Hotel Europa« einem Herrn in Salzburger Tracht zu begegnen. Jeder wußte: Das ist der Bote aus Leopoldskron.

Scheinbar achtlos ging er an mir vorüber, doch im Vorbeigehen flüsterte er: »Reinhardt läßt Sie für heute abend bitten. Zehn Uhr.«

Bis zehn Uhr abends war es noch lange hin.

Gerade schickte ich mich an, einen Spaziergang auf die Richterhöhe zu unternehmen, als mich Rudolf Beer[5] aufsuchte.

»Wir fahren nach Berchtesgaden, die Köppke[6] und ich. Wollen Sie nicht mitkommen?«

Wir fuhren los und befanden uns plötzlich auf deutschem Gebiet. Hier erkannte man wieder die Willkür politischer Grenzen: das gehörte doch noch zu Salzburg, hier fühlte man sich heimisch. Dieselben Häuser und Berge, die gleichen Barockgäßchen und -plätze.

Ich begrüßte die Köppke. Sie spielte im »Sommernachtstraum« eines der beiden liebestollen Mädchen.

Wieso, dachte ich, ließ Reinhardt die Köppke nicht den »Puck« spielen? Sie stammt doch aus dieser Familie der Elfen und Feen; sie sieht selbst aus wie ein elfenhaftes Wesen und wird sich einmal, ehe man sich's versieht, in Tau oder Nebel auflösen.

Rudolf Beer, der tüchtige, geistig regsame Bühnenmensch, der mit allen Nerven an seinem Beruf hing, eine Wiener Figur, originell, witzig, gutmütig, unzuverlässig und doch treu, liebte die Köppke leidenschaftlich. Als Direktor des Deutschen Volkstheaters hatte er die Macht, sie in den Vordergrund zu stellen.

Dankbar war sie ihm nicht. Solche Worte verstand sie nicht. Sie ließ sich lieben. Mit einer Art Verzweiflung versuchte sie wohl manchmal selbst zu lieben, als ob es sie widerstrebend zu den Menschen ziehen würde, zu einer Wärme, die ihr immer unerreichbar bleiben würde.

»Erinnert Sie die Köppke nicht an Undine?« fragte ich Beer, als wir im Gärtchen des alten Gasthauses saßen.

»Warum«, fuhr sie auf, »bin ich anders als ihr alle? Ich atme, lebe, schlafe, esse, gehe auf die Probe, lerne meine Rollen, ich unterscheide mich in nichts von meinen Kolleginnen.«

»Ja«, antwortete Beer, »aber bei dir ist das alles mechanisch, wie schlafwandlerisch.«

»Weckt mich nicht auf – sonst weiß ich, was ich nicht wahrhaben will.«

»Geh, geh«, spottete Beer. »Tu nicht so geheimnisvoll. Was willst du denn nicht wissen?«

»Ich will nicht wissen, daß es nur der Mühe wert ist zu leben, um sterben zu können.«

Wir schwiegen betroffen. Dann sagte Beer heftig:

»So eine Sünde! In dieser herrlichen Gotteswelt so was zu denken! Ich möchte nie, nie sterben! Jedenfalls werde ich alles tun, um dem Tod ein Schnippchen zu schlagen.«

Die Köppke antwortete nicht. Sie war blaß und sah sehr kindlich aus, doch so fern, als wäre sie hundert Jahre alt.

Einige Jahre später hat sie Selbstmord verübt, wie auch Rudolf Beer. Er war eins der ersten Opfer des Nazi-Terrors.

Der Abend war gekommen. Die intime Gesellschaft bei Reinhardts begann. Im Festsaal waren nur drei runde Tische gedeckt. Nach dem Souper brachten Diener den Damen ihre Mäntel. Wir standen nun in der kühlen Mondnacht auf dem Balkon. Der See plätscherte leise. Das Rosé-Quartett spielte auf der Seeterrasse eine Serenade von Mozart. Zauberhaft war dieses Musizieren in nächtlicher Stille. Die stilisierte Terrasse, von Barockstatuen umrahmt, lag geisterhaft im Mondenschimmer. Ein unvergeßliches Schauspiel, echtester Reinhardt!

So improvisiert die Leopoldskroner Empfänge auch immer sind, jeder Abend besitzt eine besondere Atmosphäre. Eine besonders stilvolle Variante erlebe ich heute. Einige reizende Damen der internationalen Gesellschaft waren nach Leopoldskron geladen. Ohne es zu wissen, spielten sie alle mit, in einem Marionettentheater mit lebenden Figuren. Solche Aufführungen machen dem Zauberer von Salzburg den größten Spaß, bedeuten ihm Erholung von seiner harten Arbeit.

Träumt er diesmal von Veronese? Oder von Carpaccio, wie er so in der Halle vor dem Kamin steht und mit gastlicher Würde empfängt?

Es erscheint Lady M. Trotz ihrer hervorragenden gesellschaftlichen Stellung hat sie oft als Star an Reinhardts internationalen Tourneen teilgenommen. Ganz in Weiß gekleidet, den schönen Nacken, die edlen Arme frei, dreifach geschlungene Perlenketten sind der einzige Schmuck.

Die junge kapriziöse Prinzessin, Tochter eines der bedeutendsten amerikanischen Financiers, ist ein ganz anderer Typus. Impressionistische Anmut, lässige Eleganz.

Jetzt kommt eine seltsame Gestalt herein, eine überschlanke, beinahe jünglingshafte Figur mit unruhigen, interessanten Gesichtszügen, unschön und trotzig, aber reizvoll pervers. Sie versucht wohl, einer Pagengestalt Carpaccios zu ähneln. Die kurz geschnittenen, rötlichen Haare quellen unter der keck aufgesetzten Mütze aus rotem Samt hervor. Man sucht unwillkürlich nach dem Falken auf der behandschuhten Faust.

Da tritt die berühmte russische Tänzerin, die jetzt mit einem Diplomaten verheiratet ist, an den Kamin. Mit graziöser, sicherer Anmut streckt sie die Hände den Flammen entgegen.

Plötzlich unterbricht eine schrille Stimme das höfliche, gedämpfte Summen der Gespräche. Es ist die Fürstin B., eine rassige Rumänin, deren Haar wie schwarzer Lack den wohlgeformten Kopf überzieht. Sie ist in großer Salontoilette, direkt dem Auto entstiegen, mit dem sie nach zwölfstündiger Fahrt gerade rechtzeitig eintrifft. Sie gibt Reinhardts Puppenspiel die noch fehlende exotische Note.

Dann ziehen noch viele Blonde, Goldbraune, Rote und Rabenschwarze vorüber.

Reinhardt verschwindet. Man wird durch die Bibliothek in einen den Gästen selten geöffneten Raum geführt, einen Rokokosalon, dessen Wände mit Motiven aus der Zeit geschmückt sind. Gegenüber dem Eingang ist ein kleines Podium errichtet, Bänke und Fauteuils im Rokokostil stehen im Raum. Auf dem Boden verstreut liegen Polster jeder Art und Größe. Die älteren Damen nehmen auf den Sitzmöbeln Platz, aber die Schönheiten und ihre Kavaliere lassen sich auf den Polstern nieder.

Reinhardt erscheint in der Tür. Er genießt das Schauspiel. So hat er es sich vorgestellt.

Neben ihm steht eine Tänzerin. Es ist Tilly Losch[7], die biegsame Gestalt ganz in schwarzen Crêpe de Chine gehüllt. Ihre Darbietung ist weniger Tanz als Gebärde; ein edler Rhythmus von Gesten, die die Nacktheit des umhüllten Körpers suggestiv verraten.

Eine Szene, die sich harmonisch in das Gesellschaftsbild einfügt und die eine Vision versunkener venezianischer Feste hervorzaubert.

Es ist wie immer spät geworden. Jetzt erst beginnt Reinhardts Abendfeier. Helene Thimig, seine Frau, die mit lautlosem Charme ihre Hausfrauenpflichten erfüllt, ist das willige Opfer der Nachtwache, die für ihn Erholung, aber auch die schöpferische Zeit ist.

Ich verlasse als eine der letzten das Schloß, und es fallen mir einige chinesische Verse ein, die ich Reinhardt als Wappenspruch überreichen wollte:

»Töte den Hahn, der unablässig kräht!
Schieß ihn nieder, der frech den Morgen kündet!
Nur so wird dunkle Nacht endlos dauern,
Bis zum Morgen des neuen Jahres!«

LONDON

Mme. Paul Clemenceau, Paris *London 1928*

Liebste, es wird Dich erstaunen, daß ich Dir nun aus London schreibe. In vierzehn Tagen hoffe ich, bei Dir zu sein. Der Bundeskanzler und Kunwald waren der Ansicht, ich sollte auch einmal England in meine geheimen Propagandafahrten einbeziehen. Ich schreckte davor zurück, denn in Paris bin ich daheim, in London aber besitze ich nur eine einzige Freundin, Ethel Snowden[1], die Frau des Finanzministers.

Downing Street ist der Brennpunkt von Englands Weltpolitik. In Nummer 10 residiert der Premier, Nummer 11 meist der Finanzminister.

Ethel Snowden erwartete mich an der Bahn. Ich betrat historischen Boden; ein einfaches, prunkloses Haus, im Parterre das Speisezimmer und ein kleiner Empfangsraum. Die sehr steile unbequeme Treppe führte in den ersten Stock, wo sich einige Salons befanden. Ethel quartierte mich im 2. Stock in einem herrlichen Zimmer mit Bad ein. Es war ihr eigenes Appartement, das sie mir in echter Gastfreundschaft überließ.

Gleich am ersten Abend sprach ich mit Philipp Snowden. Mir war längst bekannt, daß Snowden Deutschland als von Frankreich durch den Friedensvertrag schwer geschädigt betrachtet. Er tat alles, um diesen Vertrag zu bekämpfen. Das weit härtere Schicksal, die Zerstörung Österreichs, ließ ihn kalt. Der halbgelähmte Mann bewegte sich nur mit Hilfe von zwei Stöcken vorwärts. Seine Nichtachtung körperlicher Behinderung erinnerte mich an Kunwald.

Du weißt, wie ich Ethel kennenlernte. 1919 fand in Bern der erste von den Sozialisten einberufene internationale Friedenskongreß statt. Ethel Snowden ist ein großes Rednertalent. Als sich die schöne junge Frau mit den blitzenden stahlblauen Augen und dem leuchtenden blonden Haar zu ihrer Rede erhob, folgte ihr die vielhundertköpfige Versammlung mit Andacht. Es war kein sentimentaler Aufruf zum Frieden. Klar, manchmal mit schneidender Schärfe, legte sie die Schäden dar, die eine rückständige Welt der Menschheit zugefügt hat. Der Klang ihrer metallenen Stimme hat seitdem in England – auch in Amerika – oft Zehntausende in ihren Bann gezogen. Wir lernten uns kennen und fühlten uns sofort freundschaftlich verbunden.

Sie half ihrem gelähmten Mann treu, sein Werk zu erfüllen. Doch über ihrem gütigen Wesen liegt ein Schatten.

Snowden wurde in das Kabinett MacDonald[2] berufen. Ethel weigerte sich, Mitglied der sozialistischen Partei zu werden. Sie wollte von jeder Parteibindung frei bleiben. Auch hier glichen wir uns. Wie Du weißt, hasse ich den Begriff »Partei«.

Diese Erinnerungen wurden in mir wach, als mir Bundeskanzler Seipel eines Abends sagte: »Ihre Aufgabe in Frankreich hat gute Früchte getragen, England aber steht Österreich ablehnend gegenüber, es ist Deutschland weit besser gesinnt. Sie sind Ethel Snowdens Freundin, der Augenblick wäre da, das MacDonald-Kabinett für Österreich günstiger zu stimmen.« So habe ich noch am selben Abend Ethel geschrieben.

Heute, drei Tage nach meiner Ankunft, lud mich Snowden ein, mit ihm im Parlament zu Mittag zu essen. Von der mächtigen Terrasse blickt man auf die Themse. Die meisten Minister und auch die Mitglieder des Hauses nehmen hier ihr Mittagessen ein. Diese mir fremde Welt war hochinteressant und von dem Ton in der französischen Kammer grundverschieden. Nichts von Lebhaftigkeit war zu spüren, hier herrschte überlegene Ruhe. Ich lernte Lord Haldane kennen. Er war 1914 Kriegsminister und ist jetzt Schatzkanzler, ein alter Herr, dessen Gesichtszüge einen junggebliebenen Geist spiegeln. Er lud mich ein, morgen bei ihm und seiner Schwester Tee zu trinken.

Eben war ich dort. Die Queen-Anne-Straße hat ihren Charakter ganz bewahrt. Die einstöckigen vornehmen Häuser sind in ihrer noblen Einfachheit erhalten geblieben. Ein mächtiger Renaissancetürklopfer ersetzt an Haldanes Eingangstür die elektrische Klingel. Ich will eben klopfen, da steht Lord Haldane hinter mir.

»Ich habe den Schlüssel, Frau Zuckerkandl. Bitte!«

Wir betreten eine winzige Halle, überall Blumen. An der Treppe, die in den Livingroom führt, erwartete uns Miß Haldane und hieß mich willkommen. Am Kamin war der Tisch gedeckt. Bequeme Fauteuils luden zum Gespräch ein, das herzlich und offen war. Von der sprichwörtlichen angelsächsischen Steifheit war nichts zu spüren.

»Ich freue mich«, sagte Lord Haldane, »eine Österreicherin begrüßen zu können, denn zu den besten Erinnerungen meines Lebens gehören die in Wien verbrachten Tage.«

»Haben Sie in Wien studiert?«

»Nein, in Heidelberg. Deutsche Kultur hat mir viel gegeben. Aber Wien verkörpert das österreichische Märchen... Es war der Wirklichkeit wie durch einen Schleier entrückt.«

»Wien besitzt auch sehr reale Werte. Unsere Universität ist ebenso bedeutend wie die deutschen.«

»Aus Ihren Worten höre ich gleich den Antagonismus zwischen Österreichern und Deutschen heraus. Gewiß, die österreichischen Leistungen auf dem Gebiet der Wissenschaft, der Literatur, der Kunst, vor allem der Musik sind bedeutend. Nur die Sprache scheint Ihre Länder zu verbinden.«

»Und doch hat England dazu beigetragen, das Märchen zu zerstören.«

»Gegen meinen Willen. Ich glaube, daß die Friedensmacher von Versailles sich in einer Zwangslage befanden. Sie waren seit 1916 durch Versprechungen gebunden. Der Sieg war nicht leicht erkauft. Was an mir liegt, wird geschehen, um die Situation zu verbessern.«

»Verfall ist oft nur eine Form der Wiedergeburt. Auch Byzanz wurde lange von Historikern als Verfallsepoche angesehen, und doch begann damals die christliche Kultur zu wachsen.«

MacDonald hat mich liebenswürdig-distanziert empfangen. Doch bin ich mir klar, daß wir auf Englands tätige Hilfe nicht rechnen können. Noch mehr als in Frankreich stößt man hier auf einen geheimen Widerstand. Jeder Fortschritt in Österreichs Sache wird von unsichtbarer Kraft sabotiert.

Hier mußte ich unterbrechen. Philipp Snowden kam von der Parlamentssitzung nach Hause. Beim Abendessen teilte Snowden mir mit, er denke an ein Projekt, der österreichischen Industrie englisches Kapital zuzuführen. Das verdanke ich Ethel, die unablässig für mich wirkt.

Heute traf ich zufällig in unserer Gesandtschaft meinen Freund vom Quai d'Orsay. Wir aßen zusammen im Savoy, und es ergab sich ein Gespräch, dessen Verlauf mich über den geheimen Widerstand, von dem ich Dir berichtete, aufgeklärt hat.

Mein Vertrauensmann beurteilt die österreichische Frage sehr pessimistisch. »Es ist ein besonderes Pech«, sagt er, »daß der heute allmächtige Politiker der Nachfolgestaaten, Edward Benesch[3], mit dem politischen Chef des Quai d'Orsay eng befreundet ist. Philippe Berthelot steht vollkommen unter seinem Einfluß. Es ist ein Irrtum, zu glauben, die auswärtige Politik werde vom Außenminister gemacht. Der ist doch nur eine Randerscheinung. Das Steuer hat der erste Beamte des Quai d'Orsay in der Hand, er, der alle Ministerien überdauert.

Ich weiß stets genau, wann und wie die zerstörerische Tätigkeit einsetzt, die einen von Frankreich gegebenen Impuls, der das österreichische Problem einer Lösung näherführen könnte, gleich zu Beginn erstickt.

Sobald Berthelot erfährt, daß sein Minister einigen österreichischen Vorschlägen Gehör schenken will, teilt er dies umgehend seinem Freund Benesch mit. Dieser erscheint sogleich in Paris und torpediert geschickt und unauffällig das Projekt. Mittlerweile stürzt vielleicht das Ministerium, neue Götter ziehen ein, und Benesch, der Österreich selbst in seiner jetzigen Gestalt haßt, verzeichnet wieder einen Sieg.«

»Hat das Foreign Office auch seinen Berthelot?« fragte ich.

»Nein, doch England sieht es ungern, wenn Frankreich in Mitteleuropa auf eigene Faust Politik betreibt. Die an sich richtige Idee der französischen Politiker, aus Österreich den Kern einer neuen Donaukonföderation zu schaffen, findet im eifersüchtigen England wenig Anklang. Besonders MacDonald setzt kurzsichtigerweise auf die deutsche Karte. Und er ist ein schlechter Spieler.«

Ich hätte Dir noch vieles zu erzählen, doch alles andere lieber mündlich,

Deine Bertha.

HOFMANNSTHAL STIRBT

Mme. Paul Clemenceau, Paris *Frühjahr 1929*

Liebste! Vor mir liegen die Briefe, die mir Hofmannsthal geschrieben hat, einer von ihnen ist mir über alles wert. Darin sagt er mir, ich hätte Dinge verstanden, die unverstanden geblieben waren, und dies hätte ihm ans Herz gegriffen.

Hofmannsthal hat einmal geschrieben: jeder Tod hat seine Atmosphäre. Nun, die Atmosphäre seines Todes verdichtete sich seit einem Jahr – oder vielleicht schon länger – zu dem dramatischen Gewitter seines tragischen Endes.

Anfälle wie jener, als er bei mir das »Große Salzburger Welttheater« las, wiederholten sich wie leise Mahnungen. Doch achtete man, wie meist bei sehr nervösen Menschen, wenig darauf. Hofmannsthal war jedenfalls wehmütig gestimmt, denn als er eines Tages unerwartet zu mir kam, ergriff er mitten im Gespräch meine Hände und sagte leise:

»Ich möchte nicht mehr leben! Es freut mich nicht mehr, ich will fort!«

Mir blieb das Herz stehen. Ehe ich mich aber zu einem Wort aufraffen konnte, hatte er wieder seinen höflichen, etwas unruhigen Gesichtsausdruck angenommen und ging über diese Gefühlswallung hinweg, als wäre nichts gewesen.

Ein andermal stürzte Hofmannsthal herein, leichenblaß. In zitternden Händen hielt er das Sechs-Uhr-Abendblatt.

»Raimund[1] muß etwas geschehen sein«, rief er aus. »Er hat vorgestern telegraphiert, daß er am 24. bei uns frühmorgens eintrifft, und eben kaufe ich das Blatt – da lesen Sie das Datum! Heute ist der 24., und er ist nicht gekommen.« – Hofmannsthals Blässe, seine Erregung ließen einen Anfall befürchten. Ich rannte zu meiner kleinen Apotheke, flößte ihm etwas Validol ein. Plötzlich denke ich: aber das Sechs-Uhr-Blatt ist doch vordatiert, heute ist der 23.... Es war wie eine Erlösung für den Armen. Er atmete auf... Diesen Sohn liebte er über alles.

Hier stehen wir nun vor der schicksalhaften Wendung. Der ältere Sohn Franz[2], ein hübscher, liebenswürdiger junger Mann, war wohl nicht besonders begabt; vielleicht fand er aber auch für seine Anlagen nicht die richtige Entwicklung. Viele Versuche, eine Stellung für ihn zu finden, schlugen fehl. Auch jetzt kehrte er wieder erfolglos aus Paris zurück.

Hofmannsthal, dessen Nerven gerade besonders empfindlich waren, wich vorerst einer Unterredung aus und entzog sich einer Entscheidung. Das war vor acht Tagen. Ich war gerade bei meinen Kindern auf dem Land. Sie besuchten mich, da die Autofahrt zu ihrem Rodauner Haus nur einen kleinen Umweg bedeutete.

Wir saßen alle drei auf der Bank vor dem Haus. Ich ahnte, daß Gerty[3] den Umweg gemacht hatte, um den Nervösen ein wenig abzulenken. Vielleicht auch, um Dinge zu besprechen, denen Hofmannsthal bisher ausgewichen war.

»Franzl ist zurück«, sagte sie. »Er hat in Paris Freunde gefunden, die mit ihm ein Verkehrsbüro einrichten wollen. Das möchte er so gern mit Hugo besprechen.«

»Lassen wir das«, schnitt ihr Hofmannsthal brüsk das Wort ab. »Wozu hier? Jetzt? Warum? ... Ich will mit Bertha von was anderem reden.«

Wovon haben wir gesprochen? Hätte ich geahnt, daß ich ihm nie mehr gegenübersitzen würde, nie mehr seiner abrupten Rede lauschen könne, ich würde mir jedes seiner Worte eingeprägt haben. Doch der Mensch ist ja blind und taub, er kann die Zeichen, die von »drüben« kommen, nicht mehr deuten.

Drei Tage später erschoß sich Franzl mit einem Revolver im Elternhaus. Es war die typische Tragödie des jungen Österreichers, der in einem zerschlagenen Vaterland an seiner Zukunft verzweifelt.

Man muß die armen Eltern ungestört lassen, dachte ich. Wie kann Hofmannsthal das ertragen?

Die Antwort erhielt ich um Mitternacht, als ich aus dem ersten Schlaf auffahrend das Telefon klingeln hörte.

Die Stimme einer Freundin.

»Bertha, nun ist auch Hugo gestorben. Heute früh, als Franzls Sarg zur Gruft getragen wurde!«

Das Unbegreifliche ereignete sich am Morgen, an dem Franz begraben wurde.

Hofmannsthal hatte Schlaf gefunden. Erwachend erzählte er Gerty, er hätte sonderbar geträumt. Von Franzls Sarg, der die Treppe hinabgetragen wird.

Eine Stimme flüsterte: »Sie müssen hinter dem Sarg gehen, Hugo.« Er will seinen Hut nehmen, kann ihn nicht finden – und er sagt: »Mein Hut – wo ist mein Hut – sonst kann ich Franz nicht begleiten.«

Die Familie versammelt sich im Bibliothekszimmer. Der Augenblick ist da. Die Traumvision spielt sich in Wirklichkeit ab. Hofmannsthal wird gerufen, er möge dem Sarg als erster folgen. Er erhebt sich, sucht seinen Hut. »Ich kann den Hut nicht finden«, sagt er.

Und sinkt zurück.

STEFAN ZWEIG

1915–1929

Es wäre für die Leser dieses Tagebuchs verlockend, Intimes aus dem Leben eines der meistgelesenen Autoren zu erfahren. Doch hier fühle ich eine unüberwindliche Hemmung; ich bin mit Stefan Zweig[1] seit 1915 befreundet und würde gern von ihm erzählen, doch ist es mir, als stünde ich da plötzlich vor einer verbotenen Tür.

Stefan Zweig hatte sich mit einem Stacheldraht umgeben, der den Zugang zu seinem Inneren verwehren soll. Seine beinahe krankhafte Scheu vor jeder Berührung mit der Außenwelt grenzte an Neurasthenie. Wenn ich Begegnungen, Gespräche, Worte, die ich nicht vergessen habe, hier aufzeichnen wollte, würde Zweig dies als ein brutales Zerreißen des Stacheldrahtes empfinden.

Und doch: Beim Rückblick auf Österreichs Geisteswelt kann man an diesem hervorragenden Repräsentanten nicht vorübergehen.

Leider muß man alles Persönliche, das eigentlich für ein Porträt Stefan Zweigs unentbehrlich wäre, ausschalten.

1915. – Seit Kriegsbeginn hatte ich begonnen, für die vergessenen Pflichten der Humanität einzutreten. So veröffentlichte ich einen Artikel, der die Aufmerksamkeit auf das Elend der aus Galizien vertriebenen Flüchtlinge lenken sollte. Als man für die von den deutschen Armeen in Belgien gemarterten Kinder Hilfskomitees gründete, forderte ich in einem Aufruf, daß dasselbe auch für die jüdischen Kinder in Polen geschehen müsse, deren Schicksal die meisten gleichgültig ließ.

Am nächsten Tag erhielt ich einen Brief von Stefan Zweig, den ich persönlich nicht kannte. Dann kam er selbst. »Sie müssen«, sagte er, »Ihre Artikel gesammelt herausgeben. Sie sind ein wichtiges Zeugnis für Österreichs Gesinnung.«

In diesen Jahren schrieb Zweig den »Jeremias«, ein erschütterndes Bekenntnis, das das Gewissen der Welt aufrütteln sollte.

Er ließ später noch oft, wie im »Jeremias«, die Vergangenheit als Symbol in die Gegenwart greifen. Seine Vertrautheit mit Problemen, mit Menschen, mit Geschehnissen aus allen Zeiten, allen Nationen war beinahe unheimlich. Es war, als hätte er dies alles einmal selbst erlebt.

»Heilung durch den Geist« nennt Zweig eines seiner Werke. Diese Worte sind das Leitmotiv seines Schaffens. Es besteht aus zwei Teilen: den Romanen und Novellen, und jenen Werken, die sich mit dem Wesen großer Menschen beschäftigen. Sie verkörpern sein Ideal vom Weltbürger.

Sein leidenschaftlicher Wille hat magische Wirkung. Es gibt kein noch so fernes Land, keine Rasse, keinen Stand, keine Sprache, die sein Werk nicht erreicht hätte. Stefan Zweig ist ein Symbol für Österreichs völkerverbindende Mission.

Als Zweig unmittelbar nach Kriegsende in Salzburg das kleine Schloß auf dem Kapuzinerberg erwarb, hätte man seine Mitwirkung an den Salzburger Festspielen für selbstverständlich gehalten. Beinahe gleichzeitig waren Max Reinhardt auf Schloß Leopoldskron und Hermann Bahr auf Birgelstein ansässig geworden. Doch nur mit Bahr trat Zweig in nähere Verbindung. Reinhardts und Hofmannsthals Werk wandte er den Rücken. Wenn im August der Festspielrummel begann, verschwand Zweig beinahe demonstrativ aus Salzburg. Er überließ es seiner Frau Friederike[2], die zahlreichen Gäste, die auf den Kapuzinerberg pilgerten, zu empfangen.

Wieder zog der empfindliche, nervöse Stefan Zweig den Stacheldraht um sich.

Im Herbst sah er seine Freunde gern. Es ist vielleicht kein Zufall, daß zu seinem Schloß kein Fahrweg führte, nur ein Passionsweg, der zu dem angrenzenden Kloster gehörte. Oben angelangt, durchschritt man die terrassenartigen Anlagen und verlor sich dann in einem Labyrinth von Räumen. Die reichhaltige Bibliothek barg eine kostbare Manuskriptsammlung, und als Heiligtum stand hier Beethovens Schreibtisch, von Zweig erworben und ehrfürchtig bewahrt.

Man hatte einen zauberhaften Blick auf Salzburg, auf das Tal, auf die Berge, bis hinüber nach Schloß Leopoldskron am Fuß des Mönchsbergs.

Die Frage nach den Widersprüchen im Wesen Stefan Zweigs beschäftigte mich schon seit Jahren. Ich stellte sie einem Freund, mit dem ich in Briefwechsel stand und dessen Urteil mir wertvoll ist. Er antwortete mir nach einiger Zeit.

Liebe Freundin,

es ist vermessen und gefährlich, in die Seele eines schöpferischen Geistes eindringen zu wollen. Da kann einem allerhand Ungemütliches begegnen.

Sprechen wir lieber von anderen Dingen.

Ich habe unser letztes Gespräch nach der Vorstellung des Burgtheaters nicht vergessen. Sie erzählten mir von Ihrem Freund, dem berühmten französischen Schauspieler, der am Abend seines Auftretens gleichgültig in der Garderobe sitzt, Patiencen legt, ein billet doux beantwortet, Witze erzählt – und eine Minute später auf der Bühne die erschütterndste Wirkung erzielt.

Der ebenso große Wiener Darsteller dagegen hatte gerade an dem Abend, als unser Gespräch stattfand, seltsam versagt, wie es schon öfter geschehen war. Dabei verbringt er den ganzen Tag vor seinem Auftritt in tiefer Selbstversenkung.

Nun: seine Wirkung war unsicherer, abhängiger von unberechenbaren Störungen der Außenwelt als die des französischen Kollegen, der sozusagen auf kaltem Weg den Siedepunkt erreicht.

So geht es auch großen Dichtern. Es gibt solche, die sich ihre Geschöpfe aus dem Herzen reißen, mit ihnen Qualen leiden, an ihnen zugrunde gehen, die an ihrem Werk verbrennen – wie Hofmannsthal ...

Und solche, die ihre Geschöpfe sozusagen sezieren, um sie dann durch geistige Einsicht wiedererstehen zu lassen.

Ein Dichter dieser Art steht über seinen Gestalten und er verbrennt auch nicht an ihnen. Doch es mag sein, daß er durch sie auf andere Weise zugrunde geht.

Vielleicht habe ich nun Ihre Frage irgendwie beantwortet.

Ihr B.

FRANZ WERFEL

1931

Dieser große Dichter war dazu verurteilt, seine Jugend, die kostbaren Jahre der Entwicklung in Wirren und Krisen zu verleben. Der Krieg 1914–1918, der Untergang Österreichs, die Revolution, der Klassenkampf, Zeiten der Entbehrungen, dies alles stürmte auf ihn ein.

Werfels[1] Beginn war revolutionär. »Nicht der Mörder, der Ermordete ist schuldig!« wurde zum Weckruf.

Ich hatte das Glück, jede Phase eines Werdens mitzuerleben, das trotz scheinbaren Schwankens von wunderbarer Gesetzmäßigkeit war. Mit jugendlichem Feuer erklärte er mir sein Drama »Bocksgesang«, das Symbol der Revolution.

Allmählich reifte er zu tieferer Einsicht, und der Schrei »Nicht der Mörder, der Ermordete ist schuldig!« verwandelt sich in sein Gegenteil.

An diesem Wendepunkt steht der Roman »Die Geschwister von Neapel«. Hier stellt er Gesetz über Aufruhr, das Unrecht des Vaters über das Recht des »Ich«. Aber an den Konflikten der Familie Pascarelli zeigt Werfel, daß Liebe, nicht starres Gesetz, die Familie bindet.

Diese Umkehr verwirrte die bereits weitverbreitete Werfel-Gemeinde. Alle Vatermörder, die den Spuren des Anführers gefolgt waren, jammerten, Werfel hätte mit den konservativen Mächten einen demütigenden Frieden geschlossen.

Damals verlebte ich Sommertage voll nachdenklichen Zaubers bei Werfel und seiner Frau Alma auf dem Kreuzberg, in dem schlichten österreichischen Bauernhaus.

Der Blick auf Rax und Schneeberg über blühende Wiesen und schlanke Lärchenwälder ist von erhabener Schönheit. Nachts, wenn der Vollmond am Himmel steht, breitet sich der Zauber einer Traumwelt aus.

Wir saßen auf der Veranda.

»Du hast heute nacht wieder einmal bis zum frühen Morgen gearbeitet«, sagte ich. »Unaufhörlich bist du auf und ab gegangen.«

»Es tut mir leid, daß ich dich gestört habe. Aber wenn ich die Denkmaschine ankurbeln muß, und es ist hohe Zeit, daß ich meinen angekündigten Vortrag ausarbeite, dann rollt sie nicht so rasch ab.«

»Ich möchte gern wissen, was dich gestern nacht so unruhig gemacht hat.«

Werfel schwieg. Dann begann er ruhig und bestimmt: »Ich will zur europäischen Gegenwart sprechen; die Gefahr aufzeigen, die eine immer stärker auftretende kollektivistische Sehnsucht mit sich bringt. Dieses Auslöschen des Individuums, der eigenen Verantwortung, des Gewissens, diese Sehnsucht nach den Fertigprodukten. Damit meine ich die immer mehr in Erscheinung tretende Materialisierung des gesamten Lebens. Jetzt sollen auch noch die geistigen Bezirke durch das Gesetz von Angebot und Nachfrage beherrscht werden. Trostloses Gefühl ... Sind wir Dichter und Schriftsteller nicht auch mitschuldig an der Veräußerlichung jener Klassen, die sich einbilden, für die Kultur ihrer Epoche maßgebend zu sein? Diese Leser, denen Lesen nichts als Zeitvertreib bedeutet, niemals aber Erweckung und Einkehr! Der Autor ist allmählich zu einer Stütze der Gesellschaft geworden. Anstatt als Sprengstoff zu wirken, fügt er sich willig dem vom Staat und den herrschenden Klassen aufgerichteten Weltbild ein.«

AUS GASTEINER GESPRÄCHEN

Friedell zu Ludwig Ullmann: Wärest du nicht ein vielgelesener Theaterkritiker, so würde ich dich ersuchen, uns nicht lästig zu fallen. Aber Kritikern gegenüber bin ich absolut charakterlos.

Bahr: Ihr wißt, daß ich vor vielen Jahren Kritiker des Neuen Wiener Tagblatts gewesen bin. Eben sitze ich in der Redaktion an meinem Schreibtisch, als der Diener hereinstürzt:

»Herr von Bahr ... Der Herr von Pötzl[1] läßt Ihnen sagen, daß der Herr von Nietzsche gestorben ist ... Sie sollen schreiben – aber nicht zu lobend.«

Friedell: Meine Geschichtsauffassung erscheint den wissenschaftlichen Bürokraten als herausfordernd und paradox, denn ich stelle die Idee über das Ereignis und den Helden über den Anlaß. Daher bin ich vorerst auf Hohngelächter gefaßt ... Aber wenn ich zum Beispiel den Hofmarschall Kalb spiele – hat das keine Zeit. Deshalb habe ich mir, als einer Reprise von »Kabale und Liebe« keine Kritiker beiwohnten, die Referate selbst geschrieben, und habe sie in den befreundeten Redaktionen – und mit welchen bin ich nicht befreundet? – untergebracht. Alle sind sie erschienen.

Peter Altenberg hat zu diesem Thema Grundlegendes gesagt: Ein junger Journalist hat den Auftrag, über Peters neuestes Buch zu schreiben. Er fragt Altenberg, ob er besondere Gesichtspunkte berücksichtigt sehen wollte. »Was für Gesichtspunkte?« antwortet Peter entrüstet. »Lang soll es sein und lobend.«

Ich kann mir auch in anderen Ländern und Städten alles richten. Selbst in Berlin – wo es angeblich preußisch sachlich zugeht. Als ich zum erstenmal dort gastierte, behaupteten alle Schauspieler: »Bei uns wird Ihnen Ihre Beziehungsmeierei nichts nutzen, denn wen der Kerr[2] lobt, den verreißt der Ihering[3] ...« Was habe ich getan? Erst habe ich den Kerr angerufen, dann den Ihering und sagte beiden: »Kleinliche, neidische Menschen unter den Theaterleuten streuen dieses böswillige Gerücht aus ...« Was geschah? Beide lobten mich über den grünen Klee.

Ich: Du, Egon, wer ist der Herr, mit dem du vorhin so eifrig gesprochen hast?

Friedell: Er führt den suggestiven Namen Eckstein, was leicht zu bübischen Witzen Anlaß gibt. Aber ich betrachte es immer als Glück, wenn ich auf Reisen Bibliothek und Nachschlagewerke nicht bei mir habe, diesem Mann zu begegnen. Er ist ein monumentaler wandelnder Zettelkatalog, weiß einfach alles ... Heute habe ich schlecht geschlafen, ein beängstigender Traum. Sie, Herr Bahr, überbrachten mir den Nobelpreis, aber für meine Kabarettwitze ... Wie ich in der Früh Eckstein treffe, fällt mir ein, ihn aufzuschlagen und durchzublättern ... Bei – Nobelpreis – Eckstein, frage ich, wie viele Nobelpreise haben die Nachkriegsösterreicher erhalten?

Bahr: Und das hat er auswendig hersagen können?

Friedell: Fließend. Er hat auch den Prozentsatz gewußt und sogar spezifiziert, für welche Leistung der Preis erteilt wurde. Das kleine Österreich schneidet glänzend ab.

Ich: Gib den Zettel her. Also ... Wagner-Jauregg – von dem wissen wir schon; dann Professor Landsteiner[4], lebt jetzt in Amerika, nachdem er in Wien nicht gefördert wurde, das habe ich miterlebt.

Ullmann: Man verweigerte ihm den Professorentitel, deshalb ist er ausgewandert. Eckstein sagt von ihm: »Der Entdecker der Blutgruppen, die den Rassentheorien den Todesstoß gegeben haben.« Den Nobelpreis hat er wahrlich verdient.

Ich: Nummer 3, Professor Hess[5], Entdecker der kosmischen Strahlen. Die Entdeckung gelang ihm während einer Ballonfahrt ... Nummer 4, Professor Loewi[6] für seine Herzarbeiten, insbesondere die Isolierung des vaguswirksamen Stoffes.

Friedell: Es wird bald kein Mysterium mehr geben. Wie lange kann sich die Natur das noch gefallen lassen?

Ich: Nummer 5, der Physiker Professor Schrödinger[7], Mitbegründer der Quanten-Mechanik, jener Theorie, die die Vorgänge im Innern der Atome erklärt ... Nummer 6, Professor Robert Bárány[8], ein Austro-Ungar. Er arbeitet in Skandinavien. Sein Werk: Feststellung der Schwangerschaft durch Seruminjektionen ... Ah, Professor Pregl[9], Schöpfer der organischen Mikrochemie. Das Seltsame ist, daß er weniger bedeutend als Chemiker gewesen ist, aber einer der genialsten Edelhandwerker, und zwar Glasbläser. Er ermöglichte es, durch diese Mikroapparaturen minimale Substanzen zu analysieren, und die ganze physiologische Chemie, insbesondere die der Vitamine und Hormone, wurde erst durch diesen methodischen Fortschritt möglich – so sagt Eckstein.

Friedell: Mein Eckstein hat uns eine Menge gelehrt, vor allem das Staunen. »Weise ist, wer über alles staunt.« Ein schöner alter Spruch.

Friedell: Heine hat wirklich alles erkannt... So auch jede Nuance der Frauenseele... Er sagt: »Jede Frau, die schreibt, schielt mit einem Aug' auf das Publikum, mit dem anderen auf irgendeinen Mann. Die Gräfin Hahn-Hahn[10] ausgenommen, denn die hat nur ein Aug'.«

Friedell: Mein ehemaliger Chefredakteur sandte mir die Kündigung auf einer offenen Korrespondenzkarte. Er schrieb: »Lieber Freund! Ihr letztes Referat war ein Skandal. Man kann eben nicht mit einem – auf zwei Sesseln sitzen!« – Ich erwiderte auf gleichem Weg: »Lieber Chefredakteur, Sie unterschätzen meinen...«

Ullmann: Du scheinst dich in diesem Augenblick für Rabelais zu halten, sonst würdest du nicht in Damengesellschaft...

Friedell: ... Rabelais, der ist von euch als salonfähig erklärt. Aber mich, mich findet ihr ordinär. Ihr Bildungssnobs!

Ullmann: Ich war damals Obmann des akademischen Verbandes, der Arrangeur des Karl-May-Friedens-Vortrags. Die Suttner[11] leitete ihn ein. Ihr unerschütterlicher Glaube an ihre Mission, die Menschheit vor Krieg und Blut zu bewahren, hatte etwas Feierliches.

Friedell: Aber ihr Roman »Die Waffen nieder« – ein schauerlicher Kitsch. Da ist mir noch der Krieg lieber.

Ullmann: Der Roman hatte sensationellen Erfolg. Es war eine Art Kolportageroman, aber ihr Wille war edel.

Friedell: Sie ist mir immer wie ein Missionar vorgekommen, der Kannibalen die Bibel vorliest.

Ullmann: Es geht das Gerücht, daß sich für die leerstehende Hofburg eine bedeutsame Verwendung anbahnt. Stimmt das?

Ich: Gerüchte gehören zur gefährlichsten Sorte zerstörender Kräfte. Wie viele Pläne sind, der Erfüllung nahe, von Gerüchten gesprengt worden... Aber bald ist es kein Geheimnis mehr. Seipel und Kunwald arbeiten daran, Wien zum Sitz des Völkerbunds vorzuschlagen. Frankreich und England sind nicht abgeneigt; Wien als Zentrum einer großen Völkervereinigung – es ist für diese Rolle geschaffen.

Friedell: Prachtvolle Idee. Auch die fröhliche, leichte Atmosphäre wird persönlich wirken. Unangenehme Probleme werden so in der skeptisch-lächelnden Haltung unserer Stadt ihre Dringlichkeit verlieren. Nichts tragisch nehmen und die höchste Kunst der Diplomatie virtuos ausüben, nämlich Verwicklungen einfach ignorieren, bis sie sich von selbst lösen. Und mit einem milden Lächeln passiver Resistenz alle Entscheidungen hinausschieben ... Fabelhaft, wie der Geist Habsburgs dem Völkerbund die Patina historischer Erfahrung, die ihm noch fehlt, überliefern wird.

Friedell: Das Humorvollste scheint mir die Art, in der der Österreicher Verordnungen der hohen Obrigkeit, die meist in einer nur einem beamtlichen Gehirn verständlichen Sprache verfaßt sind, zur Kenntnis nimmt. Sanft ergeben widerspricht er niemals, kümmert sich aber absolut nicht darum. Das Schönste ist: Auch die Beauftragten des Gesetzes sind von der Nichtigkeit der erlassenen Verbote überzeugt ... Unlängst wollte ich ins Allgemeine Krankenhaus, kannte mich im Gewirr der verschiedenen Gänge und Tore nicht aus. Ich fragte einen Polizisten. Er antwortete: »Sehen S' dort, wo steht ›Eingang verboten‹ – da gehen S' hinein. Da san S' gleich dort.«

Bahr: Oft lud Schnitzler seine Intimen ein, sein neues Werk kennenzulernen. Eine sehr reizende junge Frau pflegte aber regelmäßig während der Lektüre einzuschlafen. Einmal jedoch geschah es, daß sie wach blieb. Triumphierend ruft Schnitzler: »Heute sind Sie einmal nicht eingeschlafen!« – »Ja«, antwortet sie, »ich habe so starke Zahnschmerzen, daß ich nicht einschlafen konnte.« Niemand lachte so stürmisch wie Schnitzler.

Friedell: Auch ich habe diese Bereitschaft an ihm erprobt und auch die Feinheit der Apperzeption – als ich einmal eine verhüllte Kritik in scherzhafte Form kleiden wollte. Ich stand vor der Bibliothek in Schnitzlers schönem Arbeitszimmer, zog den Roman »Der Weg ins Freie« heraus – und sagte: »Was, dieser Mist ist auch in Ihrer Bibliothek?« Schnitzler erwiderte lächelnd: »Aber das ist doch von mir.« Darauf ich: »Pardon, ich habe es mit dem »Einsamen Weg« verwechselt ... Was? Der ist auch von Ihnen? Ja, wenn alles mit ›Weg‹ von Ihnen ist ...«

Ich: Gegen zehn Uhr wurde er immer schläfrig. Dann sah er es gern, daß sich die Gäste empfahlen – da feuerte er zum Fortgehen an ... »Nur Mut«, lachte er und öffnete die Tür. Ein junges Mädchen sagte einmal zu Schnitzler, als er schon um halb zehn Uhr Zeichen der Ermüdung nicht zu verbergen wußte: »Arthur, Ihr Gesicht geht vor.«

Friedell: Wie lieb bin ich bei Schnitzler aufgenommen worden, als ich, damals noch fremd ...

Ich: Erinnere mich nicht an diese Episode. Die verzeih' ich dir nie! – Vor einigen Monaten war Friedell abends bei mir. Ich erzähle ihm, daß ich morgen einen anstrengenden Tag vor mir habe, weil ich mittags bei

24 Die Wiener Secession kurz nach der Erbauung

25 Arthur Grünfeld

26 Bertha Zuckerkandl mit ihrer Schwester Sophie, verehelichte Clemenceau

27 Bertha Zuckerkandl mit ihrem Enkel Emil (auf dessen Drängen die Niederschrift ihrer Erinnerungen zustande kam)

Schnitzler, zur Jause bei Beer-Hofmann[12] und abends zu einer Soiree bei der Englischen Botschaft eingeladen bin ... »Da geh' ich überall mit«, ruft Friedell. »Ich lass' dich nicht allein.« – »Was fällt dir ein?« erwidere ich, »ich verbitte mir deine dummen Späße!« Ich habe dieses Gespräch ganz vergessen, sitze gemütlich bei Schnitzlers, eben gehen wir zu Tisch ... Da tritt das Stubenmädchen ein und meldet: »Der Doktor Friedell läßt fragen, ob er eintreten darf?« Schnitzler, befremdet, aber wie immer gastfreundlich, empfängt ihn lächelnd.

Friedell: »Sie müssen mir erlauben«, sage ich liebenswürdig, »bei Ihnen zu speisen, weil ich geschworen habe, überall hinzugehen, wo die Bertha heute eingeladen ist. Bei Ihnen fange ich an.«

Ich: Selbstverständlich wird ein Gedeck aufgelegt.

Friedell: Haben wir uns alle nicht vortrefflich unterhalten?

Ich: Um vier Uhr flüsterte ich Olga[13] zu: »Entschuldige, wenn ich mich nicht empfehle, aber ich habe Angst, daß Friedell daran denkt, mir auch zu Beer-Hofmanns nachzugehen. Du kennst sie doch, sie empfangen niemals einen fremden Menschen.« So verschwinde ich rasch, plaudere schon eine Stunde mit Beer-Hofmann. Er zeigt mir seine entzückende Sammlung Alt-Wiener Häubchen. Plötzlich läutet es. Beer-Hofmanns sehen sich fragend an. »Wer kann das sein?« Das Stubenmädchen sagt schläfrig: »Ein Herr Friiidl ist draußen.« – »Friiidl? Kenne ich nicht.«

Friedell: »Das muß ein Irrtum sein«, rufe ich aus der Halle hinauf. »Guten Tag, Herr Doktor! Entschuldigen Sie den Überfall, aber ich muß heute überall sein, wo die Bertha ist, infolgedessen auch bei Ihnen.«

Ich: »Beer-Hofmann«, sage ich blaß vor Wurt, »ich schwöre Ihnen ... Ich bin daran unschuldig. Friedell kannte nicht einmal Ihre Adresse.«

Friedell: Die habe ich dem kleinen Heini Schnitzler[14] herausgelockt.

Ich: Ich habe dir die zehn Minuten gegönnt – diese eisige Atmosphäre, die selbst dich aus dem Gleichgewicht gebracht hat.

Friedell: Beweis dafür, daß ich es mit humorlosen Menschen zu tun hatte.

Ich: Es war unerträglich. Ich empfehle mich so rasch, daß Friedell mir nicht gleich nachkommen kann, stürze zur Tramway und fahre davon.

Friedell: Was hat es dir genutzt?

Ich: Der Friseur, die Maniküre, meine Abendtoilette ... Ich vergaß den Ärger. Ich wußte auch, daß niemand dem Rout in der englischen Gesandtschaft beiwohnen kann, ohne die Einladung vorzuweisen.
Also war ich gegen Friedell gefeit.

Friedell: Wozu habe ich meine ausgezeichneten Beziehungen zur Presse? Ich ergattere eine Einladung, mache ebenfalls Abendtoilette ...

Ich: ... Und gerade als man zum Büfett geht, sehe ich Friedell, ein Glas

Champagner in der Hand, mit einem ordenbehangenen Herrn konversieren ... Dann verbeugt er sich vor mir und sagt: »Mylady, ich bin glücklich, Sie hier zu treffen. Good evening!«

Ullmann: Unlängst traf ich Anton Kuh[15] in Salzburg bei der Festaufführung von Schillers »Räubern«. Reinhardt hat den Versuch gemacht, die Umbaupausen dadurch auszufüllen, daß er alte Studentenlieder aus jener »Räuber«-Zeit singen ließ. Der Chor war im Orchester postiert. Wie immer überraschte Reinhardts Phantasie, riß hin und regte bei manchen leisen Widerstand. Ich sehe Kuh wie einen Irrwisch auftauchen, verschwinden ... Ihr kennt ja seine Nerventänze. Er hüpft hin und her wie ein erschrecktes Huhn. Wir sind dann alle zum Empfang in Leopoldskron geladen. Dort rast Kuh weiter. Plötzlich packt er mich am Arm: »Ich hab' mich entschlossen. Es hat mir gefallen!« Und stürzt davon.

Bahr: Prachtvoll! Man kann nicht lapidarer einem Gewissenskampf Ausdruck geben. Kuh – gegen Kuh!

Ullmann: Ich traf ihn nach einem seiner Vorträge und fragte ihn: »Ist es wahr, daß Sie nach Amerika auswandern? Warum eigentlich?« »Schnorrer kann man immer brauchen«, erwiderte er.

Ich: Und die tiefsinnige Frage, die er an den Kriegsgewinnler Bosel gerichtet hat, als ihm dieser statt der erbetenen tausend Schilling nur fünfhundert gegeben hat: »Herr Bosel, bin ich Ihnen jetzt fünfhundert Schilling schuldig oder Sie mir?«

Ich: Den größten Spaß machte es Molnàr[16], in Leopoldskron Unfug zu treiben. Er möchte Reinhardt gern einmal dazu bringen, seine stets gelassene Laune zu verlieren ... Unlängst wurde ein prominenter Theatermann vom Broadway erwartet. Er war natürlich Reinhardts Gast.

Ullmann: Amerikas Teilnahme ist entscheidend. Wie könnte man sich sonst solche Aufführungen leisten?

Ich: Das kostet selbstverständlich Geld. Aber echt österreichisch läßt man sich deshalb keine grauen Haare wachsen ... Der Amerikaner kommt an. Ihm zu Ehren und um ihn zu blenden wird ein Diner mit Elitegästen veranstaltet. Der Erzbischof, der Landeshauptmann, ein russischer Fürst, zwei Herzoginnen, der berühmte Filmstar ... Es war ein faszinierender Anblick. Die Tafel gedeckt mit dem berühmten Vieux-Saxe, die weiße Blütenpracht – der Erzbischof in vollem Ornat! Nach aufgehobener Tafel wird im Fischer-von-Erlach-Saal der Kaffee serviert. Der Amerikaner äußert sich enthusiastisch zu Molnàr, mit dem er einen Augenblick alleingeblieben ist. »Ja«, erwidert Molnàr, »Reinhardt ist ein Magier. Wie fabelhaft ist es ihm gelungen, den Erzbischof, den Landeshauptmann, den Fürsten, die Herzoginnen von seinen Schauspielern darstellen zu lassen! Sie glauben doch nicht, mit dem wirklichen Erzbischof und allen anderen Herrschaften diniert zu haben? Reinhardt wollte Sie besonders ehren. Er hat seine Truppe Maske machen lassen.«

Ullmann: Wutentbrannt ist der Amerikaner verschwunden. Er läßt sein Auto vorfahren, will sofort abreisen. Erst an der Bahn holt man ihn ein, nachdem Reinhardt hört, was vorgefallen ist. Er möge doch am nächsten Morgen der vom Erzbischof zelebrierten Messe beiwohnen, dann könne er sich davon überzeugen, daß er mit dem echten Erzbischof gespeist hat.

Bahr: Und Reinhardt?

Ich: ... er fand den Einfall köstlich. Nicht einen Augenblick ist er Molnàr gram gewesen.

EIN JUSTIZIRRTUM

Mme. Paul Clemenceau, Paris *1929*

Liebste!

Gestern hatte ich einen Brief an Dich begonnen, wurde aber unterbrochen.

Ein Professor der Rechtslehre an der Wiener Universität machte mir einen Besuch. Ich kannte Professor H. nicht. Er erzählte mir von einem ungeheuren Justizirrtum, der verhindert werden muß. Ein Menschenleben ist in Gefahr!

Folgendes hatte sich zugetragen:

Vater und Sohn – ich glaube, es waren Polen – beschlossen, da der Sohn, ein braver, fleißiger Student, Ferien hatte, eine Fußtour durch Tirol zu machen. Die beiden liebten sich herzlich – dies wurde genau festgestellt. Als sie eine Bergtour unternahmen, wurde der offenbar nicht gesunde, ältere Mann von einem Unwohlsein befallen. Er brach zusammen. Herzschlag.

Der Junge suchte verzweifelt nach Hilfe. In einem ziemlich entfernt gelegenen Wirtshaus fand er den Wirt allein. Die Leiche blieb bis zur Feststellung der Todesursache an der Stelle des Unfalls. Nicht die geringste Wunde war zu sehen. Der arme Sohn begrub den Vater.

Jetzt aber tuschelte und flüsterte man plötzlich, ein Gerücht kam auf, bald eine Behauptung, die zur Anklage wurde.

Der Wirt sagte aus, er hätte von seinem Haus aus gesehen, wie der junge Mann seinem Vater einen Stoß gab, so daß dieser ein Stück den Abhang hinabrollte. Er hätte auch gemerkt, daß ein heftiger Streit vorangegangen war, obwohl er die Worte nicht verstehen konnte.

Diese Aussage genügte zur Erhebung der furchtbaren Anklage auf Vatermord. Aber obwohl sich sofort Verteidiger fanden, dem Unschuldigen zu helfen, waren die Innsbrucker Richter bereits voreingenommen und verurteilten den armen X. in erster Instanz. Hier nun trat Professor H. in Aktion. Er hatte den Tatbestand bis ins kleinste Detail rekonstruiert; die Broschüre, die er veröffentlichte, ist ein ähnliches Dokument wie jenes, das im Dreyfusprozeß eine so große Rolle spielte. Es hatten sich zwei Parteien gebildet, und es wurde erbittert um Schuld und Unschuld gerungen. Ein zweiter

Lokalaugenschein fand statt. Es wurde festgestellt: Von dem Wirtshaus, dessen Inhaber als einziger Zeuge aussagte, den Vorgang mitangesehen zu haben, konnte man nicht einmal mit einem Feldstecher den Tatort sehen. Diese Prüfung wurde von Fachleuten vorgenommen, und damit fiel die Anklage von selbst zusammen. Trotzdem erfolgte die Verurteilung.

»Wieso«, fragte ich einen meiner Freunde, einen berühmten Juristen, »ist so etwas in Österreich möglich? Die österreichischen Richter sind doch von alters her für ihre Humanität bekannt.«

»Noch vor wenigen Jahren«, lautete die Antwort, »haben österreichische Richter die Ehre des Gesetzes und ihres Gewissens so hochgestellt, daß sie der Welt ein Beispiel gaben. Dies zeigte sich, als man Bela Kun[1] endlich das Handwerk gelegt hatte, und er, verjagt nach Österreich, über die Grenze floh. Sie wissen ja, wie selbst unsere als Rote verschrienen Sozialisten Front gegen Bela Kun und den Bolschewismus gemacht haben. Bela Kun war verhaßt. Ihm das Asylrecht zu verweigern, war nach einem altehrwürdigen Gesetz jedoch unmöglich. Ebenso ausgeschlossen ist die Auslieferung eines Verfolgten, dem man das Asylrecht einmal gewährt hat.

Ungarn begehrte die Auslieferung. Die Entscheidung lag in den Händen eines Senats. Man beriet und kam zu einer Einigung. Dem Gesetz nach mußte die Auslieferung verweigert werden.

Doch Ungarn fand in England und Frankreich Gehör. Diesmal waren es die Großmächte, die an den von ihnen wirtschaftlich abhängigen Zwergstaat die Forderung stellten, Bela Kun auszuliefern. Es schien unmöglich, diesem Druck zu widerstehen, aber die Richter blieben standhaft. Sie weigerten sich, auf die Gefahr hin, abgesetzt zu werden, Englands und Frankreichs Forderung nachzukommen. So retteten sie die Ehre ihres Landes und ihres Standes.«

Das hat sich also erst vor wenigen Jahren abgespielt. Wie rasch wirkt das Gift, das sich über unsere Grenzen schleicht! Die Richter, die gegen ihre Überzeugung ihr Urteil fällten, die trotz der erwiesenen falschen Aussage des einzigen Belastungszeugen einen jungen, unbescholtenen Menschen vernichten wollen, weil er Jude ist, sie haben nichts mehr gemein mit der Gewissenselite, die die österreichischen Richter einmal waren.

Liebste! Gestern wurde ich vom Ballhausplatz angerufen. Der neue Bundeskanzler Schober[2] will mich sprechen. Ich kannte ihn flüchtig, als er noch Polizeipräsident war. Sein Prestige in diesem Amt war groß. Er führte sehr interessante Methoden ein, und die Wiener Polizei funktionierte mustergültig; Schobers Ruf drang bis nach Amerika, wo manche seiner Maßnahmen Nachahmung fanden.

Aber es ist wohl ein Irrtum zu glauben, daß ein hervorragender Polizeipräsident auch ein hervorragender Staatsmann sein wird. Schober – dies beginnt sich zu erweisen – versagt. Vorerst jedoch scheint er – obwohl er mit dem Anschluß kokettiert – auch auf die französische Karte zu setzen. Und der rührige, kultivierte österreichische Gesandte Dr. Grünberger[3], mit dem Ihr ja befreundet seid, hat sich am Quai d'Orsay sehr beliebt gemacht. So hat er Schobers Reise nach Paris angeregt. Gleichzeitig wird das Philharmonische Orchester in Paris konzertieren, um dem Besuch eine nicht allzu politische Note zu verleihen.

Nun bittet mich Schober, wie so oft hinter den Kulissen an diesem Akt einer österreichisch-französischen Fühlungnahme teilzunehmen. Ich fahre eine Woche früher zu Euch. Welches Glück, daß Painlevé gerade wieder an der Regierung ist. Sein Einfluß genügt, um Schober einen guten Empfang zu bereiten. Also auf bald!

Deine Bertha.

Paris 1930–1931

Lieber Freund Kunwald! Ich bin in Eile. Die Verhandlungen zwischen Schober und dem französischen Handelsminister gehen vorwärts. Unser Freund Painlevé hilft sehr dabei. Gestern abend war der Höhepunkt des freundschaftlich verlaufenden Besuchs.

Das große Konzert der Philharmoniker fand im Théâtre des Champs-Elysées statt. Ein Halbrund offener Logen gibt den Frauen Gelegenheit, ihre Toilette voll zur Geltung zu bringen. Sie wären entzückt gewesen. Die Mitte nimmt die große Festloge ein. Sie ist offiziellen Persönlichkeiten vorbehalten. Hier hat als weithin sichtbares Zeichen der freundschaftlichen Haltung Frankreichs uns gegenüber Painlevé neben dem Bundeskanzler Schober Platz genommen. Auch Präsident Barthou[4] sowie hohe Beamte des Quai d'Orsay, der österreichische Gesandte Dr. Grünberger und seine Frau waren erschienen. Paul und Sophie Clemenceau, deren Salon das Zentrum der französisch-österreichischen Begegnungen ist, und auch ich waren Gäste in der Festloge.

Tags darauf ist Schober abgereist. Painlevé, der weiß, daß auch ich bald nach Wien zurückkehre, war eben bei mir, um Abschied zu nehmen. Er übergab mir ein Schreiben.

»Ich vertraue Ihnen hier einen Brief an«, sagte er. »Es geht um ein tragisches Menschenschicksal, an dem auch Sie Anteil nehmen. Deshalb bitte ich gerade Sie, Bundeskanzler Schober sofort nach Ihrer Ankunft dieses Schreiben selbst zu überbringen. Es darf keinem seiner Sekretäre in die Hände fallen ...«

Hier der Inhalt:

»Herr Bundeskanzler! Die mit Ihnen verbrachten Stunden und das Ergebnis der Besprechungen, die, wie ich hoffe, Österreichs Unabhängigkeits- und Existenzkampf erleichtern werden, bleiben mir in angenehmer Erinnerung.

Ich war sehr erfreut, daß Sie meine Ansicht über die völlige Unschuld des armen X. teilen. Es ist mir möglich gewesen, alle Dokumente zu prüfen, und die Fälschung der Tatsachen unterliegt keinem Zweifel.

So habe ich mir erlaubt, Sie, der Sie die Macht haben, einen ungeheuerlichen Justizirrtum zu verhindern, im Namen der Gerechtigkeit zu bitten, die Vollstreckung des Urteils zu hemmen.

Diese zwischen uns geschlossene Allianz haben Sie, Herr Bundeskanzler, zu meiner Freude mit Ihrem Ehrenwort besiegelt. Sie versprachen, den Unschuldigen zu retten.

Ich weiß allzu gut, wie oft man als verantwortlicher Staatsmann im Sorgengetriebe Gespräche und Versprechungen vergißt. Deshalb, Herr Bundeskanzler, erlaube ich mir, Sie an das Ehrenwort zu erinnern, mit welchem Sie mir Ihre freundschaftliche Gesinnung bestätigt haben.«

Ich hoffe, Ihnen in Wien bald die Fortsetzung dieser Geschichte erzählen zu können. Ihrer Diskretion bin ich wie stets sicher.

Herzlichst B. Z.

Liebste! Um halb fünf Uhr bin ich mit dem Arlbergexpreß eingetroffen. Eine Stunde später empfing mich Schober, sehr vergnügt, jovial wie immer und von seiner Reise befriedigt.

»Was führt Sie zu mir?«

»Herr Bundeskanzler, ich habe die Ehre, Ihnen einen Brief von Ministerpräsident Painlevé zu überbringen.«

Schober las den Brief. Er war gar nicht mehr jovial, sondern vermochte seine Bestürzung kaum zu verbergen.

»Ich denke, Sie kennen den Inhalt?«

Ich bejahte.

»Wie konnte ich ahnen, daß mit so großer Übereilung vorgegangen werden wird? Als ich wegfuhr, war der Akt noch nicht einmal beim Justizminister. Jetzt ist es vielleicht zu spät. Hat er das Urteil unterschrieben, dann ist es nicht mehr rückgängig zu machen ... Aber mein Frankreich gegenüber gegebenes Wort zu brechen ... Eine böse Situation.«

Ich schwieg verlegen. Endlich erhob sich Schober. Seine Kunst, schwierige Situationen zu meistern, die er als Polizeipräsident erworben hat, schien ihm zu Hilfe zu kommen.

Er verließ das Zimmer. Ich hörte ihn telefonieren.

»Wollen Sie bitte«, sagte er, als er mit erleichterter Miene wieder hereinkam, »Herrn Painlevé melden, daß ich, um mein verpfändetes Ehrenwort zu halten, mit Zustimmung des Justizministers, einen Eingriff in dessen Rechte gemacht habe. Da er Gott sei Dank das Urteil noch nicht unterschrieben hatte, habe ich es ihm abverlangt. Ich lege den Akt sofort dem Herrn Bundespräsidenten vor, dem das Recht der Entscheidung zusteht. Auf diese Weise wird das Unrecht, das auch ich gern verhindern möchte, aus der Welt geschafft werden. Es ist ein illegaler Vorgang, aber ich hoffe, dadurch dem verehrten Herrn Painlevé und zugleich der Humanität gedient zu haben.«

Auf diese Weise – bitte berichte es sofort Painlevé – ist ein furchtbares Unrecht vermieden worden. Zwei Jahre bereits kämpften Männer von hohem geistigen Rang, allen voran Professor H., für die Ehre und das Leben eines Unschuldigen.

Ich bin froh, Briefträger eines Schicksals gewesen zu sein.

Innigst Bertha.

ZUSAMMENBRUCH DER GROSSBANKEN

1931

Wien war der Sitz der bedeutendsten Banken der österreichischen Monarchie. Aus allen Teilen des vielsprachigen, vielrassigen Landes strömten hier die Interessen mächtiger Industrien und einer blühenden Landwirtschaft zusammen.

Die Creditanstalt stand an erster Stelle, dann folgte die Bodencreditbank. Diese beherrschte die Industrien und den landwirtschaftlichen Aufbau der österreichischen Länder; ein Netz, das sich lückenlos über Ungarn, Böhmen, Galizien, Dalmatien und Bosnien ausbreitete.

Die Oppolzergasse besteht nur aus sechs Häusern, und ihnen gegenüber erstreckt sich die lange Front der Bodencreditbank. Im Lieben-Auspitz-Palais besaß ich im vierten Stock eine Vierzimmerwohnung. Die Aussicht ging auf die stille Oppolzergasse, doch von meinem Vis-à-vis, der Bodencreditbank, war den ganzen Tag ein bienenhaftes Summen zu hören, besonders im Frühjahr, wenn bei offenem Fenster gearbeitet wurde, störte das Klappern von Hunderten von Schreibmaschinen.

Wenn ich mich vorbeugte, blickte ich auf das Burgtheater, den protzigen, überladenen Bau der eklektischen Kunstepoche aus der franzisco-josephinischen Ära. Gleich um die Ecke konnte ich die Mölkerbastei sehen, eine der wenigen schönen Basteien, die die verhängnisvolle Stadterweiterung noch übriggelassen hatte. Eine Reihe Alt-Wiener Barockhäuser stehen da, vornehm, ohne Prunk; sie überzeugen allein durch die Harmonie ihrer Proportionen. Andere sind bürgerlich bescheidene Wohnstätten, die aber einen heiteren, liebenswürdigen Charakter haben. Eines davon ist das Dreimäderlhaus. Schuberts Liebesroman hat sich dort abgespielt. So spürte ich an allen Ecken und Enden in Wien diese herzliche Verbundenheit mit Kunst und Geistesleben. In meinem Garten in der Nußwaldgasse standen die Bäume, unter denen Beethoven seine Eroica komponierte. Und nun, als ich 1916 mein neues Heim bezog, war mir Schubert heimatlich nahe ...

Der Gegensatz dieser ihren Charme bewahrenden Mölkerbastei zu dem häßlichen Steinbaukasten der Bodencreditbank und dem Burgtheater wäre für mich trostlos gewesen, hätte ich nicht in meiner Wohnung das wiedergefunden, was als verloren galt. Sie trägt das Zeichen der Moderne und auch das Zeichen meiner selbst. Neuzeitliches ist mit der Vergangenheit in Einklang gebracht. Die Chinasammlung, der mein Mann soviel Liebe gewidmet hatte, verleiht dem weiß-schwarzen Bibliothekszimmer einen seltenen Farbenzauber. Die Wände des Schlafzimmers zieren Gobelins, die wie Bilder wirken . . .

Rechts und links neben dem diwanartigen Bett sind niedrige Bücherregale angebracht. Ich schreibe stets im Bett liegend, deshalb wollte ich die nötigen Nachschlagewerke immer zur Hand haben. Im Bibliothekszimmer steht ein überdimensionaler Diwan, der leicht zehn Personen Platz bietet. Diese Diwanecke ist ein Hauptbestandteil meines geselligen Lebens. Seit vielen Jahren treffe ich hier mit Freunden zusammen, erwarte meinen Sohn, die Schwiegertochter und den Enkel, suche zu trösten, muß aber wohl als allzu temperamentvolle Journalistin auch hie und da jemanden kränken.

Politikern lauscht der erfahrene Diwan mit Verständnis, und er kennt viele Dichter, die hier ihre Klage laut werden lassen. Er mißbilligt die Absicht einer Ehefrau, sich von dem großen Schriftsteller, von dem Mann, der sie liebt, scheiden zu lassen – aber er weiß, daß ich solche Vertraulichkeiten niemals mit der Arroganz des Bewußtseins eigener Tugend aufnehme, vielmehr immer zu verstehen suche. Er bemitleidet die neuen Armen, wenn sie mir fassungslos den Verlust ihrer seit Generationen erworbenen Vermögen klagen. Er lächelt über die neuen Reichen, die sich manchesmal bei mir versammeln und erstaunt erfahren, daß es Dinge gibt wie Geist und Ideal, die nicht zu kaufen sind. Er unterhält sich königlich, selbst wenn Egon Friedell mit dem Gewicht seiner Hünengestalt ihm zwei Rippen bricht.

Auf meinem Diwan wird Österreich lebendig.

Eines Tages, nach meiner Rückkehr aus Salzburg, störte mich eine drükkende Stille, wie man sie empfindet, wenn ein gewohntes Geräusch plötzlich nicht mehr vorhanden ist. Erstaunt suchte ich nach der Ursache dieses Phänomens, und ich bemerkte, daß die fieberhaft klappernden Schreibmaschinen der Bodencreditbank nicht nur schwiegen, sie waren überhaupt nicht mehr da. Auch das Hin und Her der Beamten, das Klingeln der Telefone, die mit Post beladenen Diener waren wie von einem Zauberstab berührt verschwunden . . .

Kein Zweifel, die Bodencreditbank war gestorben.

Dieses Sterben der Wiener Großbanken glich einer Epidemie. Es begann mit dem Zusammenbruch der Depositenbank, doch erregte dies kein besonderes Aufsehen. Die Direktoren waren für ihre Spekulationen bekannt. Die

Bodencreditbank jedoch schien wirklich im Boden des Landes verwurzelt. An ihrer Spitze stand ein Mann, dessen Fähigkeiten und dessen Glück sprichwörtlich geworden waren.

Rudolf Sieghart[1], der Gouverneur der Bodencreditbank, hatte großes Prestige. Im Verlauf seines Lebens und seiner fabelhaften Karriere hatte es keine Niederlage gegeben. Nun aber saß er mir eines Tages gegenüber auf meinem Diwan als ein Gestürzter, als ein Neugeborener, der staunend in die erbarmungslose Welt des Mißerfolges gesetzt worden war. Er hatte nicht rechtzeitig erkannt, daß der Bankrott der österreichischen Monarchie auch den Bankrott seiner Großbanken zur Folge haben müsse.

»Erinnern Sie sich«, sagte Sieghart wehmütig, »wie ich als junger Anfänger – ich war Stenograf im Wiener Tagblatt – oft am Abend Ihrem Vater die Korrekturen seines Leitartikels brachte?«

»Gewiß erinnere ich mich, denn ich habe Sie oft hereingelassen, und wenn Sie warten mußten, haben wir geplaudert. Damals ahnten weder Sie noch ich, daß Sie ausersehen waren, in der parlamentarischen Geschichte Österreichs eine bedeutende Rolle zu spielen, und daß Sie schließlich eine der höchsten Stellen bekleiden würden.«

»Die Leute sagen, daß ich mein Leben lang unverschämtes Glück gehabt habe, aber nur ich weiß: es war schwer erkauft. Glück ist der schlimmste Wucherer, denn er nimmt beinahe hundert Prozent für die gegebenen Vorschüsse und zuletzt, wie Sie sehen, auch das Kapital.«

Als geschickter Stenograf kam Sieghart ins Parlament. Da er eine gute Beobachtungsgabe besaß, lernte er das Getriebe, die Kulissen und die Mysterien des österreichischen Parlaments kennen. Sein psychologisches Talent ließ ihn aus untergeordneter Stellung in die Vorhöfe der Mysterien gelangen. Dort machte er sich unentbehrlich. Der Ministerpräsident wurde aufmerksam, berief Sieghart an seine Seite. Und nun begann seine langjährige Tätigkeit als Beherrscher aller Parteien und Gruppen, die in Hader lebten, sich stritten und wieder versöhnten.

Sieghart's System, immer eine Partei gegen die andere auszuspielen, dieses System der Erhaltung des äußeren Gleichgewichts auf Kosten der inneren Zusammengehörigkeit, hat viele Jahre hindurch die parlamentarische Arbeit ermöglicht.

Aber wer wie Sieghart heimlich Macht ausgeübt hat, der will sie eines Tages in aller Öffentlichkeit ausüben. Als Taussig, der Gouverneur der Bodencreditbank, starb, sah Sieghart seine Chance. Diese überragende Stellung sollte der Lohn sein für seine mühevolle, erfolgreiche Aufopferung. Der Weg schien frei, die Wahl, die Bestätigung des Kaisers gesichert.

Doch die Menschen, die Franz Joseph dienten, waren dem Thronfolger Franz Ferdinand verhaßt. Am verhaßtesten war ihm Sieghart, der die Zügel der Regierung fester in Händen hielt als er, der künftige Kaiser. Jetzt war der Augenblick da, um dem vorwärtsstrebenden Glückspilz den Garaus zu machen.

Er hatte Erfolg. Franz Ferdinand schreckte nie davor zurück, dem alten Kaiser, der mit letzter Kraft als höchster Beamter des Reiches arbeitete, Szenen zu machen. Der Kaiser fürchtete sie und gab oft nach. So kam es, daß die Bestätigung Sieghart zum Gouverneur nicht gegeben wurde.

War das Glück müde geworden? Hatte es seinen Günstling verlassen?

Nein ... Es wartete nur seine Stunde ab.

Und dann ging die Nachricht um die Welt: Franz Ferdinand und seine Gemahlin sind in Sarajewo ermordet worden.

Das Glück lächelte verschmitzt.

Acht Tage später zog Rudolf Sieghart als Gouverneuer in die Bodencreditbank ein.

»Vielleicht zum erstenmal in meiner politischen Laufbahn habe ich mich geirrt«, sagte Sieghart beim Abschied, »weil ich mit Frankreichs und Englands finanzieller Anteilnahme rechnete. Sie hatten Interesse an der Erhaltung des kleinen Österreich, als Brennpunkt eines sich neu bildenden Mitteleuropa. Es schien mir undenkbar, daß sich besonders Frankreich dieses Atout entgehen lassen würde. Ich gab mich als erfahrener Politiker dieser Erwartung hin und habe es versäumt, der Hypertrophie der Bodencreditbank, die ihrem wirklichen Stand nicht mehr entsprach, rechtzeitig ein Ende zu setzen.

Als ich einsah, daß Frankreich unter der Knute der Nachfolgestaaten, besonders der Tschechen, stand, war es zu spät. Ich bin nur das erste Opfer. Die anderen Banken werden bald folgen.«

Er behielt recht. Die mächtige Creditanstalt, eine Festung der Hochfinanz, fiel. Dieser Fall riß viele von ihr abhängige Geldinstitute mit sich. Der Rest bedeutender Vermögen, die noch aus der Vorkriegszeit stammten, wurde verschlungen.

Große Katastrophen erzeugen Panik. So hatte der Bankrott alteingesessener Finanzinstitute gerade die gegenteilige Wirkung, die sie logischerweise haben sollte. Anstatt nun Vorsicht und Sparsamkeit walten zu lassen, wurde Wien, wurde ganz Österreich von einem Spekulationsfieber erfaßt. Der französische Franc sollte eine Umwertung erfahren. Deshalb stürzte sich das vollkommen verarmte Österreich in die Franc-Spekulation. Jeder begann,

Börsengeschäfte zu machen. Der Aristokrat, der Bürger, der Proletarier, Kellner, Kutscher, die Marktfrau, sie kauften und verkauften, handelten mit dem französischen Franc... So verlor Österreich die internationale Sympathie, die Bundeskanzler Seipel und seine graue Eminenz Gottfried Kunwald mühsam errungen hatten. Es hat Jahre gedauert, bis allmählich das Vertrauen wiederkehrte.

»Wir stehen im Zeichen einer schwarzen Serie«, seufzte Kunwald. »Diesen Verrat an dem französischen Franc wird man uns lange nicht verzeihen. Und das Attentat auf Seipel, von einem offenbar Wahnsinnigen begangen — der unglückliche Lungenschuß...[2]«

»Seipel ist Gott sei Dank außer Gefahr.«

»Augenblicklich vielleicht. Doch seine Seele hat eine unheilbare Wunde davongetragen. Ich stehe ihm nahe genug, um die Veränderung konstatieren zu können, die in ihm der Vertrauensbruch erzeugt hat, für den er nicht nur den Täter, sondern das ganze Volk verantwortlich macht. Seipel ist ein gebrochener Mann. Er geht nicht mehr wie früher seinen Weg gradlinig und bestimmt, er ist unsicher geworden, er mißtraut seinen Ratgebern. Für Österreich wird Seipels Rücktritt, den ich voraussehe, unabsehbare Folgen haben.«

BEGEGNUNG MIT DOLLFUSS

Mme. Paul Clemenceau, Paris *Mai 1933*

Liebste! Du hast mich neulich gefragt, ob ich den neuen Kanzler Dollfuß[1] kenne. Ich verneinte es; auch habe ich gar keine Neigung, ihm zu begegnen. Der Kurs, den nun, nachdem Seipels Glanz erloschen ist, Österreichs Politik einschlägt, scheint mit allen Mächten der Reaktion einen Bund zu schließen. Ich habe mich, ohne deshalb einer zufälligen Begegnung auszuweichen, darauf beschränkt, Dollfuß und seine Ratgeber nach ihrem Tun zu beurteilen. Jedenfalls ist deutlich, daß der Faschismus in Österreich Fuß faßt. Kunwald, der Seipels Vertrauen besaß, wurde vollkommen zur Seite geschoben.

Painlevé wird dieser Brief gewiß interessieren. Seit er oft an der Spitze der französischen Regierung steht, habe ich ihn über manche Dinge aufgeklärt, die in offiziellen Berichten nie zu finden sind. Er tritt eben im Gegensatz zur offiziellen Einstellung Frankreichs für die Rechte der Frau ein und traut auch einer Frau politisches Talent zu.

»Ich werde es vielleicht nicht mehr erleben«, hat er mir unlängst gesagt, als ich ihm von meinem Aufenthalt in der Downingstreet erzählte, »doch ich sehe voraus, daß die Frau auch in der Diplomatie eine wichtige Rolle spielen wird. Ihre Intuition, ihr Taktgefühl, und auch – um nicht in allzu großes Lob zu verfallen, ihr Talent zur Intrige, werden einer in ihren Methoden sich hoffentlich erneuernden Diplomatie große Dienste leisten.

Ich sehe Sie bereits«, meinte er scherzend, »als Österreichs Gesandtin dem Quai d'Orsay Ihren Besuch abstatten.«

Nun, einstweilen ist der von uns allen geschätzte österreichische Gesandte Dr. Grünberger in Gefahr und benötigt Painlevés Hilfe. Doch davon später.

Dollfuß ist ein Bauernsohn. Seine Eltern sind schlichte Leute, und dem Sohn liegt seine Erdverbundenheit im Blut. Das ist seine beste Eigenschaft und seine Stärke, und hieraus erklärt sich auch seine Vaterlandsliebe.

Dollfuß hat die Macht angestrebt, um das Volksbewußtsein anzustacheln, das Österreichs Unabhängigkeit schützen und wahren soll. Es wäre nicht objektiv, diesem Auftreten seine Bedeutung abzuerkennen. Gerade in einem gefährlichen Augenblick, in dem der Begriff Vaterland in unserem Volk nur noch schwachen Widerhall fand, erstand in Dollfuß ein Gegenspieler Hitlers, dessen erste Tat die Annexion Österreichs sein sollte. Drei Monate seiner Kanzlerschaft genügten Dollfuß, um eine seltene Popularität zu erlangen. Er wird vielleicht zum Volksführer, denn er wagt es – und es gelingt ihm –, der Naziideologie die Ideologie »Österreich« entgegenzuhalten. Er errang den ersten Sieg, und Hitler muß vorläufig auf die reife Frucht verzichten.

Nun geht es darum: Wird Dollfuß statt eines starren Rechtskurses die sehr bedeutende Macht der Sozialisten und überhaupt der liberalen Intelligenz berücksichtigen und sie sich sichern? Dann ist zu erhoffen, daß Österreichs Entwicklung eine unerwartete Wendung nimmt. Doch es ist zu befürchten, daß Dollfuß allzu rasch das jetzt moderne Diktatormodell kopieren wird.

Die tapfere Abwehr des Anschlußversuchs sicherte ihm Englands und Frankreichs Sympathien. Der Kanzler ist sich der Hilfe bewußt, die das für ihn bedeutet. Deshalb vermeidet er vorläufig, sich allzu reaktionär zu geben.

Kunwald sieht wieder den Augenblick kommen, um für seine Bestrebungen, die einer engen finanziellen und wirtschaftlichen Verbindung mit den Westmächten gelten, Rückhalt zu finden. Seit Seipels Tod hat Kunwald, obwohl er als Beirat der Nationalbank eine gewisse Rolle spielt, im Schatten gelebt. Nun aber gilt es, dem ungeheuren Druck, dem Österreich jetzt von Deutschland ausgesetzt ist, durch eine stärkende Kapitalinjektion entgegenzuwirken. Sie ist für Dollfuß' Unabhängigkeitspolitik unerläßlich. Wie sollte man sonst der Gefahr der Arbeitslosigkeit begegnen, die sich wie ein Krebsgeschwür immer mehr ausbreitet und die der Nazipropaganda die tödliche Waffe liefert?

Doch selbst wenn Dollfuß seine reservierte Haltung Kunwald gegenüber aufgeben wollte, kann er es nicht. Er ist wie jeder Diktator Gefangener seiner Umgebung. Vor allem macht er – obwohl er mit Kunwald in Kontakt steht und dessen Schriften sehr genau kennt – gegen Seipels Ratgeber Front.

Dr. Kienböck[2], der Chef der Nationalbank, ist allmählich für die Finanzpolitik Österreichs entscheidend geworden. Ein gewiß nicht unbedeutender, aber doch dogmatisch veranlagter, höchst selbstsicherer Mann. Seine zersetzende Ironie wirkt penetrant. So oft ich Dr. Kienböck begegne, ist mir sein süffisantes Lächeln ein Omen dafür, daß er dem Idealisten Kunwald eine Niederlage bereiten wird, die aber keineswegs den Sieg dieses Mephistopheles en miniature bedeuten soll.

Liebste! Der Zufall wollte es, daß ich wenige Tage, nachdem ich Dir über Dollfuß geschrieben habe, in der Französischen Botschaft war. Der französische Botschafter Comte Clauzel, der eifrigste Förderer österreichisch-französischer Beziehungen, gab zu Ehren einiger Senatoren, die mit dem Bundeskanzler Fühlung aufnehmen wollten, ein Essen. Mir wurde der Ehrenplatz neben Dollfuß angewiesen, und bald fühlte ich, daß Clauzel dies wohl erwogen hatte. Der Bundeskanzler wandte sich immer wieder an mich. Er wollte offenbar einmal eine andere Stimme hören als die seiner ständigen Umgebung.

Dollfuß leitete das Gespräch mit einer satirischen, ihn selbst betreffenden Bemerkung ein:

»Komisch«, lächelte er und wies auf die blumengeschmückte Tafel, »die Form der Vasen. Sie sehen genau wie Tiroler Hüte aus. Und der kleine, der letzte, der wäre gerade richtig für meine Statur.«

Mußte dieses ihn stets quälende Bewußtsein seines Kleinwuchses nicht Minderwertigkeitskomplexe erzeugen und dadurch jenen Machthunger auslösen, der Dollfuß charakterisiert? Gewiß entspringt die außergewöhnliche Energie- und Diktatorensehnsucht des kleinsten Staatsmanns Europas solchen Gefühlen. Links von mir sitzt Senator Eccard. Er weiß von meiner der französischen Literatur gewidmeten Übersetzertätigkeit. Wir sprechen darüber. Dollfuß ist – glaube ich – vollkommen amusisch. Er hat wenig Interesse für literarische oder künstlerische Dinge. Vielleicht läßt ihm die Gefährlichkeit der politischen Situation keine Zeit dazu.

So unterbricht er dieses Gespräch und wendet sich mir mit der Frage zu:

»Ist die Österreichische Gesandtschaft in Paris wirklich so beliebt, wie man es mir ostentativ berichtet?«

Das Wort »ostentativ« genügt. Ich weiß nun, woher der Wind weht. Und unser ausgezeichneter Gesandter Dr. Grünberger wird wohl wie alle von Seipel bevorzugten Mitarbeiter gehen müssen.

Gerade deshalb schildere ich nun Grünbergers Tätigkeit, die charmante Atmosphäre unserer Gesandtschaft in lebhaften Farben.

Dollfuß sieht mich mit seinen kalten wasserblauen Augen mißbilligend an.

»Was Sie zu Grünbergers Gunsten anführen, gibt mir eher Grund, diese Art, unser Österreich zu repräsentieren, skeptisch zu beurteilen. Die Wiener Oper, die Philharmoniker, Quartette, Wiener Sängerknaben und Johann Strauß und Schubert – damit macht man sich beliebt. Aber mir wäre Wirtschaftspropaganda wichtiger. Wir müssen unser Tiroler Holz verkaufen. Eine Intensivierung unserer kommerziellen Beziehungen ist lebensnotwendig. Herr Grünberger hat offenbar nichts anderes zu tun, als mit seinem ersten Legationsrat stundenlang vierhändig zu spielen.«

28 Bertha Zuckerkandl am Schreibtisch des Schauspielers Hugo Thiemig

29 Bertha Zuckerkandl und Alexander in Salzburg

30 Bertha Zuckerkandl in der Emigration in Algier

»Herr Bundeskanzler«, erwidere ich, »haben Sie nicht selbst den Impuls gegeben, Österreich zu einem Dorado des Fremdenverkehrs zu machen? Worin besteht denn die Anziehung, die ein Land ausübt? Es sind doch nicht allein die Naturschönheiten, die zählen. Darf ich Anton Wildgans[3] zitieren?

Und immer, wenn des Geschickes Zeiger
Die große Stunde der Geschichte wies,
Stand dieses Volk der Tänzer und der Geiger
Wie Gottes Engel vor dem Paradies!«

Dollfuß schweigt eine Weile, dann sagt er wärmer als bisher:

»Sie sind ein guter Verteidiger Ihrer Freunde. Ich wünschte, einer meiner Ratgeber hätte Ihre Intensität. Es fehlt mir die Gabe, Aufrichtigkeit von Geschicklichkeit zu unterscheiden. Nichts ist entmutigender, als stets Intrigen entwirren zu müssen. Da sehne ich mich oft nach meinem kleinen Besitz in Pressbaum, wo ich so ruhig gelebt habe.«

»Pressbaum? Wir sind Nachbarn. Mein Sohn ist Mitbesitzer des Sanatoriums Purkersdorf.«

»Der herrliche Park. Wie oft bin ich vorübergefahren! Aber mein Töchterchen ist in Pressbaum gestorben. Seitdem wohnen wir nie mehr dort.«

Tags darauf, vielmehr den nächsten Abend hatte ich mit Freunden Rendezvous im Café L.

Marie weiß immer, wo ich zu finden bin. So fällt es mir nicht auf, als ich zum Telefon gerufen werde.

»Hier Dollfuß. Entschuldigen Sie die Störung. Ich hätte eine Bitte: Ist es Ihnen möglich, mir in Ihrem Sanatorium zwei abgelegene Zimmer zu reservieren, in einer der Villen?«

»Gewiß, Herr Bundeskanzler.«

»Aber es muß ganz geheim bleiben; ich brauche zwei, drei Tage Ruhe.«

»Verlassen Sie sich auf mich. Wann wollen Sie kommen?«

»Morgen abend, gegen zehn Uhr. Es kann auch später werden.«

Selbstverständlich teile ich Kunwald sofort die unerwartete Chance mit. »Wenn ich Dollfuß nur einmal unter vier Augen sprechen könnte!« hat er so oft geseufzt. »Natürlich dürfte niemand davon erfahren. Sonst ist alles vergebens.«

Nun rechnet Kunwald auf meine Vermittlung.

In der Paula-Villa, der modernsten des Sanatoriums, hatte ich ein kleines Appartement reservieren lassen. Um Mitternacht rollt das Auto durch den Park. Dollfuß ist nur von seinem Leibwächter begleitet.

Den nächsten Abend bittet mich der Bundeskanzler zu einer Unterredung. Er spricht von selbst über die großen Sorgen, die ihm die Verschleppung der

Verhandlungen zwischen Frankreich und Österreich bereiten. Sie betreffen den Ankauf von Tiroler Holzbeständen. Es ist mir klar, daß Dollfuß dieses Thema nur anschlägt, damit ich Painlevé erneut dafür interessiere.

Vorsichtig nehme ich dann die Gelegenheit wahr, dem Bundeskanzler Kunwalds Projekte bezüglich der Heranziehung französischen Kapitals auseinanderzusetzen. Dollfuß zeigt sich plötzlich sehr interessiert. Sichtlich hat man ihm Kunwalds Ideen verschwiegen. Jetzt beginnt er, sich Notizen zu machen. Schließlich sagt er:

»Ich werde Doktor Kunwald sofort zu mir bitten.«

Ich triumphiere. Doch kaum ist dieser unverhoffte Sieg errungen, als sich auch schon die Tür öffnet, und unangemeldet Dr. Kienböck eintritt. Ich weiß sofort: Die Gelegenheit ist verpaßt. Der immer spöttische Zug um Kienböcks Mund verschärft sich. Kienböck kennt meine Beziehungen zu Seipel und Kunwald. Sofort errät er, was hier im Gang ist. Und Dollfuß kann es ihm nun nicht verschweigen.

Ich habe ihn nochmals gesprochen. Kein Wort mehr von Kunwald. Hingegen entwickelt mir der Bundeskanzler das Programm, die österreichische Käseproduktion auf das Niveau der französischen zu heben.

»Die Landwirtschaft kommt zuerst«, ruft er begeistert aus, »dann der Fremdenverkehr. Sommer und Winter! Das Arlberg-Paradies ist für den Winter, was die Festspiele für den Sommer sind. All dies führt dazu, daß unser Schilling eine immer stärkere Währung wird.«

»Ich verstehe nicht viel von diesen Dingen«, erwidere ich, »aber Kapazitäten der Nationalökonomie sind der Ansicht, daß gerade das Hinaufschrauben des Schillings dem Fremdenverkehr Schaden zufügt.«

»Es ist mein Stolz« – und hier höre ich Kienböck sprechen –, »daß wir imstande sind, aus dem bettelarmen Österreich nach der Inflationskatastrophe endlich ein Land mit starken Goldreserven zu machen. Die Mystik der Goldreserve.«

»Vor Jahren – ich war in London als Gast von Snowdens in der Downing Street –, da sprach auch der englische Finanzminister mir von einer Mystik, an die er leidenschaftlich glaubte, die des Freihandels. Aber, so erklärte er mir, die erste Bedingung jeder Volksmystik beruht vor allem auf Volkseinheit.«

»Es ist nicht meine Schuld«, fährt Dollfuß auf, »wenn Österreich ungeeint bleibt. Solange es bei uns zwei Regierungen gibt – die des Staats, den ich führe, und die der Stadt Wien, wird kein Friede sein.«

Zuletzt kam Dollfuß auf ein Thema zu sprechen, das er vorbereitet hatte.

»Ich höre, daß Präsident Painlevé diesen Herbst einen Flug nach Prag vorhat. Hat er vielleicht die Absicht, auch Wien zu besuchen?«

Ich konnte natürlich weder bejahen noch verneinen, obwohl ich wußte, daß wir die Freude haben würden, Painlevé bei uns zu sehen.

»Jedenfalls«, meint Dollfuß, »halten Sie mich bitte auf dem laufenden. Und falls Sie dazu Gelegenheit haben sollten, übermitteln Sie Herrn Painlevé, daß ich seine Anwesenheit in Wien wärmstens begrüßen würde.«

Am selben Abend hat der Bundeskanzler, ebenso geheim, wie er gekommen war, Purkersdorf verlassen.

Oktober

Liebste! Ich blicke mit gemischten Gefühlen auf die Tage zurück, die Painlevé in Wien verlebt hat. Privat waren sie harmonisch und anregend. Politisch konnten sie nicht anders verlaufen als negativ. Dem scharfen Blick Painlevés ist es nicht entgangen, daß Wiens Atmosphäre, die ihm immer so sympathisch war, sich vollkommen verändert hat. Die Ursachen sind der latente Kriegszustand zwischen Staat und Stadt, die illegalen Armeen hüben und drüben, und in der Dollfuß-Regierung selbst eine Spaltung. Neben den noch unbedingt treuen Dollfuß-Anhängern gibt es schon die anderen, unsichtbar braun verfärbten.

Dieser Zustand, den er durchschaute, veranlaßte Painlevé zu dem Ausspruch: »Dollfuß hat sein Volk aufgerufen, Österreichs Unabhängigkeit zu verteidigen. Das war ein mutiges Beginnen. Jetzt aber kämpft er gegen einen Teil seines Volks, und das muß ein böses Ende nehmen.«

So ist die Begegnung eigentlich unbehaglich verlaufen.

Mme. Paul Clemenceau, Paris *Nach dem 12. Februar 1934*

Liebste! Ein blutiger Tag[4]! Der latente Konflikt, der zwischen Regierung und Sozialisten herrschte, wurde nun auf die Straße getragen. Die irreguläre Heimwehrarmee, befehligt von einem Major Fey, der wegen seiner Brutalität berüchtigt ist, hat mit Maschinengewehren die Arbeiterhäuser beschossen, wehrlose Frauen und Kinder angegriffen.

Es ist die zynischste Aktion gegen die Freiheit, die man sich vorstellen kann. Einmal muß ja der Tag kommen, der alle Österreicher zur Abwehr Hitlers herausfordern wird. Das in seiner Existenz bedrohte Vaterland kann nur ein einiges Volk schützen. Dollfuß ist von Mussolini und von dem Machttaumel seiner Partei auf einen Weg gedrängt worden, der zum Unheil führen muß.

Mein lieber Freund Charles Rist[5] hat mich angerufen, er sei eben angekommen und logiere im Hotel Sacher. Wir verabredeten seinen Besuch um fünf Uhr. Du kennst Rist. Sein Name hat Klang in den Kreisen, die seit dem

Krieg an Europas wirtschaftlichem Aufbau arbeiten. Im Auftrag des Völkerbunds widmet er sich der Aufgabe, zerrissene Fäden der Weltwirtschaft neu zu knüpfen. Österreich hat er besonders ins Herz geschlossen.

Der sonst so Pünktliche läßt auf sich warten. Endlich klingelt das Telefon. Am Apparat ist Charles Rist. »Ich bin in der Französischen Botschaft«, sagt er, »und es ist mir unmöglich, zu Ihnen zu kommen. Auf der Straße wird geschossen. Mir kommt es vor, als müsse ich dem Selbstmord eines Freundes zuschauen, ohne ihn davon abhalten zu können. Dies ist der Selbstmord Österreichs.«

Er hat recht. Von nun an werden Faschismus und Nationalsozialismus die letzten Enklaven der Geistigkeit vernichten. Der Weg ist frei für Hitler.

Du würdest das arme Wien heute nicht wiedererkennen. Dem allmählich aufblühenden Österreich, dessen Fremdenverkehr sich schneeballartig entwickelt hatte, ist die allerschwerste Wunde geschlagen worden. Man meidet ein Land, in dem Blutpolitik getrieben wird.

Juli 1934

Liebste! Die Dollfuß-Tragödie[6] hast Du aus den Zeitungen erfahren. Sie geht mir nahe. Obwohl sich mein ganzes Wesen gegen den von ihm eingeschlagenen Kurs gewehrt hat und mehr denn je auflehnt, so war er mir doch als Privatmann nicht unsympathisch. Die Schlichtheit, ja eine Art Schüchternheit seines Auftretens unterschied sich wohltuend von der kalten Arroganz seiner Umgebung.

Erst vor kurzem hatte ich ihn wiedergesehen. Wir waren uns seit den Purkersdorfer Tagen nicht mehr begegnet. Ich weiche ja jeder Begegnung mit offiziellen Kreisen aus.

Nun gibt der Burgtheaterdirektor Röbbeling[7] alljährlich vor Saisonschluß einen Empfang im Hotel Imperial, dem Dollfuß und einige Minister beiwohnen. Autoren, Verleger, Kritiker, Schauspieler, Persönlichkeiten aus der Gesellschaft sind geladen, und so kommt das jetzt bekannte seltene Schauspiel zustande, daß auch einige »Kulturbolschewiken« sich unter den Gästen befinden. Du kennst ja diese von den Nazis erfundene idiotische Bezeichnung, die jedem geistigen Schaffen gilt, das dem Ungeist widersteht.

Ich gehöre zu ihnen, und mancher scheele Blick streift mich, als ich den Saal betrete.

Dollfuß sieht mich von weitem und geht rasch auf mich zu.

»Wieso kommt es, daß man Sie nirgends sieht?« fragt er.

»Ich kann offizielle Empfänge nicht leiden, und ich bin auch oft wochenlang in Paris.«

»Ich weiß. Sie haben den Verlust Ihres großen Freundes zu beklagen.

Auch für Österreich ist der Tod des Ministerpräsidenten Painlevé schmerzlich. Frankreichs Haltung ist merklich kühler geworden.«

Dollfuß las die Antwort wohl von meinem Gesicht ab.

»Ich weiß, daß ich auf der Anklagebank sitze«, sagte er erregt. »Die Demokratien maßen sich ein Recht an, das sie Andersdenkenden verweigern. Sie wollen auch die Innenpolitik unseres Landes bestimmen. Das aber kann ich nicht akzeptieren. Nicht das geographische Ausmaß eines Staates ist hier entscheidend, sondern die Intensität seines Aufbauwerkes. Das möchte ich nun in loyaler Weise auseinandersetzen. Ich suche inoffiziell Fühlung zu nehmen. Sie verstehen mich. Über diesen ganzen Komplex sollten wir uns, wenn Sie gestatten, einmal unterhalten. Wann sind Sie frei?«

Ich erwidere, daß ich Dollfuß gern zur Verfügung stehe.

In diesem Augenblick wird der Bundeskanzler von einem ordenbehängten Herrn angesprochen. Man geht zu Tisch, und ich verlasse dann so früh wie möglich die Gesellschaft, der ich vollkommen entfremdet bin.

Vorgestern – es kommt mir vor wie eine Ewigkeit – ruft mich Dollfuß an.

»Ich habe unsere Begegnung bei Röbbeling nicht vergessen, doch hatte ich bis heute keine Minute übrig. Die Frage, die ich mit Ihnen erörtern will, ist noch akuter geworden. Sind Sie übermorgen fünf Uhr frei?«

»Gewiß.«

»Dann erwarte ich Sie am Ballhausplatz. Wir werden ganz ungestört sein.«

Er ist ungestört geblieben an diesem Tag um fünf Uhr... Ausgeblutet lag er da, eine Leiche. Keine Probleme stören mehr seinen tiefen Schlaf. Was hat unsere äußere und innere Politik mit dem unpolitischsten aller Zustände zu tun, mit dem Tod?

Dieser Tod aber kündigt Europa – vielleicht der Welt – den Beginn einer Schreckensherrschaft an, ist doch dieser Mord ein politischer Akt. Daß Dollfuß unverteidigt, ja, verraten starb, daß Einverständnis oder zumindest Beiseitestehen den Überfall ermöglicht hat, erhellt blitzartig den Abgrund, der sich auftut. Der von Hitler befohlene Mord hat im eigenen Land Helfershelfer gefunden. Und jene Gesinnungslosen, die Dollfuß Treue heuchelten und ihn schmählich hintergingen, sie sind die Totengräber Österreichs.

AUS MEINEM SALZBURGER NOTIZBUCH

1935–1937

Toscanini ist nicht nur als Künstler zu bewundern, sondern auch als Mensch. Die heroische Geste, mit der er sich weigerte, Mussolini zu gehorchen, als dieser befahl, vor Beginn jedes Konzerts müsse die Faschisten-Hymne gespielt werden, bleibt unvergessen.

Toscanini weiß, daß seine Verschickung nach den berüchtigten »Inseln« droht, dennoch steht er als Unbeugsamer an seinem Dirigentenpult. Den Faschisten erscheint es denn doch zu gewagt, an den von ganz Italien vergötterten Meister zu rühren. So begnügt man sich damit, Toscanini zu verbannen.

Er hat der geliebten Heimat entsagt. Aber wo immer er den Stab hebt, ist das jetzt geknechtete Vaterland in einstiger Größe bei ihm.

Es gelingt der Wiener Oper, den Meister für einige Vorstellungen zu gewinnen. Dies wurde zum Brückenschlag nach Salzburg. Toscanini wandte sich den von Reinhardt geschaffenen Festspielen zu – und das Ergebnis ist ein wunderbarer Zusammenklang von Dichtung und Musik. Eine Apotheose, zu der alle Welt strömt: echte Kunstenthusiasten und die Snobs, die niemals fehlen, wenn eine geistige Tat vom Erfolg bestätigt wird.

Toscanini ist von den deutschen Machthabern eingeladen worden, in Bayreuth zu dirigieren. Große Ehrungen sind ihm in Aussicht gestellt worden. Bayreuth versucht, die Salzburger Konkurrenz tödlich zu treffen. Toscanini aber hat die Einladung brüsk abgelehnt. Ohne irgendeine Ausrede zu gebrauchen, hat er erklärt, ein Staat, der sich Unterdrückung der Freiheit und der Menschenrechte zum Ziel gesetzt habe, sei kein Boden für die Kunst, und er, Toscanini, werde ihn niemals betreten.

Diese Nachricht erregt Enthusiasmus. Doch wird mit wienerischer Skepsis die Frage aufgeworfen: »Ist Österreich nicht eben daran, die braune Diktatur zu kopieren? Ist uns Freiheit noch ein lebendiger Begriff?«

Ein anderer Wiener widerlegt diesen Einwand so: »Der Toscanini nimmt halt unsere Diktatorallüren nicht ernst.«

In Leopoldskron herrscht, als ich den Abend dort verbringe, freudige Stimmung. Ich notiere Reinhardts Worte: »Napoleon hat nach seiner Begegnung mit Goethe gesagt: Voilà un homme! – Er hätte das jetzt auch von Toscanini gesagt.«

In Leopoldskron ist eine Epidemie ausgebrochen: die Barometritis. Alles starrt stundenlang das Auf und Ab der Quecksilbersäule an. Man telegrafiert, telefoniert mit den Observatorien, denn es naht der Augenblick, den Reinhardt seit Jahren vorbereitet hat: Das Freilufttheater im Leopoldskroner Park soll noch diese Woche eröffnet werden. Doch hängt die Erfüllung seines Traums von des Wetters Gunst ab. In mühevoller Arbeit ist ein Amphitheater aus Andeutungen der Bodengestaltung herausgeschnitten worden. Einladungen sind in alle Welt geflogen. Für die in Salzburg und Umgebung verfügbaren Zimmer wird jeder Preis gezahlt.

Jetzt ist der Abend da. Der Himmel scheint ein Einsehen zu haben. Die Wiesen sind beleuchtet, was den Kieswegen, dem Rasen Unwirklichkeit verleiht; die Menschen scheinen zu schweben.

Ein Rundblick erfaßt die volle Herrlichkeit der heroischen Landschaft, die Gewalt und Milde vereint. In das weite Tal zwischen dem Mönchsberg und der ihn krönenden Festung und dem Kapuzinerberg ist Salzburg gebettet. Leises Plätschern läßt einen zum See blicken. Ihm ist eine große Rolle zugedacht, er bildet den Hintergrund der von Bosketten kulissenartig umschlossenen Bühne. Sie fügt sich harmonisch dem in die Erde geschnittenen Raum, der die Zuschauer faßt, an.

Aus nicht zu bestimmenden Bereichen erklingt Musik. Schattenhafte Gestalten wirbeln in wildem Tanz über die Bühne. Reigen bilden sich. Dann erwacht der See. Barken legen an, und buntes Leben entsteigt ihnen. Die ersten Szenen schwirren reizvoll vorüber – eine Fülle überraschender Einfälle. Alles ist in fließender Bewegung, Tanz und Natur scheinen verschwistert. Hie und da weht ein unheilverkündender Wind. Wie? Sollten die Meteorologen, die Reinhardt so beruhigende Zusicherungen gegeben haben, gelogen haben?

Moissi erscheint. Er ist der melancholische Narr, eine der seltsamsten Gestalten Shakespeares. Wie immer füllt er trotz seiner Grazilität die Bühne.

Doch so viel Phantasie, so viel Geist auch verschwendet wurde – unerbittlich ertränkt der Salzburger Schnürlregen den Willen eines Künstlers. Erst fallen einzelne Tropfen. Das Publikum hält sich tapfer. Regenschirme werden aufgespannt, die Dahintersitzenden murren. Es beginnt, ungemütlich zu werden. Soll das erst begonnene Spiel in panikartigem Aufbruch enden?

›Nein!‹ sagt sich Moissi, dessen dünnes Narrenkostüm bereits durchnäßt ist. ›Was an mir liegt, soll geschehen, um der Vorstellung einen originellen Abschluß zu geben!‹ Er winkt dem hinter Bäumen postierten Orchester, tritt vor und beginnt das Narrenlied zu singen, das Shakespeare just für Reinhardts Salzburger Freilichtbühne gedichtet hat:

»Es regnet, es regnet alle Tage ...«

Nach der letzten Strophe verlassen wir die im Nebel versinkende Vision.

Bei Gelegenheit der Vorbereitungen zum »Faust« erweist sich, wie sehr die schöne Unabhängigkeit der Festspiele in wenigen Jahren untergraben worden ist.

Hofmannsthals und Reinhardts Forderung »Der Kunst ihre Freiheit« fällt einer Politik des Dreinredens zum Opfer. Allerdings versucht die Regierung nur schleicherisch und verhüllt zu dekretieren, was, wie und wer in Salzburg zu berücksichtigen ist.

Das Festspielkomitee – Reinhardt und Toscanini – finden sich auf Schritt und Tritt gehemmt. Toscanini wird mit solcherlei Einmischung leicht fertig. Er sagt einfach: »Ich gehe sofort. Ich bleibe keine Minute länger, wenn die Festspiele ihre Autonomie verlieren.«

Zweimal schon hat sich das ereignet. Jedesmal hat Toscanini gesiegt. Reinhardt hat es schwerer, denn er ist nicht wie Toscanini Gastdirigent. Er ist an das Werk, das er geschaffen hat, das er der Welt gegenüber repräsentiert, das ohne seinen Namen als verloren gelten muß, gebunden.

So stellt Reinhardt der Politisierung der Kunst seine Taktik des Abwägens gegenüber. Mit der außerordentlichen Selbstbeherrschung, die ihn charakterisiert, erreicht er oft, daß Ungebührliches zurückgezogen wird. Manchmal aber muß er eine seiner Forderungen opfern.

So auch jetzt, da es darum geht, den langgehegten Plan auszuführen, den er noch mit Hofmannsthal besprochen hat: die Neuinszenierung des »Faust«. Reinhardt löst die Dichtung von der Bühne, von den die Weite der Vision einengenden Kulissen. Wie er einst für den »Jedermann« den Domplatz fand, sieht er jetzt in dem von Felsen umstandenen Platz der einstigen Reitschule den idealen Raum, um zu verwirklichen, was ihm vorschwebt.

Was wissen die Zuschauer, was ahnen selbst die Kritiker von den Niederlagen und Siegen in den Kämpfen um diese Arbeit? Allein schon Vorarbeiten, wie die an dem aufrollbaren Blechdach, das dem Publikum Schutz gewähren sollte, versuchte man zu sabotieren. Das Jahr, in dem Reinhardt sein Regiebuch des Salzburger »Faust« fertigstellte, hätte jeden anderen zermürbt. Es war eine meisterhafte, gedanklich tiefe und visuell packende Leistung. Für die szenische Gestaltung hatte Reinhardt den einzigen kollegialen Mitarbeiter gewählt, dem es gegeben war, in das Gedankenbild, das alle Traditionen über den Haufen warf, einzudringen: Strnad! Auch er hat, wie Mahler von sich sagte, nur »Stückwerk« hinterlassen. Nicht allein sein früher Tod war daran schuld; auch jene dilettantische und freche Einmischung, die seit Beginn des totalitären Regimes üblich geworden ist.

Strnads Lösung der von Reinhardt gegebenen Probleme war die höchste Leistung, die der Künstler bisher vollbracht hatte; innigster Gleichklang der geistigen Erlebnisse und der optischen Vision, die er lichtfreudig, lichtsehnsüchtig aus dem Dunkel treten ließ.

Er erzählte mir begeistert von Reinhardts Regiebuch. »Reinhardts Idee ist grandios. Er greift zurück auf Goethes Urfaust, auf diese vom Volk in Jahrhunderten gewobene Legende. Seine Konzeption zwingt ihn, einen Schauplatz zu suchen, der ebenso die Schauer des Übernatürlichen erregt wie die tragisch-skurrile Realität der Volksseele lebendig werden läßt. Es hat mich seltsam ergriffen, wie genial er »Faust« zwischen diesen Felsen als eine Art Bauernmythos gestaltet. Hier darf keine Dekoration nachhelfen. Es muß mir gelingen, Hölle und Erde aus der Landschaft treten zu lassen und darüber die leuchtenden Gestalten der Erzengel.«

Es ist ihm gelungen, obwohl die Einheit Reinhardt–Strnad brutal zerstört wurde. Reinhardt wurde vor die Wahl gestellt, entweder einen ihm von der Regierung aufgezwungenen ganz theaterfremden Architekten zu akzeptieren oder die »Faust«-Aufführungen aus dem Programm zu streichen. Reinhardt mußte nachgeben. Was er dabei durchgemacht hat, wissen nur er und Strnad.

Gestern ist bei leidlichem Wetter der »Faust« in dem felsumschlossenen Freiluftraum an uns vorübergezogen. Der Eindruck ist überwältigend. Reinhardt hat den bäuerlich-spukhaften Faust zum erstenmal offenbart.

WIEN WILL NICHT STERBEN

1935–1936

Für eine Atempause noch übertönt, überwölbt und – verbirgt eine letzte rührende Abwehr, die alle künstlerischen und kulturellen Kräfte vereint, die drohende Wirklichkeit. Die Geschichte hat festgehalten, daß stets, wenn Österreich Gefahr drohte, diese Abwehr zur Überwindung einer verhaßten Realität geführt hat. So ist es auch jetzt.

Dumpf lasten die unvermeidlichen Entscheidungen der Zukunft auf uns allen. Aber man will nicht wahrhaben, daß die Zersetzung eines Staats, dessen Fundamente im Sumpfgebiet einer verlogenen Diktatur ruhen, unaufhaltsam ist.

Um zu vergessen, gibt man sich im Mai dem Musizieren hin. Nun hat auch Wien Festwochen. Originell sind die internationalen Musikwettbewerbe. Musikanten aus aller Welt, Pianisten, Geiger, Cellisten, Sänger und Sängerinnen, Dirigenten, Komponisten – strömen, vom Ruhm der Musikstadt angezogen, herbei. Ein Areopag berühmter Kenner spricht das Urteil. Ganz Wien singt, geigt, spielt – es erklingt endlich einmal kein »garstig politisch Lied« in diesen Frühlingstagen, die Wien für einen Augenblick zum Sitz eines Völkerbunds des heiligsten Weltbesitzes machen: der Musik.

Auch Reinhardt widmet sich im Mai eine Zeitlang seinem Theater in der Josefstadt und inszeniert ein Stück, das ihn interessiert. Er erscheint nach monatelanger Pause wie der liebe Gott und sieht, daß sein Theater ein gelungenes Werk ist. Ein Jahrzehnt intensiver Entwicklung ist die Folge seines Festspiels. Neue Bühnen, neue Regietalente, neue Schauspielertypen. Selbst das Burgtheater, o Wunder! verjüngt sich. So groß ist die Ausstrahlung dieses Theaterdämons.

Nun reift in Reinhardt der Wunsch, eine in ihrer Art neue Institution ins Leben zu rufen: das Reinhardt-Seminar.

Was er im Gegensatz zu allen akademischen Konservatorien in Szene setzt, ist nicht Schule, sondern Werkstatt. Er entwirft einen Lehrplan, der den Schauspieler nicht nur zum Artisten erzieht, sondern auch zum Kulturhandwerker. Er weiht ihn in die Geheimnisse der Materie ein, aus der das Wunder Theater entsteht. Selbstverständlich steht die Dichtung an erster

Stelle, doch bleibt die verschwenderische Fee Illusion deren unentbehrliche Helferin. So sind den Lehrsälen Werkstätten angegliedert, die der Erzeugung von Illusion dienen. Der Schauspieler beginnt eine Bühne aufzubauen, lernt die Psychologie der Lichteffekte, die Geschichte des Kostüms und lernt gleichzeitig, sich von historischem, akademischem Zwang freizumachen. Er lernt singen, tanzen, turnen, denn alle Quellen der Hör- und Schaulust sollen im Reinhardt-Seminar fließen.

Wie immer will Reinhardt für sein Werk einen edlen Rahmen. Gebieterisch streckt er die Hand nach einer habsburgischen Köstlichkeit aus, dem Schönbrunner Schloßtheater, einem Anbau jener Gebäude, die den großen Schloßhof umschließen. Dort, im stilreinsten Barock, spielten einst Hof und Aristokratie Komödie.

Reinhardt setzte seine Absicht durch. Man wies ihm nicht nur das Theater zu, sondern auch zahlreiche Nebenräume. Das Seminar wurde zum Ziel einer enthusiastischen Jugend. Aus ganz Europa, aus Amerika, aus dem Orient strömt Talent. Die periodischen Aufführungen unter Emil Geyers[1] feinfühliger Leitung überraschen durch ihre Qualität.

Es ist spät geworden, Schönbrunn liegt im Dunkel. Nur vor dem Schloßtheater herrscht Leben. Die Aufführung war ein schöner Erfolg. Reinhardts Anwesenheit hat stimulierend gewirkt. Er lädt Emil Geyer und mich ein, mit ihm in die Stadt zurückzufahren.

»Was mich stets erregt«, sagt Reinhardt zu Geyer, »ist das Versteckspiel, das die Natur mit ihren Geschöpfen treibt. Unter diesen talentierten Eleven – Talent haben sie alle – sind echte und vorgetäuschte Individualisten. Letztere blenden anfangs, aber die anderen, deren Können in der Tiefe ruht, haben oft schwere Hemmungen zu überwinden.«

»Für Sie, den Entdecker der meisten großen Schauspieler«, meint Geyer, »werden diese Rätsel nicht schwer zu lösen sein.«

»Doch. Um ein Talent in seiner Ergiebigkeit zu erkennen, bedarf es vieler Schürfungen. Es gehört unendliche Geduld zu solchem Schutträumen.«

»Und heute abend?« fragt Geyer.

»Das will ich mit Ihnen eingehend besprechen. Die junge B. hat ihre Rolle überraschend fix beherrscht. Zu fix. Ihre Partnerin, diese auf den ersten Blick hilflose N....«

»Ja«, seufzt Geyer, »die hat versagt!«

»Völlig versagt. Aber der Moment, wo sie mit einem Blick die ihr entgegengeschleuderten Beleidigungen beantwortet und mit einer Geste, die in ihrer Impulsivität die einzig richtige unter Millionen Gesten war –! In dieser scheuen Natur liegt etwas verborgen. Das reizt mich.«

Je mehr sich das Antlitz des sterbenden Wien verzerrt, ja zur grinsenden Larve wird, desto sehnsüchtiger, milder, verstehender sind Dichter am Werk, das alte Österreich in seinem widerspruchsvollen Wesen noch einmal erstehen zu lassen.

Joseph Roth[2] ist der Barde der Franz-Joseph-Epoche. Er läßt sie in ihrer romantischen Zerrissenheit wieder aufleben. In seinem Roman wird die österreichische Armee, ihre Buntheit, ihre Vielart von Rassen und Sprachen und ihre wie in Bronze gegossene Einheit noch einmal lebendig – es ist ein psychologisches Meisterwerk.

Er selbst ist eine echt altösterreichische Gestalt: verträumt und überwach; gläubiger Patriot und ironischer Chronist. Er hat ein altösterreichisches Epos gedichtet, die letzte Inkarnation Habsburgs.

In Paris. Ein Spätnachmittag. Ich sitze mit meiner Freundin Friderike Zweig im Thé Hollandais, Rue Rivoli. Wir erwarten Joseph Roth, der mit Friderike befreundet ist. Er tritt ein.

Melancholie liegt in seinen tiefblauen Augen, Abwehr in den ängstlichen Gesten. Hier trauert eine Seele, die, zum Genuß alles Schönen geboren, aus ihrem Gleichgewicht geschleudert worden ist. Stockend beginnt Joseph Roth von seinen Enttäuschungen zu erzählen. Er steht hier im Mittelpunkt jener Österreicher, die von einer Wiederaufrichtung der Monarchie träumen, sich aber untereinander befehden.

»Ich habe der österreichischen Armee angehört«, sagt er. »Ich kenne ihre Größe und ihre Schwäche. Aber nie in der Geschichte hat es so absolute Fraternität gegeben wie in dieser aus vielen Völkern geschmiedeten Waffengemeinschaft, die wie ein Kristall in hundert Facetten das große Geschlecht der Habsburger strahlend umschloß.«

»Halten Sie die Wiederkehr der Monarchie wirklich für möglich?« frage ich. »Es geht ja nicht allein um Habsburg. Stürzt nicht ein Thron nach dem anderen? Das Sterben der Monarchien hat längst begonnen.«

»Ich deute dies nur als einen jener Bocksprünge, die sich der Geist der Weltgeschichte erlaubt. Man muß mit Jahrzehnten rechnen, nicht mit Jahren, bis die wilde Epoche der Diktaturen ad absurdum geführt, die Völker wieder in den Hafen aufgeklärter Monarchien gelangen werden. Vor allem wird der Alt-Österreicher in neuer, verbesserter Auflage wiedererstehen. Zur Zeit macht sein Wesen so traurige, tiefe Veränderungen durch. Ich kann dies beurteilen. Das Treiben unserer Konjunkturritter und Karrieremacher ist beschämend.«

»Wie können Sie in diesen Zeiten allgemeiner Auflösung an die Hochzüchtung des österreichischen Menschen denken?«

»Gerade diese Zeit der Zersetzung, die ich nur als Vorspiel zur Zerstörung Österreichs betrachte, ist die Voraussetzung zur Entstehung einer neuen, höheren, reineren Art. Nur wenn das österreichische Volk durch tiefes Leid hindurchgegangen sein wird, kann es wieder auferstehen.«

»Ich habe unlängst bei einem besonderen Anlaß an Sie gedacht und nicht ich allein, sondern viele Mitglieder Ihrer großen Gemeinde. Csokors[3] Dichtung »Der dritte November« ist wie ein Schlußpunkt zu Ihrem Werk. Wie Sie im Roman episch diese Waffenbrüderschaft darstellen, so zeichnet Csokor das Drama ihres Zerfalls in lapidaren Strichen. Meisterhaft. Eben noch war die Armee trotz der Mischung von Rassen und Sprachen durch Kaiser und Vaterland fest geeint, nun zerfällt sie. In dieser Stunde bricht die Ära des widerlichsten Nationalismus über Europa herein. Blitzartig wandelt sich das Bild. Deutsche, Slawen und Ungarn stehen gegeneinander. Die eben noch Brüder waren, sind Todfeinde. Der Oberst, eine große Figur, beschwört seine Offiziere, die Brudertreue zu wahren, doch als statt dessen Haß aus Augen flammt, die bisher Kameradschaft ausgestrahlt haben, da erschießt er sich. Noch einmal stehen sie alle vereint, um ihm die letzte Ehre zu erweisen. Dann aber richten Deutsche und Slawen ihre Maschinengewehre gegeneinander.«

»Sie alle«, sagt Roth leise, »die einander befehden und verfolgen und die Österreich so lange Vaterland nannten, werden erst später erkennen, welche Kraft ihnen der Zusammenschluß verlieh. Mag sein, daß erst Leid, Unglück, Verzweiflung und Vergewaltigung zum Mittler werden wird, der die Völker Habsburgs vereint.«

Joseph Roth ist wenige Jahre nach diesem Gespräch in Paris gestorben, aufgerieben von den Enttäuschungen, die jedem Idealisten beschieden sind.

Ist Wien wirklich nur Mittelpunkt eines »Volks der Tänzer und der Geiger«? Es ist auch Zentrum eines Volks der Denker und Forscher, deren geistige Kraft nach Österreichs Zerstückelung erhalten geblieben ist. In Wien wird ein neues wissenschaftlich-orientiertes Weltbild ans Licht gebracht.

Seitdem ich vor vielen Jahren Professor Mach begegnet war, hatte ich wenig von Philosophie gehört. Erst als mein Sohn heiratete, trat ich diesem Problem wieder näher, da Sohn und Schwiegertochter einen Kreis von jungen Philosophen um sich sammelten. Die Zwanzigjährigen, deren Entwicklung in die Zeit des Weltkriegs fiel, mußten ja entweder dem Materialismus verfallen oder in das Gebiet geistiger Spekulationen flüchten.

Diese jungen Denker stellten sich die Revisionen aller überkommenen wissenschaftlichen Werte zur Aufgabe. Vor allem suchten sie nach einem neuen Ziel jenes Gedankenbaus, den man »Philosophie« nennt. In diese Zeit fiel die Berufung des Professors Moritz Schlick[4] als Nachfolger von Mach und Boltzmann[5] an die Wiener Universität.

Unter seiner Führung gewinnt die angestrebte Revision aller wissenschaftlichen Systeme Gestalt. Eine von Schlicks Lehren besonders abhängige Gruppe nennt sich »Wiener Kreis«. Seine Ausstrahlung nach England und Frankreich, wo ähnliche grundlegende Veränderungen auf dem Gebiet der philosophischen Erkenntnis vor sich gehen, ist von entscheidender Bedeutung für eine Geistesrichtung, die sich von Österreich aus über Europa ausbreitet.

Es zeigt sich, daß trotz der Bindung durch eine gemeinsame Sprache, die doch zu natürlicher Gemeinsamkeit führen müßte, Österreich und Deutschland getrennte Schicksalswege gegangen sind. Die Donauländer, die Rheinländer und Holland bildeten einst einen integrierenden Teil des Römischen Reiches; Nord- und Mitteldeutschland nicht.

Die hiedurch bedingte Verschiedenheit führt der bedeutende Soziologe Otto Neurath[6], der eigentliche Begründer des »Wiener Kreises«, in einer interessanten Broschüre aus.

»Die Dinge, die sich in Österreich ereignet haben, sind mit Cambridge, mit Paris, mit Warschau weit enger verknüpft als mit Berlin. Philosophische Richtungen, die Wien und Wien angegliederte Zentren aufleben ließen, fanden in Deutschland kein Gehör.«

Allerdings ist die Forderung, alle Wissenschaften systematisch auf ein gemeinsames Fundament zu stellen, wie Professor Schlick und der Wiener Kreis sie vertreten, bereits von Auguste Comte und seinen Schülern, den Positivisten, gestellt worden. Sie wollten »die verschiedenen Disziplinen enzyklopädistisch vereinen«. Hier also ist Wien nicht schöpferisch. Wiens Originalität besteht darin, daß es nicht wie Comte vom Empirismus, sondern von der Logik ausgeht. So vermag das sterbende Wien dem sich wandelnden Geistesbild der Welt eine besondere Prägung zu geben. Professor Schlick hat, unbekümmert um systematische Anfeindung und die Drohungen der Nazis, seiner Ideologie Wege gebahnt, einer Ideologie, die gegen jene des brutalen Machtnationalismus Front macht. Otto Neurath, sein treuer Anhänger, wirft in der in Paris erschienenen Broschüre die Frage auf:

»Wird der ›Wiener Kreis‹ seinen Gedankengang weiter fruchtbar machen? Wird es ihm gegeben sein, sich mit ähnlichen Kreisen in der ganzen Welt zu verbinden?«

Soeben, wenige Monate, nachdem diese Frage gestellt worden ist, hat sie eine blutige Antwort erhalten, die den Abgrund sichtbar macht, der Österreich von Deutschland trennt.

Professor Schlick ist gestern von einem Nazi ermordet worden.

Vorzeichen der beginnenden Agonie unserer Stadt, die nicht sterben will.

SALZBURG 1937

Die letzten Juliwochen! Ich bin noch immer in Paris. Die herrliche internationale Ausstellung hält mich fest.

»Sechshundert Jahre französische Kunst.« Ein Fanfarenruf! ... Diese Museen, die den zu eng gewordenen Louvre entlasten sollen, dienen jetzt als edle Schreine von Kostbarkeiten, die Frankreichs hohe Kultur im ununterbrochenen Fluß sich stets verjüngender Traditionen bis heute der Welt geschenkt hat.

Von den Seine-Ufern aus entfaltet sich harmonisch eine Schau von Europas Schaffenskraft. Die Wunden, die 1914 aufgerissen wurden, scheinen vernarbt. Auch das kleine, schwer kämpfende Österreich gibt seine Visitenkarte ab. In der Ausstellung von 1925 hatte es, von dem nachwirkenden Glanz seiner Kultur genährt, durch die Einheitlichkeit seines Stils noch den Sieg über große Nationen erringen können. Jetzt dient die Fassade des österreichischen Pavillons in viel bescheidenerer Art realen Zwecken. Wie ein überdimensionales Plakat bedeckt die österreichische Landkarte die ganze Front. Sie soll für den Fremdenverkehr werben. Mit Kunst hat dies nur mehr wenig zu tun.

Am Nachmittag jedoch übt unser Pavillon eine besondere Anziehungskraft aus. Der Wiener Jausenzauber bewirkt den Andrang, Wiener Kaffee, Wiener Gebäck und der Charme der jungen Wienerinnen, die servieren.

Ich stehe am Fenster meines mir seit zwanzig Jahren eingeräumten Zimmers bei Clemenceaus. Schwester und Schwager sind schon in der Vendée. Ich überlege, ob ich noch bleiben soll, dieses Schauspiel genießen, besonders abends, wenn die von großen Technikern ersonnenen Lichtspiele und die sie begleitenden arielhaften Klänge über die Stadt gleiten.

Vor dem Haus hält ein Auto. Max Reinhardt und Helene Thimig sind aus New York gekommen. Bald sitzen wir – natürlich – im Wiener Cafégärtchen.

»Das Erlebnis der Sechshundertjahrausstellung«, sagt Reinhardt, »ist der mächtigste Eindruck, den jemals das Genie eines Volks auf mich gemacht hat. Ich verbringe dort meine Tage. Da ist zum Beispiel eine kleine Madonna, eine Elfenbeinskulptur. Ich kann mich nie von ihr trennen. Dieses Lächeln, dieses Frühlingshafte der französischen Gotik hat einen hinreißenden Zauber. Er kehrt von Jahrhundert zu Jahrhundert wieder, auch bei den Impressionisten, die hier unvergleichlich großartig vertreten sind ... Ich will nichts anderes sehen.«

»Außer dem Wiener Kaffeehaus«, sagt Helene Thimig. »Ich bitte ihn vergebens, doch auch die anderen Pavillons zu besichtigen. Nein, wir landen schließlich immer hier.«

»Ja, hier fühle ich mich wohl, lasse die großartigen Eindrücke nachwirken. Das hierher verpflanzte liebe Kaffeegärtchen ist für mich der Übergang von Amerika zu Salzburg.«

Reinhardt und seine Frau haben mich eingeladen, diesmal in Leopoldskron zu wohnen. Damit beginnen außerordentliche fünf Wochen eines Daseins, das von Erdenschwere losgelöst ist. Die Harmonie geistig erfüllter Stunden wechselt mit der die Phantasie beflügelnden Unruhe sich unablässig erneuernder Feste.

Vor Schluß der Festspiele gibt die Regierung eine Soiree im Gebäude der Residenz. Die Liste der Geladenen spiegelt die Dekadenz dieser Gesellschaft und ihrer Führer. Wo immer es möglich ist, werden Verdiente in den Schatten gestellt. Die Herrschaften, die am Ruder sind, schmücken sich mit fremden Federn. Sie versuchen, sich durch den Nimbus der Festspiele weltweite Sympathien zu erschleichen. Max Reinhardt – auch Hofsmannsthals Gedenken – zollen sie nur widerwillig Achtung. Das Arrangement ist einem Beamten des Bundeskanzleramts überlassen.

Reinhardt lehnt die Einladung unter einem Vorwand ab. Er kehrt dieser totalitären Pygmäenwelt den Rücken. So wird Toscanini allein repräsentieren. Er haßt zwar gesellschaftliche Veranstaltungen, doch um Reinhardt das Fernbleiben zu erleichtern, nimmt er den Platz an der Spitze der Ehrentafel ein. Lotte Lehmann sitzt zu seiner Rechten, Helene Thimig-Reinhardt links von ihm. Dem Meister scheint dies sehr angenehm zu sein – er lächelt, was man selten an ihm sieht.

Allmählich nehmen ungefähr 50 Auserwählte ihre Plätze ein, unter ihnen Bruno Walters[1] Frau. Der Sitz zu ihrer Rechten ist noch leer. Sie liest den auf der Karte verzeichneten Namen. Ohne Aufsehen steht sie auf und bittet einen Gast, mit ihr zu tauschen. Sie lehnt den ihr zugedachten Ehrenplatz ab. Warum?

Einstweilen bemühen sich Toscaninis Nachbarinnen, ihn bei guter Laune zu halten. Das von Helene Thimig angeschlagene Thema erweist sich als glücklich gewählt. Sowie sie von Verdi zu sprechen beginnt, verklärt sich

Toscaninis Gesicht. Bewegt spricht er von diesem Genie, das er anbetet. Und er zieht die Brieftasche heraus, entnimmt ihr eine vergilbte Visitenkarte: Verdis Aufforderung an den jungen Dirigenten, ihn zu besuchen.

Von meinem Auslug her bemerke ich, daß ein verspäteter Gast in Toscaninis Nähe Platz nimmt. Sein Kommen erregt Aufsehen. Der Herr trägt ein herausfordernd bescheidenes Wesen zur Schau. Man spürt die Treuherzigkeit des Fuchses, der sich dem Hühnerstall nähert. Die Stimmung wird eisig.

Es ist Herr von Papen[2], dem die Regierung mit profunder Takt- und Charakterlosigkeit einen Ehrenplatz angewiesen hat. Deshalb hatte Bruno Walters Frau ihren Platz abgelehnt. Aus noch gröberer Unkenntnis der Situation hatte der Arrangeur Herrn von Papen nur um ein weniges entfernt von Toscanini placiert.

Des Meisters Reaktion ist ein wundervolles, elementares Schauspiel. Sein Lächeln verschwindet, er stockt, bricht mitten in einem Satz ab. Vergebens versuchen Helene und Lotte, ihn abzulenken. Lotte Lehmann schneidet gerade vorsorglich den Schinken in kleine Stücke, wie er es liebt, und reicht ihm den Teller. Er aber schiebt ihn mit einer heftigen Bewegung von sich.

»Non mangio, non mangio«, sagt er. Es ist, als künde ein fernes Donnergrollen ein Gewitter an. Die dramatische Spannung erreicht endlich ihren Höhepunkt. Toscanini springt auf. Wütend starrt er auf Herrn von Papen, dann schreit er, zu einem verblüfften Regierungsmitglied gewandt:

»Mai piu! Mai piu! Mai piu!«

Und fort ist er.

Ich treffe Helene und Lotte, die ganz erschöpft sind. Der Augenblick, da Toscanini Papens ansichtig geworden war, hatte beide Damen erzittern lassen. Sie hatten gewußt, was nun bevorstand.

Aber dieses »Mai piu« des großen, stolzen, aufrechten Künstlers bezog sich nicht nur darauf, daß er sich künftighin solche Einladungen der Regierung verbitten würde – dieses »Mai piu« ist die Absage an Salzburg, an Österreich. – Nie wieder!

Der Höhepunkt eines Lebens, eines Werks, einer Epoche bleibt dem Zeitgenossen verborgen. Niemand vermag den Augenblick zu erkennen, da er den Gipfel erreicht. Erst wenn man weit genug davon entfernt ist, offenbart sich, daß man vom Wunder der Erfüllung gestreift worden ist.

Ein Wunder... Diese Aufführung des »Faust«, die einzige des verregneten Sommers, der eine herrlich besternte Nacht geschenkt war.

Im Festspielhaus offenbarte Bruno Walter Glucks »Orpheus« mit der herrlichen Reinheit und Keuschheit, die dieses großen Dirigenten seelisches

Geständnis ist. »Cosi fan tutte« ließ er über die kleine Bühne des Stadttheaters schweben. Nur dieses Wort wird der entzückenden Leichtigkeit, dem prickelnden Humor, dem Ineinandergleiten von Melodie und Situation gerecht.

Toscanini dirigierte Verdis »Requiem«. Toscanini! Das Wiener Philharmonische Orchester!

Man hatte diese Harmonie oft genossen. Diesmal aber war es, als sei der Meister über sich selbst hinausgewachsen. Seine Erschütterung bebte in den Musikern nach, überwältigte die Zuhörer. Viele brachen in Tränen aus, die fassungslose Menge bot einen seltenen Anblick.

War es die Ahnung eines die Welt bedrohenden Unheils? War es tiefe Ergebenheit in Gottes Willen, die Toscanini zu solcher äußersten Hingabe emporriß?

Heute fällt es mir schwer, das Salzburger Treiben zu vertragen, denn die Enthüllung von Hofmannsthals Denkmal steht bevor. In einer Nische des Festspielhauses ist ein Relief angebracht. Baron Franckenstein[3], der österreichische Gesandte in London, einer von Hugos nahen Freunden, hält die Gedenkrede. Von offiziellen Kreisen ist nur der unumgängliche Pflichtteil anwesend.

Ich hasse diese banalen Erinnerungszeichen. Meist gibt das steinerne Porträt nicht einmal jene Realität, die an einer Fotografie interessiert. Wäre ein Symbol nicht würdiger? Eine Säule oder einer jener poetischen Tempel, wie sie zu Rousseaus Zeiten dem Gedenken gewidmet waren?

Den Abend verbringen wir in Hofmannsthal gewidmeten Gesprächen. Im Spiegelsalon ist der intime Tisch gedeckt, wie immer, wenn sich Reinhardt eine stille Stunde gönnt.

»Wie oft hat Hofmannsthal, wenn ich manchesmal angesichts vieler Widerstände, die unsere Arbeit fand, ermüden wollte, mich durch seinen Glauben an das Ewige, Unzerstörbare des Geistes mitgerissen!« sagte Reinhardt. »Diesen Glauben hat er uns hinterlassen. Mag auch, was wir, die Erben des neunzehnten Jahrhunderts, aufgebaut und geschaffen haben, brutal vernichtet werden – eine Gewißheit ist unzerstörbar:

Aber ging es leuchtend nieder,
leuchtet's lange noch zurück.«

Abschied von Leopoldskron. Ein letztes Fest ruft sie alle herbei: den Erzbischof, Mitglieder der Regierung, Magnaten der Hochfinanz, Stützen der Gesellschaft.

Aber es ist, als wären sie Schatten.

Es sind dieselben Akteure, doch spielen sie ein anderes Stück, andere Rollen. Die Menschen in den lichterglänzenden Sälen passen nicht mehr zueinander. Reinhardt ist einsam geworden. Seiner Schöpfung droht Verfall. Lüge frißt sich in alle Bindungen ein. Händedrücke sind vergiftet, Lob ist hämischer Verrat, manch listiger Blick schätzt bereits die Verlassenschaft eines zu Vertreibenden, zu Beraubenden ein.

Reinhardt, gelassen, entgegenkommend, doch distanziert, ist wie immer ein Gastgeber von vollendeter Höflichkeit, Grandseigneur in allen Lebenslagen, Fürst eines Reiches, das nicht erobert werden kann.

BERTHA ZUCKERKANDL

Sie hat drei Bücher geschrieben und unzählige Artikel, rund hundertzwanzig Theaterstücke übersetzt und ein Gutteil davon placiert, mit Gott und der Welt diniert, dejeuniert, den Tee genommen und telefoniert, telefoniert, telefoniert.

Von ihren Gästen und Gesprächspartnern leben heute nur mehr wenige, ihr Name ist nur einem kleinen Kreis sozusagen Eingeweihter ein Begriff. Aber wenn die Nachwelt schon dem Mimen keine Kränze flicht, um wieviel weniger Gedenken widmet sie dann erst dem Journalisten?

Dabei hatte die Journalistin Bertha Zuckerkandl mit einer heute kaum mehr vorstellbaren Spannweite aufzuwarten. Ihre Beziehungen, ihre meist engen Beziehungen erstreckten sich in die Welt der Literatur, der Bildenden Künste, der Musik, des Theaters, der Mode, der Medizin, der Philosophie und der hohen Politik. Und mehr als einmal hatte ihre journalistische Intervention durchschlagenden und nachhaltigen Erfolg, so in den Fällen Klimt und Kokoschka. Aber sie intervenierte gern auch unter Ausschluß der Öffentlichkeit, nicht nur in Privataffären wie der des großen Komödianten Alexander Girardi, den sie in indirekter Komplicenschaft mit Kaiser Franz Joseph vor der Einlieferung ins Irrenhaus bewahrte, sondern auch in hochoffiziellen: 1917, als es um Friedensverhandlungen mit den Alliierten ging, und wirkungsvoller 1922, als die österreichische Regierung sich um die Beseitigung der Inflation bemühte.

Den Antrieb, sich lebhaft – und immer voll engagiert – um die Angelegenheiten der Allgemeinheit zu kümmern, hatte sie von ihrem Vater. Moritz Szeps, 1835 in Galizien geboren und in sehr jungen Jahren nach Wien gekommen, mit dem festen Vorsatz, die Welt zu erobern, war Begründer des »Neuen Wiener Tagblatts« und viele Jahre hindurch dessen Chefredakteur, Erfinder des Kleinen Anzeigers und stets außerordentlich gut über politische Hintergrundereignisse informiert. Wie Bertha Zuckerkandl mitteilt, hat es Augenblicke gegeben, in denen ihr Vater der österreichischen Regierung überraschende, weil auf diplomatischem Weg noch nicht eingelangte Informationen geben konnte. Tatsache ist, daß er mit dem Kronprinzen Rudolf eine sehr eingehende politische Korrespondenz geführt hat. Rudolfs Briefe an Moritz Szeps hat dessen Sohn Julius, Bertha Zuckerkandls Bruder, unter dem Titel »Politische Briefe an einen Freund« als Buch herausgegeben (Rikola-Verlag Wien–München–Leipzig, 1922).

Das »Neue Wiener Tagblatt« gründete Moritz Szeps ein Jahr nach der Geburt seiner Tochter Bertha, 1864. Die räumlichen Verhältnisse waren zu Anfang so beengt, daß Familie und Redaktion in einer Wohnung untergebracht waren. »Unser Kinderzimmer stieß tatsächlich an das Redaktionszimmer an«, erzählt Bertha Zuckerkandl ihren Freunden Bahr und Friedell ein halbes Jahrhundert später, »heute noch, wenn ich Druckerschwärze rieche, ist mir das so heimisch wie dem Bauern Stallgeruch.« Sie fügt hinzu, ihr Vater habe die liberale Zeitung »mit einem lächerlich kleinen Kapital« gegründet, »aber mit dem unerschöpflichen Fond von Jugend, Glauben, Enthusiasmus«.

Es gehörte, 16 Jahre nachdem Fürst Windischgrätz im Auftrag des Kaisers das demokratische Wien in Brand geschossen und die Wortführer der Revolution an die Wand hatte stellen lassen, mehr als Begeisterung dazu, in Wien ein freisinniges Blatt zu machen, nämlich Zivilcourage. Ihren Rückhalt fanden die liberal gesinnten politischen Köpfe vom Schlage des Moritz Szeps im jüdischen Wiener Bürgertum, dem sie ja selbst, wenn auch vielfach in der ersten Generation, angehörten. Unter liberal versteht man heute eine etwas rückständige Gesinnung, die man bestenfalls gutmütig belächelt, Fortschrittsglauben verbunden mit einem mehr oder weniger blinden Glauben an das Gute im Menschen. Damals, in der zweiten Hälfte des 19. Jahrhunderts, hatte der Liberalismus noch Stoßkraft nötig, um die allumfassende Mauer der Staatsmacht, an deren Erhaltung Hofräte und Schullehrer, Minister, Militär und Geistlichkeit hingebungsvoll werkten, zu durchbrechen. Initiative und Freisinn des jüdischen Wiener Bürgertums kamen nicht nur der wirtschaftlichen Expansion der Monarchie zugute. Selbst die Leidtragenden der Gründerzeit, die rechtlosen Arbeiter Österreichs, fanden ihren Führer in einem Sproß dieser Schicht. Es war Victor Adler, der nicht nur die österreichische Sozialdemokratie begründete, sondern allen Bürgern Österreich-Ungarns zum allgemeinen, direkten und geheimen Wahlrecht verhalf. Und es waren die Söhne jener Kaufleute, Ärzte und Anwälte, die einer umfassenden Kulturrevolution zum Durchbruch verhalfen. Arthur Schnitzler, Gustav Mahler, Sigmund Freud, Max Reinhardt – auf Schritt und Tritt werden uns ihre Namen in den von Bertha Zuckerkandl notierten Gesprächen begegnen.

Die Presse jener Zeit und jener Richtung – neben dem »Neuen Wiener Tagblatt« vor allem die von Etienne gegründete »Neue Freie Presse« – hat, seitdem die deutsche Publizistik Karl Kraus entdeckt hat, nicht eben den besten Ruf. Allerdings kennt man von jenen Zeitungen heute im allgemeinen nicht mehr als eben die Sprachschnitzer, die Karl Kraus in monomanischer Überschätzung ihrer Bedeutung aufgeklaubt hat. Die wesentliche Funktion dieser Zeitungen war es, ihre Leser zwischen Adria und Erzgebirge, Bodensee und Karpaten mit Nachrichten zu versorgen, die anderwärts nicht erhältlich waren, um ein Klima der Unvoreingenommenheit zu erzeugen.

Folgt man der Familienlegende, die Bertha Zuckerkandl in dem erwähnten Gespräch mit Bahr und Friedell überliefert, dann war es die Schlacht bei Königgrätz, die dem »Neuen Wiener Tagblatt« die erste Sternstunde brachte.

In der Nacht zum 4. Juli 1866 erscheint bei Szeps ein Bote und überbringt den Brief eines böhmischen Bekannten, dem Szeps einmal einen großen Gefallen getan hat. Der Brief enthält die Mitteilung von der österreichischen Niederlage bei Königgrätz, die in Wien bislang unbekannt ist. Szeps verfaßt eine Meldung, trägt sie in die Setzerei, läßt Bier und Wurst holen und sperrt die Setzer bis in die frühen Morgenstunden ein, damit niemand außer ihm die Sensationsnachricht bekommt. »Damals existierte wohl bereits die Telegrafie«, sagt die Erzählerin, »doch hatten die Militärbehörden dafür gesorgt, daß keinerlei Nachrichten von der Front nach Wien gelangen konnten.«

Gleich ihrem Bruder, dem Chefredakteur der »Allgemeinen Zeitung« wurde Bertha Zuckerkandl Journalistin. Sie schrieb für die Zeitung ihres Bruders, später für das »Neue Wiener Journal« und mehrfach für »Ver Sacrum«, das Organ der Secession. Nicht nur durch diese Betätigung kam sie in Berührung mit der Wiener Kulturwelt. Eine Reihe wichtiger Kontakte hatte sie dem ausgedehnten Bekanntenkreis ihres Mannes, des Anatomen Emil Zuckerkandl, zu danken, so die Bekanntschaft mit Arthur Schnitzler, dem Sohn des Laryngologen Johann Schnitzler, der nicht nur ein Kollege, sondern auch ein Landsmann Zuckerkandls war. Durch Schnitzler lernte sie Hofmannsthal kennen, Bahr, Altenberg, Beer-Hofmann. In ihrer Döblinger Villa hielt sie sozusagen hof, d. h., sie unterhielt einen Salon, in dem bald alles verkehrte, was in der Welt des Theaters, der Musik und der Bildenden Künste Rang und Namen hatte. Auch Unbekannte, denen Rang und Namen zu verschaffen Bertha Zuckerkandl eine Herzensangelegenheit war, wurden dort empfangen und »gefördert«. Gustav Klimt, Oskar Kokoschka, Franz Werfel, Egon Friedell konnten in kritischen Situationen mit ihrer propagandistischen Hilfeleistung rechnen.

Die Möglichkeit, internationale Kontakte herzustellen, hatte Bertha Zuckerkandl durch die Heirat ihrer Schwester Sophie mit Paul Clemenceau, dem Bruder des »Tigers«. Im Haus ihrer Schwester lernte sie nicht nur Politiker kennen wie Paul Painlevé, der später mehrfach französischer Ministerpräsident wurde, sondern vor allem Künstler: den Bildhauer Auguste Rodin, den Komponisten Maurice Ravel, den Maler Eugène Carrière. Ihr stets lebhaftes Interesse und ihre nie erlahmende Betriebsamkeit machten aus diesen Bekanntschaften Gastspielreisen, Ausstellungen und schließlich gar noch die Sanierung der österreichischen Währung. Zwar ging der Anteil, den Bertha Zuckerkandl an dieser volkswirtschaftlichen Maßnahme hatte, nicht über eine vermittelnde Tätigkeit hinaus, doch war die Verbindung, die sie zwischen dem französischen Finanzminister Caillaux und dem österreichischen Bundeskanzler Seipel herstellte, immerhin eine Voraussetzung für die Völkerbundanleihe, die der Inflation in Österreich ein Ende setzte.

Von dem Anteil, den die rührige Journalistin an der Erneuerung der bildenden Künste in Wien, vor allem an der Errichtung der »Wiener Werkstätten«, hatte, zeugt außer ihren Erinnerungen das Buch »Zeitkunst Wien«, 1901–1907, in dem sie sich für die Neue Sachlichkeit in Architektur und Kunstgewerbe einsetzte. Ebenso unermüdlich wie für Otto Wagner und Josef Hoffmann, den Mitgründer der »Wiener Werkstätten«, arbeitete sie als Public Relations-Manager für Gustav Mahler und Max Reinhardt. So konnte sie auch die Anfänge der Salzburger Festspiele aus nächster Nähe miterleben und einen aufschlußreichen Bericht darüber geben.

Ihre Berichte über die Welt von gestern, über jenen einmaligen Aufschwung Wiens als Zentrum geistiger Erneuerung, diktierte sie zeitlich und räumlich entrückt als 82jährige ihrem Enkel. 1938 war sie aus Österreich nach Frankreich emigriert, während des Krieges landete sie in Algier. Und selbst in Afrika fand sie noch einen Gesprächspartner, der ihr die Fülle der Geistigkeit, mit der sie zeitlebens in Berührung gestanden hatte, ersetzen konnte: André Gide, der sich häufig in Algier aufhielt.

Die Energie, mit der Bertha Zuckerkandl sich von jeher den Angelegenheiten der Allgemeinheit gewidmet hatte, verließ sie bis zuletzt nicht. So konnte sie dem beständigen Drängen ihres zwanzigjährigen Enkels willfahren und ihm und uns eine Schilderung jener Männer übermitteln, die, von Wien geformt und an Wien leidend, dem Jahrhundert neue Impulse gegeben haben.

Bei Kriegsende kehrte Bertha Zuckerkandl nach Europa zurück. Sie starb am 16. Oktober 1945 in Paris.

Reinhold Federmann

ANMERKUNGEN

Motto:

1. Wenn es gilt, das Leben bestimmter Menschen zu schildern, dann gibt es überhaupt keine überflüssigen Erinnerungen.

   Baudelaire

2. Intime Geschichten erzählen, über die kein Historiker schreibt.

   Edmond de Goncourt

Mein Telefon-Tagebuch

1. Im Briefwechsel zwischen Arthur Schnitzler, 1862 Wien — 1931 Wien, und Hugo von Hofmannsthal, 1874 Wien — 1929 Rodaun bei Wien, S. Fischer, Frankfurt/Main 1964, kommt B. Z. unter der Bezeichnung »die Hofrätin« mehrfach vor; wiederholt wird sie auch »die gute Freundin« genannt.

Hermann Bahr, der Erwecker:

1. Hermann Bahr, 1863 Linz — 1934 München, war von 1890 an Dramaturg der »Freien Bühne« Berlin, wo er mit Arno Holz und anderen Naturalisten in Berührung kam. Seit 1894 war er vor allem Kritiker in Wien. Schrieb Romane, Essays und Stücke. Seine Rolle als Mentor der »Moderne« und des Schriftstellerkreises »Jung-Wien« wird von B. Z. ausführlich geschildert. Die Datierung 1892 beruht offenbar auf einem Irrtum.
2. Gemeint ist die Zeit der Direktion Heinrich Laubes, 1849—1867, der das Burgtheater zur ersten Bühne des deutschen Sprachraums machte. Vor ihm hatte Joseph Schreyvogel (1814—1832) als Hoftheatersekretär und Dramaturg dem Burgtheater einen bedeutenden Spielplan gegeben (u. a. Grillparzers Stücke) und große Schauspieler verpflichtet (Sophie Schröder, Heinrich Anschütz).
3. Traditionsbewußter Verein Wiener Architekten, Maler und Bildhauer, 1861 gegründet, und Name ihres Vereinshauses.
4. 1798 von Emanuel Schikaneder gegründet, 1805 Uraufführung von »Fidelio«, 1817 von Grillparzers »Ahnfrau«; seit 1826 etwa 40 Nestroy-Uraufführungen.
5. Johann Strauß Sohn, 1825 Wien — 1899 Wien.
6. Alexander Girardi, 1850 Graz — 1918 Wien.

Alexander Girardi:

1. Helene Odilon, 1864 Dresden — 1939 Salzburg, starb im Armenhaus.
2. Katharina Schratt. 1855 Baden bei Wien — 1940 Wien; von 1883—1900 am Burgtheater. Seit den achtziger Jahren war sie die Freundin Kaiser Franz Josephs.

3. Julius Wagner-Jauregg, 1857 Wels — 1940 Wien, Psychiater, versuchte Paralyse durch Malaria-Impfung zu heilen, 1927 Nobelpreis.
4. Sophie Szeps, 1859—1937, verheiratet mit Paul Clemenceau, 1854—1945.
5. Eduard Graf Paar, Generaladjutant des Kaisers.
6. Porzellan aus der Augarten-Manufaktur.

Johann Strauß:

1. Alfred Grünfeld, 1852 Prag — 1924 Wien, Pianist und Komponist.
2. Singt in Raimunds »Verschwender« das bekannte Hobellied.
3. Maurus Jokai, Verfasser zahlreicher, meist historischer Romane, die großenteils in deutscher Übersetzung erschienen.
4. Jacques Offenbach, 1819 Köln — 1880 Paris, Erfinder der Operette.

Arthur Schnitzlers Anfänge und ein Abschied:

1. Marcel Proust, 1871—1922; seit 1913 erschien sein zwölfbändiges Romanwerk »Auf der Suche nach der verlorenen Zeit«.
2. Der Einakter-Zyklus »Anatol« entstand 1891/92.
3. Emil Zuckerkandl, 1. September 1849 Raab (Györ) — 28. Mai 1910 Wien. 1882 Professor der Anatomie Graz, seit 1888 Wien. Hauptwerk: »Atlas der topographischen Anatomie des Menschen«, 1900—1904.
4. Johann Schnitzler, 1835 Nagy-Kanisza — 1893 Wien. Gründer der Wiener Poliklinik.
5. Adolf von Sonnenthal, 1834 Budapest — 1909 Prag. Seit 1856 Schauspieler, seit 1870 auch Regisseur am Burgtheater, 1887—1890 dessen provisorischer Leiter.
6. Max Burckhard, 1854 Korneuburg — 1912 Wien, Burgtheaterdirektor von 1890 bis 1898.
7. Friedrich Mitterwurzer, 1844 Dresden — 1897 Wien, seit 1871 am Burgtheater, dazwischen, 1884, Direktor des Carl-Theaters.

Gründung der Secession. Otto Wagner, der große Städtebauer:

1. Otto Wagner, 1841 Wien — 1918 Wien, als Architekt Pionier der Neuen Sachlichkeit. Er gehörte zu den 19 Mitgliedern des Künstlerhauses, die sich 1897 als »Vereinigung bildender Künstler Österreichs, Secession« vom »Künstlerhaus« trennten. »Secession« heißt auch das Gebäude der neuen Vereinigung.
2. Berühmt geworden ist vor allem das Gebäude des Postsparkassenamts, das Otto Wagner 1904—1906 erbaute.
3. Eduard Van der Nüll, 1812 Wien — 1868 Wien.
4. August Siccard von Siccardsburg, 1813 Budapest — 1868 Weidling bei Wien.
5. Joseph Maria Olbrich, 1867 Troppau — 1908 Düsseldorf. Seit 1899 Professor in Darmstadt.
6. Josef Hoffmann, 1870 Pirnitz, Mähren — 1956 Wien. Entwickelte den »Wiener Stil«.
7. Kolo Moser, 1868 Wien — 1918 Wien.

8. Alfred Roller, 1864 Brünn — 1935 Wien, Maler und Graphiker, Kunstgewerbler, später vor allem Bühnenbildner.
9. Gustav Klimt, 1862 Baumgarten bei Wien — 1918 Wien, Pionier der modernen Malerei.
10. Ludwig Hevesi, 1842 Heves, Ungarn — 1910 Wien.
11. Von Josef Hoffmann und Kolo Moser 1903 als Arbeitsgemeinschaft bildender Künstler gegründet. Aus ihr gingen ebenso Bauwerke hervor (Palais Stoclet in Brüssel) wie Gegenstände der Gebrauchskunst. Sie prägte den Stil des modernen Kunsthandwerks; zeitweise gehörten ihr Klimt, Kokoschka und Schiele an.

Gustav Mahler:

1. Gustav Mahler, 1860 Kalischt (Böhmen) — 1911 Wien; war vorher Schüler Anton Bruckners, Kapellmeister in zahlreichen Städten zwischen Budapest, Laibach und Hamburg.
2. Arturo Toscanini, 1867 Parma — 1957 New York, Dirigent.
3. Schwester und Schwager von B. Z.
4. Alma Mahler-Werfel, 1879 Wien — 1964 New York.

Max Burckhard:

1. Egon Friedell, 1878 Wien — 1938 Wien.
2. Burckhard war ursprünglich Jurist, nach seiner Tätigkeit als Privatdozent und Richter zuletzt Ministerial-Vizesekretär im Ministerium für Kultus und Unterricht. Das Epos, von dem Bahr spricht, ist das romantische Gedicht »Das Lied vom Tannhäuser«, Leipzig 1885. Im Februar 1890 wurde Burckhard zum »artistischen Sekretär« und erst im Mai desselben Jahres zum Direktor des Hofburgtheaters ernannt.
3. Felix Salten, 1869 Budapest — 1945 Zürich, war vor Veröffentlichung seiner Romane vornehmlich Feuilletonist und Burgtheaterkritiker.

Wien, Stadt der Heilkunst:

1. 1784; wurde bis 1859 mehrmals erweitert; Neues Allgemeines Krankenhaus seit 1904, vollständige Umgestaltung begonnen 1962.
2. Karl Freiherr von Rokitansky, 1804 Königgrätz — 1878 Wien, Pathologe.
3. Josef Skoda, 1805 Pilsen — 1881 Wien, Internist.
4. Josef Hyrtl, 1810 Eisenstadt — 1894 Perchtoldsdorf bei Wien. Gründete das Wiener Museum für vergleichende Anatomie.
5. Johann von Oppolzer, 1808 Gratzen, Böhmen — 1871 Wien.
6. Theodor Meynert, 1833 Dresden — 1892 Klosterneuburg. Psychiater, machte die pathologische Hirnanatomie zur Grundlage der Psychiatrie, war Lehrer Sigmund Freuds.
7. Ferdinand von Hebra, 1816 Brünn — 1880 Wien, Dermatologe. Führte die Wasserbettbehandlung ein.
8. Ernst Wilhelm Brücke, 1819 Berlin — 1892 Wien. Physiologe. Entwickelte Phonetik und Farbenlehre, Lehrer Freuds.

9. Theodor Billroth, 1829 Bergen auf Rügen — 1894 Abbazia, Chirurg.
10. Eduard Albert, 1841 Senftenberg, Böhmen — 1900 ebendort, Chirurg.
11. Richard Freiherr von Krafft-Ebing, 1840 Mannheim — 1902 Maria Grün bei Graz. Psychiater, »Psychopathia Sexualis« 1886.
12. Julius Tandler, 1869 Iglau — 1936 Moskau, Anatom. 1919/20 Unterstaatssekretär für Volksgesundheit, 1922—1934 Wiener Stadtrat. Reformierte das Wiener Gesundheitswesen.
13. Eugen Steinach, 1862 Hohenems — 1944 Territet bei Montreux. Physiologe, Verjüngungsspezialist.
14. Charles Edouard Brown-Sequard, 1817—1894, Professor am Collège de Françe.

Auguste Rodin in Wien

1. Auguste Rodin, 1840 Paris — 1917 Meuton, Bildhauer.
2. Max Klinger, 1857—1920, neoklassizistischer Maler, Radierer und Bildhauer.

Die Klimt-Affäre

1. Eugène Carrière, 1849 Gouray — 1906 Paris, Maler.
   B. Z. kannte ihn aus Paris und hatte mit ihm seit 1894 korrespondiert.
2. Franz Wickhoff, 1853 Steyr — 1909 Venedig, Kunsthistoriker, seit 1885 Universitätsprofessor in Wien.
3. »Wiener Allgemeine Zeitung.«

Gespräch mit Alma

1. Bela Haas, Wiener Theaterhabitué; bekannt sind seine Aussprüche: »Das ist ka Stück für a Premiere«, und: »Wie ich um drei Viertel elf auf die Uhr schau', war's erst halber neune.«

Mahlers Abschied

1. Gemeint ist offenbar Felix Weingartner (1863 Zara — 1942 Winterthur), Nachfolger Mahlers als Direktor der Wiener Oper und 1908—1927 Leiter der Wiener Philharmonischen Konzerte.
2. Mahler war nach einer Staphylokokkeninfektion beinahe vollständig gelähmt.

Europas Akademien der Wissenschaften in Wien

1. Ernst Mach, 1838 Turas, Mähren — 1916 Haar bei München. Physiker (Machsche Zahl, die das Verhältnis der Geschwindigkeit eines Körpers zur Schallgeschwindigkeit bezeichnet), Philosoph (Empiriokritizismus).
2. Eduard Suess, 1831 London — 1914 Wien, Geologe. Initiator der Donauregulierung und der ersten Wiener Hochquellwasserleitung.
3. Henri Poincaré, 1854—1912, Mathematiker.
4. Nach dem Berliner Kongreß 1878, als Rumänien, Serbien und Montenegro von

der Türkei unabhängig wurden, besetzten österreichische Truppen das Hinterland Dalmatiens, die von serbokroatischer Bevölkerung bewohnten Provinzen Bosnien und Herzegowina (»Okkupation«); die Einverleibung in die österreichisch-ungarische Monarchie erfolgte erst 1908 (Annexion). Die daraus entstandenen serbisch-österreichischen Spannungen führten zum Attentat von Sarajewo 1914.

5. Eine merkwürdige thematische Übereinstimmung mit der Erzählung »Der Heizer«, die Franz Kafka (1883 Prag — 1924 Kierling bei Wien) 1913 veröffentlichte; es handelte sich um ein Kapitel des Romans »Amerika«, der erst 1927 aus dem Nachlaß herausgegeben wurde.
6. Sigmund Freud, 1856 Freiberg, Mähren — 1939 London. 1905 waren »Drei Abhandlungen zur Sexualtheorie« und »Vorlesungen zur Einführung in die Psychoanalyse« erschienen.
7. »Leutnant Gustl«.
8. Eine von Hermann Bahr geprägte Bezeichnung; zur Bewegung »Jung-Wien« rechnete er seine Tischrunde aus dem Café Griensteidl, dem ältesten Wiener Literatencafé, das schon Grillparzer frequentiert hatte: Schnitzler, Hofmannsthal, Beer-Hofmann, Salten, Altenberg.
9. Wilhelm Stekel, 1868 Wien — 1940 London, Psychiater. Auf seine Anregung führte Freud die »Psychoanalytischen Diskussionsabende« ein. Später kam es zu einem Zerwürfnis zwischen Freud und Stekel. B. Z.s Sohn Friedrich heiratete Stekels Tochter Gertrud.
10. Gemeint ist die Währingerstraße; als Cottage werden die Villenviertel im 18. und 19. Bezirk bezeichnet.
11. Der Brief stammt vom 8. Mai 1906 und lautet:

    Verehrter Herr Doktor!

    Seit vielen Jahren bin ich mir der weitreichenden Übereinstimmung bewußt, die zwischen Ihren und meinen Auffassungen mancher psychologischer und erotischer Probleme besteht, und kürzlich habe ich ja den Mut gefunden, eine solche ausdrücklich hervorzuheben (Bruchstück einer Hysterieanalyse, 1905). Ich habe mich oft verwundert gefragt, woher Sie diese oder jene geheime Kenntnis nehmen konnten, die ich mir durch mühselige Erforschung des Objektes erworben, und endlich kam ich dazu, den Dichter zu beneiden, den ich sonst bewundert.

    Nun mögen Sie erraten, wie sehr mich die Zeilen erfreut und erhoben, in denen Sie mir sagen, daß auch Sie aus meinen Schriften Anregung geschöpft haben. Es kränkt mich fast, daß ich fünfzig Jahre alt werden mußte, um etwas so Ehrenvolles zu erfahren.

    Ihr in Verehrung ergebener

    Dr. Freud.

B. Z. hat sich also entweder um 10 Jahre geirrt, oder Freud schrieb 10 Jahre später nochmals einen Brief ähnlichen Inhalts. In der Buchausgabe seiner Briefe 1873—1939, ausgewählt und herausgegeben von Ernst und Lucie Freud,

© 1960 by Sigmund Freud Copyrights Ltd. London, deutsche Rechte S. Fischer Verlag, Frankfurt/M, findet sich jedoch nur noch ein Brief an Schnitzler, und zwar vom Mai 1922 zu Schnitzlers 60. Geburtstag. Darin heißt es:
Ich will Ihnen — ein Geständnis ablegen, welches Sie gütigst aus Rücksicht für mich für sich behalten (und) mit keinem Freunde oder Fremden teilen wollen. Ich habe mich mit der Frage gequält, warum ich eigentlich in all diesen Jahren nie den Versuch gemacht habe, Ihren Verkehr aufzusuchen und ein Gespräch mit Ihnen zu führen (wobei natürlich nicht in Betracht gezogen wird, ob Sie selbst eine solche Annäherung von mir gern gesehen hätten).
Die Antwort auf diese Frage enthält das mir zu intim erscheinende Geständnis. Ich meine, ich habe Sie gemieden aus einer Art von Doppelgängerscheu. Nicht etwa, daß ich sonst so leicht geneigt wäre, mich mit einem anderen zu identifizieren oder daß ich mich über die Differenz der Begabung hinwegsetzen wollte, die mich von Ihnen trennt, sondern ich habe immer wieder, wenn ich mich in Ihre schönen Schöpfungen vertiefe, hinter deren poetischem Schein die nämlichen Voraussetzungen, Interessen und Ergebnisse zu finden geglaubt, die mir als die eigenen bekannt waren. Ihr Determinismus wie Ihre Skepsis — was die Leute Pessimismus heißen — Ihr Ergriffensein von den Wahrheiten des Unterbewußten, von der Triebnatur des Menschen, Ihre Zersetzung der kulturell-konventionellen Sicherheiten, das Haften Ihrer Gedanken an der Polarität von Lieben und Sterben, das alles berührte mich mit einer unheimlichen Vertrautheit. (In einer kleinen Schrift vom Jahr 1920 »Jenseits des Lustprinzips« habe ich versucht, den Eros und den Todestrieb als die Urkräfte aufzuzeigen, deren Gegenspiel alle Rätsel des Lebens beherrscht.) So habe ich den Eindruck gewonnen, daß Sie durch Intuition — eigentlich aber infolge feiner Selbstwahrnehmung — alles das wissen, was ich in mühseliger Arbeit an anderen Menschen aufgedeckt habe. Ich glaube, im Grunde Ihres Wesens sind Sie ein psychologischer Tiefenforscher, so ehrlich unparteiisch und unerschrocken wie nur je einer war, und wenn Sie das nicht wären, hätten Ihre künstlerischen Fähigkeiten, Ihre Sprachkunst und Gestaltungskraft freies Spiel gehabt und Sie zu einem Dichter weit mehr nach dem Wunsch der Menge gemacht. Mir liegt es nahe, dem Forscher den Vorzug zu geben. Aber verzeihen Sie, daß ich in die Analyse geraten bin, ich kann eben nichts anderes. Nur weiß ich, daß die Analyse kein Mittel ist, sich beliebt zu machen.

Sigmund Freud

1. »O Herr, gib mir die Kraft und den Mut, meinen Leib und mein Herz ohne Ekel zu betrachten.«

Krawall um Arnold Schönberg

1. Arnold Schönberg, 1874 Wien — 1951 Los Angeles
2. Arnold Rosé, 1863 Lasi, Rumänien — 1946 London, Schwager Gustav Mahlers; gründete 1882 das Quartett, das seinen Namen trug. War 1881–1931 Konzertmeister der Wiener Philharmoniker.

3. Marie Gutheil-Schoder, 1874 Weimar — 1935 Ilmenau, Sopranistin.
4. Ludwig Ullmann, 1887 Wien, Theaterkritiker, emigrierte in die USA.
5. Oskar Kokoschka geboren, 1886 Pöchlarn/Niederösterreich.
6. Egon Schiele, 1890 Tulln, Niederösterreich — 1918 Wien.
7. Frank Wedekind, 1864 Hannover — 1918. Grund der Einladung war vermutlich der Ruhm der Künstlergruppe »Die 11 Scharfrichter«.

Reinhard in Wien

1. Max Reinhardt 1873 Baden bei Wien — 1943 New York.
2. Alexander Moissi 1880 Triest — 1935 Lugano, Schauspieler.
3. »Ödipus und die Sphinx«, Tragödie in drei Aufzügen von Hugo von Hofmannsthal, geschrieben 1904, Uraufführung 1906 am Deutschen Theater Berlin, ebenfalls mit Moissi in der Titelrolle und unter Reinhardts Regie.
4. Anna Bahr-Mildenburg, 1872 Wien — 1947 Wien, seit 1909 mit Hermann Bahr verheiratet, Kammersängerin.

Egon Friedell

1. 1927—1932.
2. Friedell verübte erst 4 Tage nach dem Anschluß Österreichs Selbstmord. Als ein Trupp SA-Leute in seine Wohnung einzudringen versuchte, stürzte er sich aus dem Fenster.
3. Ernst Freiherr von Wolzogen, 1855 Breslau — 1934, begründete das literarische Kabarett »Überbrettl«.
4. Peter Altenberg, eigentlich Richard Engländer, 1859 Wien — 1919 Wien.

Österreichische Mode in Paris

1. Paul Poiret, 1879—1944 Paris, 1908 als Modeschöpfer hervorgetreten.
2. Franz Czisek, 1865 Leitmeritz, Böhmen — 1964 Wien, Kunstpädagoge.

Franz Ferdinand

1. Die Wiener Künstlervereinigung »Der Hagenbund« bestand schon seit 1899, gewann aber erst ein Jahrzehnt später Bedeutung, vornehmlich durch den Eintritt Kokoschkas.
2. Anton Faistauer, 1887 Sankt Martin bei Lofer, 1930 Wien.
3. Franz Wiegele, 1887 Nötsch, Kärnten — 1944 ebendort.
4. Franz Ferdinand, Erzherzog von Österreich-Este, 1863 Graz — 28. Juni 1914 Sarajewo, Neffe Kaiser Franz Josephs, nach dem Tod des Kronprinzen Rudolf, 1889, österreichisch-ungarischer Thronfolger.
5. Sophie Gräfin Chotek, 1868 Stuttgart — 28. Juni 1914 Sarajewo. Seit 1900 mit Franz Ferdinand verheiratet; 1909 Herzogin von Hohenberg.

Kathi Schratt

1. Heinrich Laube, 1806 Sprottau, Schlesien — 1884 Wien, gehörte als Schriftsteller zur Gruppe »Junges Deutschland«, war 1848 Abgeordneter der Frankfur-

ter Nationalversammlung, 1849—1867 Burgtheaterdirektor, 1872—1880 Direktor des Wiener Stadttheaters.
2. Sein Vater, ein Schlosser, war aus Cortina d'Ampezzo eingewandert.
3. Kaiser Karl, 1887 Persenbeug, Niederösterreich — 1922 Funchal, Madeira.

Schweizer Tagebuchbriefe

1. Harry Graf Kessler, 1868 Paris — 1937 Südfrankreich, langjähriger Präsident der Deutschen Friedensgesellschaft. Gründete 1913 in Weimar die Cranachpresse, 1895—1900 Mitherausgeber der Zeitschrift »Pan«.
2. Oskar Fried, 1871 Berlin, Dirigent und Komponist.
3. Richard Strauss, 1864 München — 1949 Garmisch.
4. Sergej Diaghilew, 1872 Perm — 1929 Venedig, Erneuerer des klassischen Balletts.
5. »Eines Tages wird man ihm das zurückzahlen. Wenn die Kanonen das Orchester bilden, wird er nicht dirigieren.«
6. Annette Kolb, 1875—1969.
7. Romain Rolland, 1866—1944.
8. Fritz von Unruh, geboren 1885, emigrierte 1933 in die USA.
9. Paul Painlevé, 1963 Paris — 1933 Paris, Mathematiker und Politiker.

Untergang und Neubeginn

1. Ignaz Seipel, 1876 Wien — 1932 Pernitz, Niederösterreich, christlich-sozialer Politiker, katholischer Priester, Universitätsprofessor, 1922—1924 und 1926—1929 Bundeskanzler.
2. Gottfried Kunwald, 1869 Baden bei Wien — 14. 3. 1938 Wien, Selbstmord.
3. Aristide Briand, 1862—1932, war zwischen 1909 und 1930 mehrfach französischer Ministerpräsident, 1915—1932 Außenminister. Im Locarnopakt versuchte er 1925 der deutsch-französischen Verständigung zusammen mit Stresemann ein Fundament zu geben.
4. Joseph Caillaux, 1863—1944, war 1911/12 französischer Ministerpräsident. Seine pazifistische Haltung erregte den Argwohn Georges Clemenceaus, auf dessen Betreiben er 1918 verhaftet wurde.

Der erste »Jedermann« in Salzburg

1. Hofmannsthals 1911 nach einem mittelalterlichen Mysterienspiel geschriebenes »Spiel vom Leben und Sterben des reichen Mannes«, das durch seine ständig wiederkehrende Aufführung während der Salzburger Festspiele seit 1920 (unterbrochen 1938—1945) Berühmtheit erlangt hat.
2. Schloß in Salzburg, erbaut im 16. Jahrhundert, 1736 im Rokokostil umgebaut. 1918—1938 war Max Reinhardt Besitzer des Schlosses.
3. Helene Thimig, geboren Wien 1889, Schauspielerin, heiratete Max Reinhardt 1932, emigrierte 1937 mit ihm in die USA, war 1948—1959 Leiterin des Reinhardt-Seminars in Wien.
4. Paul Géraldy, geb. 1885 Paris, Lyriker, Essayist, Bühnenschriftsteller.

Erinnerungen an Maurice Ravel

1. Gabriel Urbain Fauré, 1845—1924, Komponist.
2. Maurice Ravel, 1875 Cibaure — 1937 Paris.
3. Sidonie-Gabrielle Colette, 1873—1954 Paris, Schriftstellerin.

Das Salzburger große Welttheater

1. Hofmannsthal entlehnt Calderons »Großem Welttheater« nur die Metapher, die Namen der sechs Figuren und den Titel. In einem Brief vom 28. Januar 1922 an Schnitzler äußert er sich über die geplante Vorlesung:
»... es freut mich riesig von B. Z. zu hören, daß Sie zu dem Vorlesen des Welttheaters kommen wollen — es ist ja keine Vorlesung, sondern wirklich ein bescheidenes Vorlesen an ein paar alte und ein paar neuere Bekannte und Freunde an diesem zwanglosen neutralen Ort und es ist mir natürlich ein liebes Geschenk, daß Sie da sein wollen«,
und ließ am selben Tag auch seine Tochter Christiane eine Karte an Schnitzler schreiben, um sicherzugehen, daß Schnitzler kommen würde:
»Lieber Arthur, im Namen von Papa bitte ich Dich, sicher am Freitag drei Viertel sieben Uhr abends bei der Bertha Zuckerkandl zu sein, wo Papa das Welttheater vorliest. Er freut sich besonders auf Dein Zuhören.«

Die Schauspieler der Josefstadt unter Führung von Max Reinhardt

1. Das Theater in der Josefstadt wurde 1788 gegründet, war zunächst Vorstadtbühne, wurde 1822 von Kornhäusel umgebaut. 1899—1923 unter der Direktion Jarno wurde der Spielplan modernisiert. Man spielte Schnitzler, Molnàr, Shaw, Wedekind, Strindberg, Tschechow. Reinhardt, der 1924 die Leitung des Theaters übernahm, ließ es im alten Stil wiederherstellen und holte eine Reihe großer Schauspieler an seine Bühne, unter ihnen Gustaf Gründgens, Ernst Deutsch, Hans Moser, Käthe Gold, Paula Wessely, Rudolf Forster, Hugo, Helene, Hans und Hermann Thimig.
2. Hugo Thimig, 1854 Dresden — 1944 Wien, 1912—1917 Burgtheaterdirektor; Helene T., s. S. 223, Hermann T., geboren 1890 Wien, Charakterdarsteller, Hans T., geboren 1900 Wien, Schauspieler und Regisseur.
3. Oskar Strnad, 1879 Wien — 1935 Bad Aussee, seit 1914 Leiter der Klasse Architektur an der Wiener Akademie für Angewandte Kunst, seit 1918 international bekannter Bühnenbildner.

Molière in Leopoldskron

1. Max Pallenberg, 1877 Wien — 1934 (Tschechoslowakei; starb bei einem Flugzeugunglück), Charakterkomiker; verheiratet mit Fritzi Massary.
2. »Ich habe den See durchquert, die Götter haben mir beigestanden, und wenn ich morgen (ich bin sehr eigensinnig) nicht die Rolle bekomme, die mir in dem neuen Stück zusteht, dann wirst du die unsterbliche Rache der Götter kennenlernen.«

Salzburger Kaleidoskop

1. Johanna Terwin-Moissi, 1884–1960, Schauspielerin, seit 1919 mit Alexander Moissi verheiratet.
2. Richard Mayr, 1877 Henndorf bei Salzburg — 1935 Salzburg, Bassist, seit 1902 Wiener Staatsoper.
3. Franz Schalk, 1863 Wien — 1931 Edlach, Niederösterreich, Dirigent, 1918–1929 Direktor der Wiener Staatsoper, zeitweise zusammen mit Richard Strauss.
4. Lotte Lehmann, geboren 1888 Perleberg, Brandenburg. Sopranistin, emigrierte 1938 in die USA, sang an der Metropolitan Opera.
5. Rudolf Beer, 1889 Graz — 1938 Wien, Schauspieler und Regisseur, leitete nacheinander (seit 1921) das Raimund-Theater, das Volkstheater (damals Deutsches Volkstheater), die Kammerspiele und die Scala, alle Wien; zu seinen Schülern zählen Hans Jaray, Luise Ullrich, Paula Wessely.
6. Margarete Köppke, 1902 Düsseldorf — 1930 Wien.
7. Tilly Losch, trat 1925 in Hofmannsthal Ballettpantomime »Die grüne Flöte« auf.

London

1. Frau von Philipp Snowden, mehrfach britischem Finanzminister.
2. Britischer Premierminister, verantwortlich für die Abrüstung, die wesentlich zur schwächlichen Haltung der Regierung Chamberlain und der schlechten Ausgangsposition Großbritanniens im zweiten Weltkrieg beitrug.
3. Edvard Benesch, Präsident der CSR als Nachfolger T. G. Masaryks.

Hofmannsthal stirbt

1. jüngerer Sohn Hugo von Hofmannsthals.
2. Franz von Hofmannsthal, 1903 Rodaun bei Wien — 1929 ebendort.
3. Gerty von Hofmannsthal, geborene Schlesinger, Hugo v. H.s Frau, 1880–1960.

Stefan Zweig

1. Stefan Zweig, 1881 Wien — 1942 Petropolis, Brasilien (Selbstmord).
2. Friderike Zweig, geb. Burger, geboren 1882 Wien; schrieb mehrere Bücher, gab den Briefwechsel mit ihrem Mann heraus.

Franz Werfel

1. Franz Werfel, 1890 Prag — 1945 Beverly Hills, Kalifornien.

Aus Gasteiner Gesprächen

1. Eduard Pötzl, 1851 Wien — 1914 Mödling, Feuilletonist.
2. Alfred Kerr, 1867 Breslau — 1948 Hamburg, Theaterkritiker.
3. Herbert Ihering, 1888 Springe, Theaterkritiker.
4. Karl Landsteiner, 1868 Wien — 1943 New York, Serologe, Entdecker der Blutgruppen und des Rhesusfaktors.
5. Viktor Franz Hess, 1883 Schloß Waldstein, Steiermark — 1964 Mount Vernon

bei New York, entdeckte die Ultrastrahlen, entwickelte ein Gerät zur Messung der Gammastrahlen, Pionier der Strahlungs- und Kernforschung, auch des Strahlenschutzes.

6. Otto Loewi, 1873 Frankfurt am Main — 1961 New York, Pharmakologe und Physiologe, entdeckte und erforschte den Chemismus der Herz- und Nerventätigkeit.
7. Erwin Schrödinger, 1887 Wien — 1961 Wien, Physiker, Mitbegründer der »Wellenmechanik«, eine der Grundlagen der Atomtheorie; war 1938—1955 emigriert, lehrte währenddessen an der Universität Dublin.
8. Robert Bárány, 1876 Wien — 1936 Upsala, Physiologe und Ohrenarzt. Ihm sind neue Untersuchungsmethoden der Gehörs- und Gleichgewichtsprüfung zu danken sowie neue Wege der Innenohr- und Gehirnchirurgie.
9. Fritz Pregl, 1869 Laibach — 1930 Graz, Chemiker, entwickelte Methoden zur Analyse kleinster Substanzen, die insbesondere für die Erforschung der Hormone und Enzyme wichtig waren.
10. Elise Hahn, 1769 Stuttgart — 1833 Frankfurt am Main, dritte Frau Gottfried August Bürgers, nach zwei Jahren geschieden, schrieb Gedichte und Schauspiele, trat als Deklamatorin auf, war in ihren letzten Jahren erblindet.
11. Berta Freifrau von Suttner, 1843 Prag — 1914 Wien, Mitarbeiterin Alfred Nobels, gründete 1890 die »Österreichische Friedensgesellschaft«.
12. Richard Beer-Hofmann, 1866 Wien — 1945 New York, Dramatiker und Lyriker.
13. Olga Schnitzler, geborene Gussmann, Arthur Schnitzlers Frau.
14. Heinrich Schnitzler, geboren 1902 Hinterbrühl bei Wien, Sohn Arthur Schnitzlers, Schauspieler, Regisseur.
15. Anton Kuh, Aphoristiker, Polemiker, schrieb: »Von Goethe abwärts« (1921), »Juden und Deutsche« (1921), »Börne, der Zeitgenosse« (1922), »Der Affe Zarathustras« (1925), »Der unsterbliche Österreicher« (1931). Starb 1942 in New York.
16. Franz Molnàr, 1878 Budapest — 1952 New York, erfolgreicher Bühnenautor.

Ein Justizirrtum

1. Der frühere Journalist Bela Kun rief am 21. März 1919 in Budapest die ungarische Räteregierung aus und hielt sich 133 Tage an der Macht. Nach dem Einmarsch tschechischer und rumänischer Truppen floh er nach Wien.
2. Johann Schober, 1874 Perg, Oberösterreich — 1932 Baden bei Wien, 1921/22 und 1929/30 Bundeskanzler, 1930—1932 Außenminister, dazwischen (seit 1918) Polizeipräsident von Wien. Betätigte sich 1927, beim Justizpalastbrand, in verhängnisvoller Weise als Scharfmacher; die von ihm angeordnete überhastete Bewaffnung der Polizei war schuld am Tod von 90 Zivilisten. Stand den Großdeutschen nahe, pflegte seinem Gegenspieler Seipel regelmäßig zu unterliegen. War Präsident der Interpol, die ihren Sitz in Wien hatte.
3. Alfred Grünberger, 1875 Karlsbad — 1935 Paris, Christlichsozialer, seit 1920 Staatssekretär für Volksernährung, Handelsminister, Außenminister, seit 1922 Gesandter.

4. Louis Barthou, zu jener Zeit Außenminister, empfing König Alexander I. von Jugoslawien am 9. November 1934 in Marseille zu einem Staatsbesuch. Während des Staatsakts wurden beide von einem kroatischen Faschisten erschossen.

Zusammenbruch der Großbanken

1. Rudolf Sieghart, 1866 Troppau — 1934 Wien, seit 1900 Dozent an der Universität Wien, Finanzberater des Ministerpräsidenten Koerber, war entgegen B. Z.s Anekdote schon von 1910 an Gouverneur der Bodencreditanstalt (bis 1916), seit 1919 deren Präsident.
2. Ignaz Seipel wurde schon am 1. Juni 1924 durch ein Attentat schwer verletzt.

Begegnung mit Dollfuß

1. Engelbert Dollfuß, 1892 Texing, Niederösterreich — 25. Juli 1934 Wien. Christlichsozialer. 1927 Direktor der Niederösterreichischen Landwirtschaftskammer, 1931 Landwirtschaftsminister, 1932 Bundeskanzler. Sprengte im März 1933 das Parlament und verpflichtete sich in Geheimgesprächen Mussolini gegenüber, in Österreich eine Diktatur nach faschistischem Muster zu errichten, dies als Gegenleistung für italienische Schützenhilfe gegen Hitler.
2. Viktor Kienböck, 1873 Wien — 1956 Wien, war mehrfach Finanzminister (1922 bis 1924, 1926—1929), 1932—1938 Präsident der Nationalbank. Allgemein wird ihm ein wesentlicher Anteil an der Seipelschen Finanzsanierung und an der Durchsetzung der Völkerbundanleihe zugeschrieben.
3. Anton Wildgans, 1881 Wien — 1932 Mödling bei Wien, Lyriker und Dramatiker, Burgtheaterdirektor 1921/22 und 1930/31.
4. Am 12. Februar 1934 brachen zwischen dem nur teilweise bewaffneten Republikanischen Schutzbund, der Wehrorganisation der Sozialdemokraten (rund 3000 Mann), und den Regierungstruppen, verstärkt durch Polizei, Gendarmerie und Heimwehr (rund 85 000 Mann) Straßenkämpfe in Wien, Linz und den Industriegebieten der Steiermark und Niederösterreichs aus. Die Kämpfe waren, nachdem Dollfuß hatte Artillerie gegen Wohnhäuser einsetzen lassen, nach vier Tagen beendet. 13 gefangene sozialdemokratische Funktionäre wurden standrechtlich zum Tode verurteilt und gehängt. Die Sozialdemokratische Partei wurde verboten, ebenso die Gewerkschaften, das Vermögen beider Organisationen beschlagnahmt.
5. Charles Rist, 1874 Prilly bei Lausanne — 1955 Paris, Volkswirtschaftler, galt als besonderer Kenner der Geschichte der Nationalökonomie.
6. Am 25. Juli 1934 drangen 125 SS-Leute, als österreichische Soldaten und Polizisten verkleidet, ins Bundeskanzleramt am Ballhausplatz ein. Einer von ihnen, Otto Planetta, erschoß Dollfuß. Der nationalsozialistische Putschversuch wurde in Wien binnen Stunden, in den Bundesländern nach wenigen Tagen niedergeschlagen.
8. Hermann Röbbeling, 1875 Stolberg am Harz — 1949 Wien, Burgtheaterdirektor 1932—1938.

Wien will nicht sterben

1. Emil Geyer war vor Otto Preminger und Ernst Lothar 1926–1933 unter Max Reinhardts Oberleitung Direktor des Theaters in der Josefstadt.
2. Joseph Roth, 1894 Schwabendorf bei Brody, Galizien — 1939 Paris, bedeutender Erzähler. Gemeint ist der Roman »Die Kapuzinergruft« (1938), Fortsetzung des Romans »Radetzkymarsch« (1932), möglicherweise auch dieser.
3. Franz Theodor Csokor, 1885 Wien — 1969 Wien, Lyriker und Dramatiker. Das Stück »3. November 1918« entstand 1937.
4. Moritz Schlick, 1882 Berlin — 22. Juni 1936 Wien. An diesem Tag wurde er von einem seiner Studenten vor der Universität erschossen. Der Täter war Nationalsozialist; es scheint aber auch eine Eifersuchtsaffäre mitgespielt zu haben. Zu Schlicks Werk zählen die »Fragen der Ethik«, 1930.
5. Ludwig Boltzmann, 1844 Wien — 1906 Duino bei Triest, Physiker.
6. Otto Neurath, 1882 Wien — 1945 Oxford, Nationalökonom, Soziologe und Philosoph; entwickelte die Bildstatistik. Emigrierte 1934.

Salzburg 1937

1. Bruno Walter, 1876 Berlin — 1962 Beverly Hills, Dirigent, 1936–1938 Direktor der Wiener Staatsoper. Dirigierte seit 1922 während der Salzburger Festspiele, emigrierte 1938.
2. Franz von Papen, 1879 Werl, zu jener Zeit deutscher Gesandter in Wien. Brachte 1933 die Koalition Hitler/Hugenberg zustande und machte Hitler damit dem Reichspräsidenten Hindenburg genehm.
3. Georg Freiherr von Franckenstein, später Sir George F., 1878–1953. War von konservativen Kreisen 1945 als Chef einer westösterreichischen Regierung ausersehen (in Innsbruck). Starb durch ein Flugzeugunglück bei Brüssel.